Uni-Taschenbücher 363

UTB

Eine Arbeitsgemeinschaft der Verlage

Birkhäuser Verlag Basel und Stuttgart
Wilhelm Fink Verlag München
Gustav Fischer Verlag Stuttgart
Francke Verlag München
Paul Haupt Verlag Bern und Stuttgart
Dr. Alfred Hüthig Verlag Heidelberg
J. C. B. Mohr (Paul Siebeck) Tübingen
Quelle & Meyer Heidelberg
Ernst Reinhardt Verlag München und Basel
F. K. Schattauer Verlag Stuttgart-New York
Ferdinand Schöningh Verlag Paderborn
Dr. Dietrich Steinkopff Verlag Darmstadt
Eugen Ulmer Verlag Stuttgart
Vandenhoeck & Ruprecht in Göttingen und Zürich
Verlag Dokumentation München-Pullach

DEUTSCHE LITERATUR IM 20. JAHRHUNDERT
Literaturwissenschaftliche Arbeitsbücher
Herausgegeben von Hans-Georg Kemper,
Lothar Köhn und Klaus-Peter Philippi

Band 1	Naturalismus	(Günther Mahal)
Band 2	Symbolismus	(Paul Hoffmann)
Band 3	Expressionismus	(Silvio Vietta/Hans-Georg Kemper)
Band 4	Dadaismus	(Eckhard Philipp)
Band 5	Literatur der Zwanziger Jahre	(Lothar Köhn)
Band 6	Literatur im Dritten Reich	(Gunter Grimm)
Band 7	Exilliteratur	(Fritz Hackert)
Band 8	Westdeutsche Literatur 1945–1961	(Klaus-Peter Philippi)
Band 9	Literatur der Gegenwart I: Sprachverdinglichung und neue Medien	(Silvio Vietta)
Band 10	Literatur der Gegenwart II: Literatur als Engagement	(Wilfried van der Will)
Band 11	Literatur der DDR	(Bernhard Greiner)
Band 12–14	Didaktische Reflexionen und Modelle	(Betreut von Siegfried Weinmann)

Günther Mahal

Naturalismus

Wilhelm Fink Verlag München

ISBN 3-7705-1173-5

Satz und Druck: Hofmann-Druck KG, Augsburg
Buchbindearbeiten: Großbuchbinderei Sigloch, Stuttgart
Einbandgestaltung: Alfred Krugmann, Stuttgart

VORBEMERKUNG

Die Reihe versucht, charakteristische Aspekte, Tendenzen und Zusammenhänge der deutschen Literatur seit der Jahrhundertwende historisch und systematisch transparent zu machen. Sie möchte damit einen Beitrag zur Forschung leisen und zugleich eine Orientierungs- und Arbeitsgrundlage für Studenten und Deutschlehrer bereitstellen.

Die einzelnen Bände sind jeweils einer literarischen Epoche gewidmet. Sie wollen deren geschichtliche Voraussetzungen, ihre charakteristische "Physiognomie", ihre Leistung und Wirkung sowie ihre Bedeutung für das Verständnis gegenwärtiger Literatur sichtbar machen. Die Reihe übernimmt für die Gliederung der Zeiträume bekannte literarische Etikettierungen, soweit diese über die Bezeichnung von stilistischen Gemeinsamkeiten, von Programmen, Schulen oder Strömungen hinaus auch realhistorische Dimensionen besitzen und ihren Zeitraum unverwechselbar kennzeichnen (z. B. Naturalismus, Expressionismus). Die anderen Einteilungsprinzipien deuten unmittelbar den Bezug zu einer realhistorischen Epoche an (z. B. Literatur der Zwanziger Jahre, Literatur im Dritten Reich). Die jeweilige Epochenproblematik wird im übrigen in den einzelnen Bänden diskutiert, die in unterschiedlicher Akzentuierung mit der Darstellung ihres Gegenstandes eine Einführung in Methoden und Probleme literaturwissenschaftlicher Forschung verbinden.

Die Bände sind im Prinzip einheitlich gegliedert. Nach einem einleitenden Teil – 'Das Thema' – verknüpft der zweite Teil – 'Probleme, Zusammenhänge, methodische Fragen' – die Erarbeitung grundlegender Kategorien mit der exemplarischen Darstellung der für das Verständnis der jeweiligen Epoche wichtigsten Fakten und Informationen. Der dritte Teil – 'Analysen' – untersucht repräsentative Werke des Zeitraums, um die zuvor erarbeiteten Kategorien detailliert zu überprüfen und in methodische Verfahrensweisen einzuführen.

Die beteiligten Autoren haben das Konzept der Reihe gemeinsam erarbeitet. Sie ist auf elf Bände angelegt und wird durch drei Bände mit fachdidaktischen Modellen ergänzt.

H.-G. Kemper L. Köhn K.-P. Philippi

ZUR TECHNISCHEN EINRICHTUNG DES BANDES

Dieser Band enthält ein durchnumeriertes Literaturverzeichnis, das in vier Sachgruppen alphabetisch bzw. autorenbezogen geordnet ist (Titel zu Arno Holz z. B. finden sich im Abschnitt "Einzelne Autoren" nach den Werkausgaben, wiederum alphabetisch geordnet). Auf die dort genannten Publikationen wird im folgenden durch in Klammern gesetzte arabische Ziffern verwiesen. Sind die Zahlen in einer Klammer durch einen Strichpunkt getrennt, so bezeichnet jede von ihnen eine andere, unter der genannten Zahl im Literaturverzeichnis aufzufindende Publikation, z. B. "(23;97;118)". Sind die Ziffern in den Klammern – wie meist – durch ein Komma getrennt, so kennzeichnet die Zahl vor dem Komma die entsprechende Nummer im Literaturverzeichnis, die Ziffer nach dem Komma die Seitenzahl der betreffenden Veröffentlichung; "(23,38)" bedeutet also: Publikation Nr. 23 des Literaturverzeichnisses, S. 38. Bei mehrbändigen Publikationen und bei Zeitschriften ist durch römische Zahlen bzw. Jahreszahlen das Auffinden der zitierten Stelle erleichtert.

INHALT

I. DAS THEMA

"Die janze Richtung paßt uns nicht!"[1] – "Eine pessimistische Grundansicht von allem Menschlichen zum Verrücktwerden"[2] – "Rinnsteinkunst"[3] – "Solche Bücher schreibt man nicht"[4] – "hier ist der reinste Schmutz"[5] – "scheint die Wahrheit erst da anzufangen, wo die Seife aufhört"[6] – "Schule, die Alles, was nicht aus dem muffigen Dunste ihrer ozonleeren Werkstatt hervorkommt, für eitel Schund erklärt"[7] – "mißratene Belletristen"[8] – "Tierlautkomödie"[9] – "Affentheater"[10] – "das psychiatrisch Kränkste"[11] – "absolute, stinkende Schweinereien"[12] – "das kämpfende Deutschland hat keine Zeit zum Dichten"[13].

So tönte es von der einen Seite, die politisch und weltanschaulich keineswegs ein einheitliches Lager bildete: die Zitate stammen von so unterschiedlichen Zeitgenossen der Ersten Moderne wie Friedrich Engels und Kaiser Wilhelm II., von Paul Heyse und Wilhelm Liebknecht, von Paul Lindau und dem Berliner Polizeipräsidenten von Richthofen, von Vertretern der Presse und von Literaturkritikern.

Auf der anderen Seite klang es dagegen so:
"mehr Tiefe, mehr Gluth, mehr Größe"[14] – "Großes, Hinreißendes, Imposantes, Majestätisches"[15] – "wir wollen vertrauen auf die unzer-

---

[1] So der Berliner Polizeipräsident von Richthofen. Zit. in: Oskar Blumenthal, Verbotene Stücke. In: 137,93.

[2] Zit. in 106,174.

[3] So das bekannte Wort von Wilhelm II.

[4] So Paul Heyse über Ibsens "Gespenster". Zit. in: Kindlers Literaturlexikon. Darmstadt o. J., Bd. IV, S. 3843.

[5] So der "Reichsbote" vom 25. Okt. 1889 über Hauptmanns "Vor Sonnenaufgang". Zit. in. 199,56.

[6] So Paul Lindau. Zit. in: 70,286.

[7] Ders.; zit. in: 199,56.

[8] So Friedrich Engels in einem Brief an C. Schmidt vom 27. Okt. 1890.

[9] Aus einer Kritik über Holz/Schlafs "Die Familie Selicke". Zit. im Nachwort der Reclam-Edition (Fritz Martini): 214,69.

[10] Ebd.

[11] So Carl Frohme, Reichstagsabgeordneter und Redakteur am "Hamburger Echo", auf dem SPD-Parteitag 1896. Zit. in: 59,97.

[12] Ders.; zit. in 59,99.

[13] So Wilhelm Liebknecht in seinem "Brief aus Berlin" vom 17. Febr. 1891. Zit. in: 58,87.

[14] Heinrich und Julius Hart, Wozu, Wogegen, Wofür? – In: 4,7.

[15] Hermann Conradi, Unser Credo. – In: 1,II.

störbare Empfänglichkeit unseres Volkes für alles wahrhaft Große, Schöne und Gute"[16] – "große, weltbewegende, den Willen tief aufwühlende Gedanken und wahre, dem heißesten, brennendsten Leben nach dem Inderwort: 'tat twam asi' (das bist du) abgelauschte Gestalten"[17] – "Hinweg also mit der schmarotzenden Mittelmäßigkeit, hinweg alle Greisenhaftigkeit und alle Blasiertheit, hinweg das verlogene Rezensententum, hinweg mit der Gleichgültigkeit des Publikums und hinweg mit allem sonstigen Geröll und Gerümpel. Reißen wir die jungen Geister los aus dem Banne, der sie umfängt"[18].

Gemeint war von beiden Seiten das Gleiche: die Literatur des Naturalismus, jener Bewegung, die sich um 1885 konstituierte als "Revolution" wider eine gut bezahlte und viel gelesene Dichtung der "Lüge" und für eine "wahre" und "moderne" Kunst.

Proklamierter Anspruch und künstlerische Realisation sind bis heute in der Diskussion des Naturalismus immer wieder verglichen und höchst unterschiedlich beurteilt worden; überhaupt wurde die ganze Epoche des Naturalismus in der Vergangenheit und bis heute meist mit negativen Epitheta bedacht. Die vorliegende Untersuchung wird nach den Gründen der verbreiteten Ablehnung ebenso zu fragen haben wie nach dem Entstehen und dem Verlauf der Epoche selbst; sie wird den Terminus "Naturalismus" darauf einzugrenzen versuchen, was in der Epoche und für die weitere literaturhistorische Entwicklung von Belang war.

Immer wieder hat die einschlägige Forschungsliteratur darauf hingewiesen, daß es *den* Naturalismus nicht gebe, daß unter dieser Bezeichnung eher ein recht disparates Neben- und oft sogar Gegeneinander von Tendenzen und Konzepten firmiere; so schreibt Gerhard Schulz in seiner knappen Epochendarstellung:

> Realism and idealism, pessimism and optimism, objectivity and subjectivity, collectivism and individualism – all these and more can be found in the many articles and pamphlets, poems and stories, novels and dramas of this generation of young writers. What unites them is their claim to be "naturalists", "realists", seekers of the truth, and enemies of falsehood and gloss. For the rest their views are as changeable and erratic as the views of any young people. Naturalism in Germany is therefore no unequivocal movement which can be clearly described, but an interlacing of different tendencies and trends which have as common denominator solely the intention of turning away from the conventional literature of the 'seventies and representing

---

[16] Karl Henckell, Die neue Lyrik. – In: I,VI f.

[17] Conrad Alberti, Was erwartet die deutsche Kunst von Kaiser Wilhelm II.? – Zit. in: 11,81.

[18] Heinrich und Julius Hart, Wozu, Wogegen, Wofür? – In: 4,7.

accurately and veraciously what is seen as a new reality. (145,203)

Auch ist häufig auf den "kapitalen Widerspruch zwischen Theorie und Praxis im Naturalismus" hingewiesen worden (14,19), ein Widerspruch allerdings, der seine Schärfe dann verliert, wenn man die Uneinheitlichkeit bereits der verschiedenen theoretischen Aussagen betont und nicht singuläre Positionen der Theorie konfrontiert mit gleichfalls singulären dichterischen Werken – anders: eine ganze Reihe theoretischer Aussagen ergänzt sich durchaus mit der schriftstellerischen Praxis, schon deswegen, weil viele Naturalisten sowohl als Theoretiker wie als Autoren hervortraten.

Für eine Darstellung der naturalistischen Epoche ist es somit geboten, unter Verzicht auf – ohnehin kaum erreichbare – Vollständigkeit die Haupttendenzen dieser "Literaturrevolution"[19] herauszustellen, das Gemeinsame also und vor allem das Zukunftsträchtige der Ersten Moderne zu betonen.

Es kann also manches auch noch so bekannte Werk des Naturalismus nicht oder nur am Rande Erwähnung finden, manche auch noch so dezidierte theoretische Position allenfalls kurz angesprochen werden.

Doch scheint mir der Verzicht auf Komplettierung des Materials dann kompensiert werden zu können, wenn auf der Ebene *der* naturalistischen Problematik (die freilich ein – diskussionsbedürftiges – Konstrukt bleiben muß) – und nicht der allzuvielen möglichen Beispiele – ein Bezugssystem entsteht, das für die Einzelbewertung eines naturalistischen Werks genug Kriterien an die Hand gibt. Die 'Probe aufs Exempel' versuchen die am Schluß des Bandes abgedruckten Analysen, welche jeweils ein Beispiel der drei dichterischen Hauptgattungen behandeln.

Gerhart Hauptmanns "Hanneles Himmelfahrt" mag als Paradebeispiel für die kaum beendbare Diskussion darüber gelten, ob – vom realen Gehalt her, nicht von der erkennbar 'un-naturalistischen' Sprachführung – das Etikett "Naturalismus" hier noch am Platz sei oder nicht: von Ludwig Speidels Aufführungskritik an (1893) bis heute hat man immer wieder nachzuweisen versucht, daß das Substrat der visionären Fieberträume in der ganz konkreten, individuellen Lebenserfahrung des ins Wasser getriebenen Töchterchens des brutalen Maurers Mattern wiederzufinden sei. (Vgl. 198,26,34)

Was sich hier bei einem Einzelwerk aufweisen läßt, gilt für andere Werke Hauptmanns ebenso wie für viele Produktionen seiner Zeitgenossen: die Rubrizierung "Naturalismus" erscheint – von einem 'klaren Kernbereich' abgesehen – labil, trenn-unscharf, fließend: fließend hin

---

[19] Dieser oft gebrauchte Terminus kennzeichnet das Selbstverständnis der naturalistischen Literatengeneration besonders in der Anfangsphase am treffendsten. Vgl. auch 174.

zum Neuromantischen, zum Symbolistischen, zum Impressionistischen, also zum Nicht-mehr- oder Schon-gegen-Naturalistischen.[20]

Im vorliegenden Buch kann es allein um den 'Kernbereich' gehen und nicht um den bei jedem Einzelwerk des Übergangs zu anderen Literaturkonzepten einzeln und neu zu diskutierenden Anteil an Noch-Naturalistischem und Nicht-mehr-Naturalistischem. Diesen Übergang zu zeigen, kann nur Gegenstand summarisch-grundsätzlicher Überlegungen sein, welche dann ihre Anwendbarkeit auf einzelne Autoren und deren Produktionen erweisen müssen. (Vgl. Kap. II. 17)

Es geht also um idealtypische Erscheinungsformen des literarischen Naturalismus, um den Aufweis eines – aus intentionalen, stofflichen und stilistischen Elementen jeweils unterschiedlich zusammengesetzten – Koordinatensystems, das vom Zentrum naturalistischer Absichten, nicht von seinen Rändern oder Sezessionen her, das Geflecht von Zielen, thematischen Präferenzen und stilistischen Ausprägungen deutlich machen soll, welches kaum einmal gleichmäßig die drei genannten Bereiche abdeckt, sondern in aller Regel entweder im Intentionalen präponderiert oder im Stofflichen oder im Formalen.[21]

Selbst bei dieser Beschränkung der Untersuchungsabsichten wäre es verfehlt, seinen Ehrgeiz auf jedes nur greifbare, zweifelsfrei naturalistische Werk zu richten; seitens des Lesers, eine komplette Interpretationensammlung naturalistischer Literaturprodukte zu erwarten. Mehr als exemplarische Analysen sind nicht zu leisten (vgl. Teil III) und sollten auch nicht erwartet werden; Analysen, die eng verbunden sind mit dem Darstellungsteil, welche das dort systematisch und historisch Erarbeitete am einzelnen Oeuvre zu konkretisieren suchen: nicht mehr jeden Terminus neu entwickelnd, sondern auf die entsprechende Stelle im Darstellungsteil verweisend.

Dem Leser dieser Untersuchung kann empfohlen werden, mit der einen oder anderen Analyse seinen Lektürevorgang beginnen zu lassen; er wird schnell feststellen können, ob und welche Termini der Erläuterung und somit des Zurückblätterns in den Darstellungsteil bedürfen.

Der Leser, der dem Buch kontinuierlich 'von vorn bis hinten' folgt, wird sich der Mühe unterziehen müssen, nicht ohne – auch längere –

---

[20] Vgl. dazu Hauptmanns 1890 formulierte Ironisierung einer Schubladen-Etikettierung: "Ja, was ist Realismus, was ist Naturalismus? Wenn meine Auffassung die rechte ist, so sind es Schilder vor einem Magazin. Aber was darin steckt, bezeichnen sie nicht – und nun gar noch Idealismus. Wenn ich das Wort Idealismus höre, so habe ich die Vorstellung von dilettantischen Künstlern, die an Krücken gehen und borgen. Wenn ich das Wort Realismus höre, so denke ich etwa an eine grasende Kuh. Spricht jemand von Naturalismus, so sehe ich Emile Zola vor mir mit einer dunkelblauen großen Brille." In: 194,XI,760.

[21] "Weder einen idealtypischen Naturalisten noch ein idealtypisches naturalistisches Werk gibt es." So 49,97.

Exkurse und andere 'Retardierungen' zum 'eigentlichen' Naturalismus vorzudringen. Doch: um 'Spannungsmache' ist es nicht zu tun, wenn in dieser Untersuchung wohl zum ersten Mal versucht wird, die naturwissenschaftlich-positivistisch-materialistischen Voraussetzungen des Naturalismus weder nur nominell zu behaupten noch durch alleinstehende und den naturalistischen Literaturprodukten unvermittelte Sonderdarstellungen zu ersetzen. – Vielmehr möchte ich beim unverzichtbaren Hinweis auf wissenschaftsgeschichtliche oder ideologiekritische Positionen stets möglichst klare Zuordnungen herstellen, besonders in der Weise, daß deutlich gemacht wird, was die Naturalisten wie und wann von welcher Position übernehmen konnten: die Skizze also eines ideengeschichtlichen Rezeptionsvorgangs, der keinesfalls gruppenhomogen ablief, sondern individuell unterschieden von jeweils anderer Quantität wie Qualität war.

Ähnlich ehrgeizig versteht sich diese Studie einer Naturalismus-Forschung gegenüber, die sehr häufig die Geschichte fortgeschleppter Vorurteile und fast ebenso häufig eine festgefügte Tradition unüberprüfter Bewertungstopoi darstellt. Hier wird zu zeigen sein, daß einer Epoche vorgeblicher Oberflächenbeschreibung gegenüber ebensolche Oberflächenbeschreibung literaturhistorischer Art zu konstatieren ist, die ihren Ausgang nimmt bei defensiven und bald auch aggressiven Interpretamenten von Zeitgenossen vor allem des bürgerlich-konservativen Lagers, welche sich dann aber fortspinnt bis zu jenen heutigen Beurteilern, die fast stets schlechte 'Noten zur' naturalistischen 'Literatur' geben zu müssen meinen.

Einen Spezialfall innerhalb dieses Versuchs, liebgewordene Wertungskonstanten in Frage zu stellen und zu durchbrechen, wird das Problem des Verhältnisses Naturalismus – Sozialismus bilden: was *im* Naturalismus an sozial-engagierten Intentionen sichtbar wurde und bei den zeitgenössischen Kritikern oft den Kurzschluß 'vaterlandslosen Gesellentums' nahelegte, wurde in jüngster Zeit immer wieder als *der* Naturalismus klassifiziert und aus ideologisch verwandten Lagern betont und begrüßt; die nach 1890 vollzogene Wendung zu individualistischen Konzepten erschien denselben Literaturhistorikern von heute als Sündenfall, als Renegatentum, als bedauerliche oder gar zu verurteilende Fahnenflucht von Autoren, die vor 1890 auf der 'richtigen' Seite solidarisch gestanden und sich danach ins 'typisch' bürgerliche Literatendasein mit all seinen Konsequenzen feig zurückgezogen hatten. – Diese Darstellung der Dinge scheint mir falsch, was zu belegen sein wird.

Beschränkung ist für den Versuch einer Darstellung *der* naturalistischen Problematik gleichfalls angebracht im Blick auf die Forschungsliteratur. Zu einzelnen Autoren (wie Hauptmann) oder Gattungen (wie dem Drama) liegen derart zahlreiche Untersuchungen vor, daß eine Darbietung auch nur der wichtigsten Positionen den Rahmen einer Epochendarstellung über Gebühr ausweiten müßte – das kann sinnvollerweise erst ein eigener Forschungsbericht leisten, der bisher noch ein Desiderat darstellt.[22]

Die Konsequenz daraus ist auch eine bewußt schmal gehaltene Bibliographie: hier werden vor allem Studien angezeigt, die durchgängige Probleme zumindest einer Gattung behandeln; Monographien über einzelne Autoren sollen nur dann aufgeführt werden, wenn es sich um sehr wichtige Autoren handelt oder wenn die entsprechende Abhandlung über den Einzelautor hinaus von Belang ist.[23]

Enttäuscht würde durch die vorliegende Darstellung des Naturalismus, wer sich über eine historische und gattungsbezogene Grobeinteilung hinaus eine annalistisch vorgehende 'Rekonstruktion' der Epoche erwartete: ein solches Verfahren – sofern es sich nicht tabellarisch beschränkt (vgl. 49,111–152) – erbrächte zwar zweifellos eine größere Datenfülle, jedoch um den Preis konzentrierter Übersichtlichkeit. Außerdem ist das offensichtlich Zweit- und Drittrangige in der Literatur des Naturalismus um 1890 – als selbst Autoren wie Wildenbruch mit seiner "Haubenlerche" auf der Modewelle der Ersten Moderne mitschwimmen – so häufig, anders, der Kreis der diskussionswürdigen Werke so eng, daß eine Ausweitung des Untersuchungsmaterials den Blick für den 'eigentlichen' Naturalismus versperren müßte.

Angemessener schien mir, mit exkursartigen Längsschnitten durch einzelne wichtige Epochenspezifika Leitbegriffe und Zentralprobleme des deutschen Naturalismus und seiner Rezeption herauszuarbeiten. Bei dieser Art der Darstellung sind Wiederholungen unvermeidbar, aus didaktischen Gründen aber auch unverzichtbar: einzelne Zitate, Werke oder Fakten von zentraler Bedeutung kehren bewußt immer wieder, um an solchen Fixpunkten in unterschiedlicher Brechung das aufzuweisen, was den Naturalismus nicht nur den Zeitgenossen interessant erscheinen ließ, sondern ihn auch für spätere Epochen und Beurteiler verbindlich machte – oder Kritik hervorrief.

Wenn der naturalistischen Prosa außer einer Analyse von Holz/Schlafs "Papierner Passion" wenig Bemerkungen gewidmet werden; wenn außer einer Analyse der "Modernen Dichter-Charaktere" und von Arno Holz' "Buch der Zeit" die Lyrik des Naturalismus nur bei der Beschreibung des Epochenbeginns in den Blick kommt; wenn also der Großteil der Aufmerksamkeit dem naturalistischen Drama zufällt – dann erklärt sich diese Bevorzugung einer einzelnen Gattung wiederum aus der angestrebten Konzentration auf das Epochenspezifische: in einer Epoche, in welcher die Postulate des Kontemporanen, des Mimetischen und des Wissenschaftlich-Experimentellen vorrangig gesetzt wurden, in einer Epoche, der es um die (zeitweilig sozial engagierte) Konfrontation des Publikums

[22] Für die Zeit nach 1945 hoffe ich demnächst an anderer Stelle einen Forschungsbericht vorzulegen.

[23] Vgl. auch die dem Literaturverzeichnis vorangestellten Bemerkungen.

mit dem eigenen Alltag ging, mußte das Drama vorherrschen; konnte allein das Drama Intentionen und Tendenzen bündeln und am eindringlichsten präsentieren; setzte nur das Drama stoffliche Eroberungen der Ersten Moderne – wie sie in der Lyrik und in der Prosa gemacht worden waren, etwa in Max Kretzers Romanen – so in Literatur um, daß eine angezielte kollektive Rezeptionsform und nicht das je individuelle Lesen Diskussion erzwang. Formal mußte sich naturalistische Prosa – als "Skizze" oder "Studie", also als nicht nur thematisch 'moderne' Epik – der Dramatik annähern, wie sich umgekehrt naturalistische Dramatik im Bemühen um Detailgenauigkeit und Milieutreue episch 'rückversicherte': diesen doppelseitigen Vorgang nenne ich 'Konvergenz der Gattungen' – die Analyse der "Papiernen Passion" wird diesen Begriff näher erläutern.

Auch die Forschungsliteratur zum deutschen Naturalismus spiegelt das qualitative Übergewicht der dramatischen Gattung wieder. Zu Recht: denn abgesehen von einigen Erzählungen wie Hauptmanns "Bahnwärter Thiel" oder Holz/Schlafs "Papa Hamlet" hat kaum ein episches Werk des deutschen Naturalismus 'überlebt' – ganz im Gegenteil zum französischen Naturalismus; Zolas Romane sind zum festen Bestandteil des Lesekanons geworden.

II. PROBLEME – ZUSAMMENHÄNGE – METHODISCHE FRAGEN

II.1 Begriff

Der Begriff des "Naturalismus", der zum Etikett der Literatengeneration um 1890 werden sollte, hatte im Lauf der Geschichte und im Kontext der verschiedenen Disziplinen wie Philosophie oder Kunstgeschichte, Theologie oder Stilistik, einen vielfach gebrochenen Anwendungsbereich gefunden. Er war appliziert worden auf prähistorische Kunststile[25] oder auf die Malweise Holbeins, auf die Weltanschauung der Stoiker oder die Giordano Brunos, auf die derben Tanzlieder Neidharts von Reuenthal oder die zynischen Vagantenballaden François Villons, auf vieles anderes mehr. Summarisch betrachtet, handelt es sich beim Begriff des Naturalismus um "a deceptive term" (61,1), schillernd und synonymenreich, ein Allerweltsbegriff und meistens ein Oppositionsbegriff – zu: wiederum zu allem nur Möglichen, zu Idealismus, zu Symbolismus und Allegorie, zu Typisierung und Stilisierung, zu Abstraktion und Individuation – zu, wiederum, vielem anderen mehr.

Leo Berg resümierte die Überlastetheit dieses Terminus mit einer Aufzählung, die in einem resignierten "usw." schloß:

> *Naturalismus.* Was heisst das Wort alles auf deutsch? So viel Werte, so viel Begriffe das Wort enthält, eben so viele Verdeutschungen sind möglich, von denen aber, wohl gemerkt! keine einzige den ganzen Begriff 'Naturalismus' wiedergiebt, deckt oder ausfüllt. Hier stehen einige davon: Natürlichkeit, Naturwahrheit, Naturgemässheit, Naturempfindung, Naturerkenntnis, Naturkraft, Natursinn, Naturgefühl, Rückkehr zur Natur, Annäherung an die Natur, Liebe zur Natur, Naturfreiheit, Natureinfachheit, Naturreinheit, Naturschönheit, Naturwirklichkeit, Naturwissenschaft, Naturfreude, Kampf gegen Unnatur usf. usf. Man kann den Begriff aber noch anders erläutern, ohne das Wort 'Natur' selbst zur Hülfe zu nehmen. Man denke nur an die vielen möglichen Gegensätze, die man zum Naturalismus anwenden kann: z. B. Kunst, Convention, Kultur, Gesellschaft, Sitte, Gesetz, Gebundenheit, Formalismus, Schule, Akademismus, Raffinement, Phrase, System, Verhüllung, Romantik, Phantastik, Metaphysik; – Wissenschaft, Philosophie, Idealismus, Personalismus; – das Ueberirdische, Gemachte, Ersonnene, Erfundene, Erlogene, Kranke, Verderbte u.s.w. (18,169)

Auch der Naturalismus-Artikel, der 1897 in der Fünften, gänzlich neubearbeiteten Auflage von Meyers Konversations-Lexikon (Zwölfter Band) erschien, also bereits nach der "Überwindung" (vgl. 172) dieser Epoche, hatte noch große Definitionsschwierigkeiten und war bei allem Bemühen um Objektivität doch gezeichnet von Antipathie gegenüber

---

[25] Vgl. etwa das verschiedentliche Auftauchen dieses Begriffs bei 260.

diesem anti-idealistischen Begriff, was sich besonders in der befriedigten Schlußpassage ausdrückte:

> *Naturalismus* (lat.), die Betreibung einer Kunst oder Wissenschaft nicht infolge und im Sinne eines strengen, regelrechten Studiums, sondern auf Grund natürlicher Anlage und Begabung, also in tadelndem Sinne ohne Anleitung und Schulung. – Im *philosophischen* Sinne bezeichnet N. die Verwerfung aller Glaubenssätze, von deren Gültigkeit man sich nicht durch eigenes Denken überzeugt hat [...] – In der *Malerei* nennt man N. als Gegensatz des Idealismus diejenige Kunstrichtung, welche in der möglichst treuen Nachahmung der Natur und des wirklichen Lebens die höchste Aufgabe der Kunst sieht und auf jede Abweichung von der Natur durch Stilisierung oder Idealisierung verzichtet. [Als Beispiele werden genannt: van Eyck, die Meister der kölnischen Schule, Dürer und Holbein "gelegentlich".] Zu einem künstlerischen Prinzip wurde der N., mit entschiedener Neigung zum Charakteristischen und in weiterer Entwickelung zum Häßlichen, im 17. Jahrh. in Italien durch Caravaggio, in den Niederlanden durch Rubens, vornehmlich aber durch Jordaens und durch Rembrandt und seine Schule ausgebildet. Doch gaben diese Künstler durch Farbe und Licht dem N. ein poetisches Gegengewicht. Zu einer platten Naturnachahmung ohne poetische Elemente artete der N. erst im 19. Jahrh. durch die Franzosen Courbet, Manet und die Impressionisten sowie durch die sogen. Naturalisten (Bastien-Lepage, L'Hermitte u. a.) aus, welche nach dem Grundsatz: 'Le laid c'est le beau' ('das Häßliche ist das Schöne') verfuhren. Durch französische und holländische Einflüsse hat der N. auch in Deutschland Boden gewonnen, in seiner übertriebenen Erscheinungsform durch M. Liebermann, F. v. Uhde, W. Trübner, F. Stuck und ihre Nachahmer. [...] N. wird auch oft identisch mit *Realismus* (s. d.) gebraucht. Doch besteht zwischen beiden Richtungen der Kunst insofern ein Unterschied, als der N. ein wirkliches Abbild der Natur mit allen ihren Zufälligkeiten bieten will, während der Realismus nur den Schein des Lebens in kleinerem Maßstab wiedergibt. – Genau dieselbe Rolle wie in der bildenden Kunst hat der N. in der *Poesie* gespielt; auch hier ist er vorwiegend in neuester Zeit zur Geltung gelangt, scheint aber bereits seinen Höhepunkt überschritten zu haben. Er hat sich über die gesamte Litteratur Europas verbreitet und sich in allen Gattungen [...] kundgegeben; als das größte naturalistische Talent darf Zola betrachtet werden; in Deutschland stehen Gerhart Hauptmann und Sudermann als die besten Dichter dieser Richtung in Ansehen. Es ist aber zu bemerken, daß bei *den* Dichtern, die den N. ausdrücklich proklamieren (z. B. Zola), die eignen Kunstwerke oft die beste Widerlegung der Theorie bilden.

Es lohnt sich, diese beiden nur fünf Jahre auseinanderliegenden Definitionsbemühungen einer vorläufigen 'Exegese' zu unterziehen: Bei Leo

Berg handelt es sich im wesentlichen um eine Synonymenreihung positiver oder ex negativo gewonnener Begriffsbestimmungen, von denen aber – "wohl gemerkt!" – schon im voraus gesagt wird, daß "keine einzige den ganzen Begriff [...] wiedergiebt". Und in der Tat finden sich einige als Synonyme angegebene Definitionsansätze, welche im Kontext des deutschen literarischen Naturalismus um 1890 als völlig deplaziert erscheinen müssen, wenngleich sie anderen historischen oder disziplinären Zusammenhängen auch als Erklärung gedient haben mochten: "Naturempfindung" etwa oder "-sinn" und "-gefühl", "Liebe zur Natur" oder "Naturreinheit", "Naturschönheit" oder "Naturfreude" – das alles *waren* einmal denkbare und sinnvolle Erläuterungen eines jeweils anders historischen "Naturalismus"; auf den Naturalismus um 1890 jedoch trafen sie keineswegs zu: denn die Rolle der 'freien', der 'grünen' Natur war im literarischen Naturalismus zusammengeschrumpft zu minimalem Zitatcharakter (wobei erwähnt werden sollte, daß es sich großstädtisch-asphaltliterarisch offenbar recht gut vom Land aus schreiben ließ, wie es die Naturalistenkolonie des Friedrichshagener Kreises oder der in Erkner angenehm residierende Gerhart Hauptmann zeigen ...) (vgl. 180); Naturbeschreibung oder Symbolisierung und Allegorisierung der Natur – wie sie beispielsweise die seit dem frühen 18. Jahrhundert einsetzende Tradition der Naturlyrik pflegte – waren im Naturalismus der Jüngstdeutschen geradezu tabu. (Vgl. 110)

Doch auch etliche der ex negativo-Definitionen Leo Bergs bedürfen angesichts der uns interessierenden Epoche der Korrektur: "Gesellschaft" etwa, im weitesten Sinn, wurde in dieser Epoche zum Fokus schlechthin; "Gesetze" waren, über die Vermittlung der Natur-"Wissenschaft", die unverzichtbaren Koordinaten naturalistischen Schreibens; das "Kranke, Verderbte" wurde zum bevorzugten Gegenstand naturalistischer Thematik.

Ähnliche Einschränkungen sind für den Meyer-Artikel am Platz, dessen insgesamt erkennbare Tendenz wider alles Naturalistische ohnehin offenkundig ist. So bedeutete der literarische Naturalismus die oftmals geradezu sklavische "Betreibung einer Kunst [...] im Sinne eines strengen, regelrechten Studiums", und zwar *mit* penibel beachteter "Anleitung und Schulung": die Szientifizierung einer bisher als museninspiriert ausgegebenen Kunst und deren Verwandlung in eine Wissenschaft (vgl. Kap. II. 4.2). Daß der "Naturalismus" in einer bei Meyer "Poesie" benannten Literatur als mißlicher Betriebsunfall der Ästhetik erscheinen muß, erhellt zur Genüge aus der verwandten Nomenklatur; und daß der sonst mit dem Epitheton "Genie" gar nicht knauserige Meyer Zola nur – wenn auch superlativisches; doch das bedeutet hier eine Pejorisierung! – "Talent" einräumt, liegt auf derselben Ebene, auf welcher der Lexikon-Artikel im schließlichen Aufatmen nach dem Motto 'alles halb so schlimm' dann endet. Leo Bergs terminologische Ratlosigkeit und die unverhohlene Ablehnung des Meyerschen Lexikon-Artikels liegen auf einer Ebene: den Begriff des "Naturalismus" positiv zu füllen, ist im überzeitlichen Rahmen – also abhebend auf die Naturalismen verschiedener Epochen und unterschiedlicher Genres und Disziplinen – völlig unmöglich; im zeitlich bestimmten, abgesteckten Rahmen – wie etwa um 1890 – ist es nur sehr schwer möglich: am ehesten noch von den Gegenbegriffen her. "Naturalismus" erweist sich so zunächst als Oppositionsbegriff wider eine Literatur des Trans- oder Supranaturalen;[26] sodann als Phasenbezeichnung einer Epoche entschiedener Einseitigkeit; schließlich als rasch vorübergehende und neue Kunstkonzepte initiierende Periode.

Transitorischer, aus der Ablehnung eines Alten entstandener Charakter einerseits, stofflich provozierender und neue Konzepte evozierender Charakter andererseits kennzeichnen *den* Naturalismus. – In den Kontext solcher archetypischer Überlegungen gehören die Notate Egon Friedells:

> Die historische Mission jedes Naturalismus ist es, die neue Wirklichkeit festzustellen, künstlerisch zu registrieren, im allgemeinen Bewußtsein durchzusetzen; dies ist immer nur eine Durchbruchsarbeit. Sie ist unbedingt notwendig, aber wenn sie getan ist, ist sie auch schon überflüssig geworden. Der Naturalismus ist eine Vorarbeit: er macht zuerst eine Art Brouillon von der neuen Realität. Er ist immer nur Rohstoff, Material, Vorkunst. Die naturalistischen Werke sind die erste Niederschrift, und sie haben das Ungeordnete, Ungestaltete, aber auch das Reizvolle und Ursprüngliche einer ersten Niederschrift. Und hieraus erklärt sich vor allem, warum die Dichtungen der neunziger Jahre so erschütternd wirkten: sie verkündeten als erste einen neuen geistigen Gehalt; die umwälzenden technischen, sozialen, industriellen, politischen Phänomene, die zahlreichen umorientierenden Perspektiven, die die moderne Psychologie zutage gefördert hatte, traten hier zum erstenmal anschaulich zusammengeballt hervor. (12,5)

Daß entschieden-parteiische Bewegungen in der Literatur oder anderen Zusammenhängen von Kunst und öffentlichem Leben ihrerseits auf Parteilichkeit stoßen, sich durch ihre prononcierte Kritik am Alten die sofortige Kritik der Alten und der Am-Alten-festhalten-Wollenden auf sich ziehen, liegt auf der Hand. Gleicherweise liegt auf der Hand, daß derlei Kritik an der Kritik es umso leichter haben muß, als eine aufs Ganze der Entwicklung bezogen regenerierende, aber aufs Konkrete der momentanen Auseinandersetzung bezogen destruierende Literaturbewegung

---

[26] Vgl. die Äußerung Emil Reichs: "In dieser Literaturströmung, die man gewöhnlich so ganz oberflächlich unter den Gesamtbegriff Naturalismus zusammenfaßt, waren jedoch von Anfang an die heterogensten Richtungen vertreten, die nur ein Gemeinsames hatten, den gemeinsamen Feind, den hohl und lügnerisch gewordenen altersschwachen Idealismus." In: 11,189.

'schwache Stellen' bieten muß: weil nicht Harmonie in der Weise angestrebt sein kann, daß *alle* geistigen, seelischen, gefühlsmäßigen und sonstigen Kräfte angesprochen werden sollen, sondern vor allem – über den Intellekt allein[27] – das Anti-Metaphysische, Anti-Idealistische mit großer Ausschließlichkeit regiert. Die für den weiteren Verlauf der literarischen Entwicklung so wichtige 'Aufräumearbeit' muß den miterlebenden Zeitgenossen im Augenblick der Kontroverse als böswillig-frivole, einseitig-obszöne Verkürzung des bislang literarisch Gewohnten erscheinen.

Verneinung des Alten und *Provokation durch Einseitigkeit* – darauf beschränkt sich zumeist in den verschiedenen historischen Ausprägungen der Naturalismen seine Intention. Durch den dritten Schritt aber, der oft verkannt wurde, durch die *Evozierung eines Neuen,* das nicht mehr das verdrängte Alte sein konnte, wird die Leistung der Naturalismen im oft grobianisch 'Geburtshelferischen' deutlich: hier ist es am Platz, die auf- und anregenden naturalistischen Zwischenphasen nicht mehr billig (wie oft geschehen, auch nach 1890 und bis heute) als Betriebsunfälle der Literaturgeschichte anzusehen, als ästhetische Entgleisungen folgenloser Art, sondern vielmehr als zuweilen brutal in Gang gesetzten 'Jungbrunnen', als Impetus von 'Blut und Eisen', als Anstoß von Scheideweg-Charakter, kurzum, als für die weitere Literaturentwicklung fruchtbare Initialleistung einer Opposition, gegen die eine erneute Opposition zur Formulierung nicht mehr konventioneller Konzepte gezwungen ist.

II.2 Epoche – Generation

II.2.1. Epoche

Ist es aber überhaupt angemessen, von einer Epoche zu sprechen? – Dann nämlich, wenn deren Beginn frühestens Mitte der 80er Jahre datiert werden kann,[28] 1890 jedoch bereits festgestellt wird, daß "den jungen Herren die Puste ausgegangen" sei (333,II,280), und man 1891 die "Überwindung des Naturalismus" fordert? Wenn also nicht einmal ein volles

---

[27] Vgl. die Äußerung Erdmann Gottreich Christallers: "Der Grundunterschied zwischen Naturalismus, Realismus und Idealismus beruht auf einer verschiedenen Mischung von kritischem Verstand und Phantasie im Künstler oder Aufnehmer des Kunstwerks. Am freiesten vom Verstand ist der idealistische Geschmack. [...] Mächtiger ist der Verstand in der realistischen Geistesverfassung. [...] Im naturalistischen Geschmack endlich ist der Verstand fast Alleinherrscher." In: 11,112 f.

[28] Auf die 1882–84 erscheinenden "Kritischen Waffengänge" der Brüder Hart gehe ich gleich ein: sie oder gar die ersten Romane Max Kretzers zur Terminierung des Epochenbeginns heranzuziehen, erscheint mir illegitim.

Jahrzehnt im Schubkastensystem der Literaturhistorie jenem "Naturalismus" reserviert bleibt, dessen Initialfunktion für die Moderne oft beschrieben, mehrmals aber auch bestritten wurde (vgl. 112;347) und dessen eingeführter Benennung eine Literaturgeschichte neuesten Datums aus dem Weg zu gehen sucht? (Vgl. 348)

Das Mißtrauen erklärt sich aus der Forschungslage selbst: aufgrund wesentlich schmälerer Quellenlage, sehr viel geringerer 'Durchforstung' des Erhaltenen, auch bedeutend kleinerer Ausdehnung des Marktes (wobei an Produzenten, Verteiler, Konsumenten wie auch jenseits des Marktes an politische und soziale Konstellationen zu denken ist), besonders aber auch aufgrund normativer Vorstellungen von Dichtkunst und kanonisierter Literaturgrößen, welche in ihren jeweiligen Epochen als 'klassisch', d. h. verbindlich maßsetzend galten, erscheinen (ganz gewiß viel zu) großräumig angesetzte Epochen wie Barock oder Aufklärung, Klassik oder Realismus dem ersten Blick zumindest konsistent.

Innerhalb der "Moderne" (vgl. 350) aber hat man sich daran gewöhnt, noch kürzere Zeiträume als das "expressionistische Jahrzehnt", den Dadaismus beispielsweise, als eigenständige Einheiten anzusehen. Ständig erweiterte Kommunikationsmöglichkeiten gerade durch neue Medien des 20. Jahrhunderts – ihrerseits wiederum beteiligt an der Differenzierung künstlerischer Genres – haben an die Stelle singulärer Kulturzentren (die es im Naturalismus mit München und Berlin noch gibt) einen virtuell unbegrenzten Raum künstlerischen Austauschs gesetzt. Die rasche Aufeinanderfolge der oft abfällig so genannten Ismen findet in dieser Perfektionierung der Kommunikation ebenso ihre Begründung wie im innerhalb der Moderne stets erklärten Widerwillen gegen vorgeblich zeitlose Kunstkonzeptionen und die Normen poetischer Trichtergelehrsamkeit. Da solche fixen Größen im Bereich literarischer Ästhetik in stringentem Zusammenhang stehen mit gleichfalls fixen Größen einer System gewordenen Weltanschauung (Christentum, Pantheismus, griechisch-römische Mythologie als Folie), kann hier nur angedeutet werden; ebenso ist ihr Kontext mit soziologischen (Ständeordnung, Klassenschichtung usw.) wie ökonomischen Gesamtmodellen (Feudalismus, Kapitalismus usw.) von unübersehbarer, jedoch meist noch sehr ungenügend erforschter Bedeutung.

Die – überaus kurze – Epoche des Naturalismus bildet im Rahmen des Skizzierten einen markanten Wendepunkt: noch einmal wird der um Kanonisierung bemühte Versuch eines überzeitlichen "Kunstgesetzes" unternommen (vornehmlich durch Arno Holz) (vgl. Kap. II. 10); noch einmal bildet ein als konsistent angesehenes Weltbild die Grundlage (ein naturwissenschaftlich geprägter Materialismus) (vgl. Kap. II. 4.1); noch einmal wird der enge Kontext künstlerischer und sozio-ökonomischer Phänomene sichtbar, mehr noch: er findet sich zentral thematisiert (soziale Dramen, Milieustudien).

Die Ähnlichkeiten mit vergangenen – "großen" – Epochen sind allerdings nur solche eines ersten Anscheins. Wesentlicher sind die prinzipiellen Differenzen in der ästhetischen Dimension (Mimesis-Problem), in der Funktionsbestimmung (aufklärerische Betonung des *prodesse*, "Gerichtstag" anstelle des *delectare*), im Menschenbild (Determination), in der gezielten Psychographie und Pathographie (Charaktersezierung, Vererbungsproblem, Alkoholismus), schließlich im Bereich der Sprengung literarischer Tabus (sowohl stofflich wie sprachlich) und nationaler Literaturgrenzen (Internationalisierung) und in der Aufgabe dichterischen Elfenbeinturmdaseins (Ver-Natur-Wissenschaftlichung, Experiment, Analyse).

Zu bedenken ist überdies das auch in der Zeit um 1890 auftretende Phänomen der Gleichzeitigkeit des Ungleichzeitigen: das synchrone Nebeneinander von literarischen Produkten höchst heterogener Provenienz und Ausrichtung – was sich bis ins Schaffen eines einzelnen Autors erstreckt, wie Hauptmanns 1893 erstmals aufgeführte Dramen "Die Weber", "Hannele" und "Der Biberpelz" belegen.

In den Jahren 1890–92 beispielsweise erscheinen Werke des poetischen Realismus und der epischen Gründerzeitliteratur (in Hermands Verständnis) (vgl. 264;335): Raabes "Stopfkuchen" und Conrad Ferdinand Meyers "Angela Borgia", Fontanes – des literaturhistorischen Spezialfalls – "Stine", "Unwiederbringlich" und "Frau Jenny Treibel", wird Paul Heyses dreibändiger antinaturalistischer Abrechnungsroman "Merlin" veröffentlicht, sind Emanuel Geibels "Gedichte" von 1840 über hundertmal und Bodenstedts "Lieder des Mirza Schaffy" von 1851 noch öfter aufgelegt, gelangen die ersten Nummern der "Blätter für die Kunst" an einen erlauchten Kreis von Auserkorenen und erscheint Georges "Algabal" als Privatdruck in Paris – übrigens dem Gedächtnis Ludwigs II. von Bayern gewidmet –, kündigt sich die bald zur Sondertradition aufsteigende Heimatkunst in einem Werk wie Timm Krögers "Eine stille Welt" an, entsteht Hofmannsthals "Gestern" und "Der Tod des Tizian", schreibt Liliencron dem literarischen Impressionismus zuzurechnende Gedichte ("Der Haidegänger") und Erzählungen ("Krieg und Frieden"), veröffentlicht Wedekind seine Kinder-Tragödie "Frühlings Erwachen", wird mit Dehmels "Erlösungen" eine Lyriksammlung publiziert, die man heute dem "Jugendstil" zuschlagen möchte – und wird der Naturalismus im Jahr der "Waber" zum wiederholten Male für überwunden und vorüber erklärt.

Man sieht sogleich: diese literarische *coincidentia oppositorum* verbietet ein vorschnelles Schubladendenken und verweist die Etikettenfanatiker in die Position simplifizierender 'Ordner'. Epochennamen wie "Naturalismus" bezeichnen nicht mehr und nicht weniger als eine vom literarisch konkurrierenden Ambiente abstrahierende Hilfskonstruktion, die ähnlichgerichtete Werke bündelt, um eine erste Übersicht zu ermöglichen. Epochenbegrenzungen vermögen allenfalls deutlich zu machen, daß eine bestimmte Zeitspanne lang ein stilistisch oder thematisch kohärentes Arsenal von Literaturprodukten das Konstrukt eines Gruppen- oder Epochennamens erlaubt, ein Konstrukt freilich, das keinen 'Alleinseligmachungsanspruch' zu erheben vermag, sondern lediglich ein Ergebnis der erfolgten Selektion darstellt.

Wenn die ohnehin überknappe Epoche des Naturalismus noch weiter – in bestimmte Phasen – unterteilt werden soll, so könnte dies zunächst wie chronologische Haarspalterei aussehen oder wie jene Philologenkrankheit, die nur auf Schubladen aus ist.

Doch ist zumindest eine Zweiteilung der naturalistischen Epoche notwendig, wie sie – neben vielen anderen – Horst Claus (4.6) vorgeschlagen hat (bei ihm ist der "*Frühnaturalismus*" von 1880–1890 zu terminieren; von 1890–1895 reicht die "Periode" des "*Hochnaturalismus*"). Freilich wäre zu fragen, ob sich bereits 1880 – etwa bei Max Kretzers Romanen – von Naturalismus sprechen läßt. Das wäre nur dann zu rechtfertigen, wenn der Naturalismus-Begriff über Gebühr weit gefaßt oder am Schreiben von einzelnen Autoren orientiert würde, die sich später – erst *nach* 1880 – als entschiedene Naturalisten erwiesen.

Die frühestmögliche Datierung stellen für mich die Jahre 1882–84 dar, in welchen die "Kritischen Waffengänge" der Brüder Heinrich und Julius Hart erscheinen (die schon vorher, Ende der 70er Jahre, als Zeitschrifteneditoren hervorgetreten waren und schon damals gelegentlich kritische Einzel-Urteile über den desolaten Zustand 'epigonalen Manierismus' abgegeben hatten): hier ist eine eindeutige Intention – bei gleichzeitig vielen, krassen Fehlurteilen: über Schack etwa – zu erkennen, die sich auf den Nenner bringen läßt: durch eigenschöpferisch-individuelle Literatur weg von der schablonisierten Mache der über alle Gebühr erfolgreichen Modepoeten! (Vgl. 102,14 ff.)

Allerdings: auch diese – fließend gehaltene – Datierung des terminus post quem ist noch mit großem Bedacht anzusehen und dann zu verwerfen, wenn man – wie im Grunde am sinnvollsten – den Beginn einer Epoche nicht durch theoretische Einzel- und Vorkämpfer (dieses Wort hat seinen guten Sinn in jener Phase martialischer Expressivität!) (vgl. 102,21 ff.) gegeben sieht, sondern erst durch das Auftreten von mehreren, einer durch gemeinsamen Willen verbundenen Gruppe. Ebendies aber, eine erkennbare Gruppierung mit programmatisch formulierter Zielsetzung, liegt durch die 1885 erfolgte Publikation der von Wilhelm Arent edierten und von Hermann Conradi und Karl Henckell eingeleiteten Anthologie "Moderne Dichter-Charaktere" vor. (Vgl. Kap. III.1) Hier schwang in den Einleitungen noch viel von dem nach, was die Brüder Hart als Mentoren der entstehenden Dichtergeneration ins Stammbuch geschrieben hatten – und hier wurde erstmals versucht, das theoretisch Gemeinsame auch praktisch unter Beweis zu stellen: nicht nur deklamatorische Bilderstürmerei, sondern das Errichten neuer Bilder (was allzusehr im Wortsinn zu verstehen ist, wie die Analyse zeigen soll: zuviel Metaphern verbrauchter Art, zuviele Reime ältester Prägung, zuviele Themen von vollkommener Zerschlissenheit) (vgl. 102,25 ff.) war angestrebt. – Und: 1885 ist gleichzeitig das Jahr, in welchem Arno Holz sein "Buch der Zeit" mit dem der eben genannten Anthologie verwandten Untertitel "Lieder eines *Modernen*" veröffentlicht, jene – trotz aller notwendigen Einschränkungen – bedeutendste Individualsammlung naturalistischer Gedichte. (Vgl. Kap. III.1) – Und: ab 1. Januar 1885 erscheint im zweiten Zentrum des deutschen Naturalismus neben Berlin, in München, erstmals "Die Gesellschaft", herausgegeben von Michael Georg Conrad, dem Apostel Emile Zolas, der knapp 20 Jahre älter war als die meisten "Jüngstdeutschen", wie der selbstgewählte Gruppenname – an die Generation der jungdeutschen Autoren von 1835 anknüpfend – bald heißen sollte: ein Forum der Moderne entsteht hier von bisher unerhörter Eindeutigkeit und Streitbarkeit, wenn auch weniger doktrinär, als es die Gegner der 'janzen Richtung' sehen wollten; ein Diskussionsorgan also, eine – wie es der Untertitel zurecht betonte – "Realistische Wochenschrift für Literatur, Kunst und öffentliches Leben", ein um süddeutsche Eigenart des Naturalismus bemühtes Pendant zu dem in Berlin Propagierten, häufig über pure Konkurrenz hinaus zu jenem in Gegensatz, der sich zuweilen steigerte bis nahe an den Bruch der ganzen 'Bewegung'.

Ganz abgesehen von anderen Neuerscheinungen des Jahres 1885: die "Modernen Dichter-Charaktere", Holz' "Buch der Zeit" und die Kampfzeitschrift "Die Gesellschaft" machen deutlich, daß es im literarischen Deutschland gärt, daß "Turbulenz" (246,308) eingetreten ist, die schon von einer breiten Schicht und nicht mehr bloß von einzelnen wenigen verursacht wurde; daß eine neue Generation – im strengen Wortsinn – angetreten ist, die Generation der um 1862 Geborenen. (Vgl. Kap. II.2.2)

Hier, 1885, liegt für mich der Beginn des Naturalismus, dessen *früh*naturalistische Phase ich 1889 enden lassen möchte: im Jahr der Gründung der "Freien Bühne" (vgl. Kap. II.3.1) in Berlin mit den Aufführungen von Ibsens "Gespenstern" und vor allem von Gerhart Hauptmanns "Vor Sonnenaufgang", jenem Stück, das die Geister scheiden und jedermann bewußt machen sollte, daß da eine moderne Bewegung nicht mehr im Stadium der nur deklamatorischen Revolutionspathetik befangen war, sondern ihren Stil gefunden hatte, ihr Thema und einen ihrer Autoren, dessen Name mit dem Etikett "Naturalismus" verbunden bleiben sollte, obgleich diese Richtung nur eine unter vielen war, denen er im Laufe eines goethisch langen und bald auch goethisch-habituellen Lebens seinen Tribut zollte.[29]

---

[29] Hauptmann kehrt in seiner umfangreichen Produktion immer wieder zu seinen naturalistischen Anfängen zurück. Die bekanntesten Belege dafür bieten seine Dramen "Die Ratten" (1911) und "Vor Sonnenuntergang" (1932) – letzteres im Titel bewußt erinnernd an das 1889 uraufgeführte "Soziale Drama" "Vor Sonnenaufgang".

Ebenfalls 1889 war "Papa Hamlet" erschienen, eine unter dem norwegischen Pseudonym Bjarne P. Holmsen veröffentlichte Gemeinschaftsarbeit von Arno Holz und Johannes Schlaf, das erste Zeugnis des "konsequenten Naturalismus", vor dem sich Hauptmann verneigte – sein Drama "Vor Sonnenaufgang" war "Bjarne P. Holmsen, dem consequentesten Realisten, Verfasser von 'Papa Hamlet' zugeeignet, in freudiger Anerkennung der durch sein Buch empfangenen entscheidenden Anregung" (199,52).

Ende 1889 waren auch die Manuskripte für die ab 29. Januar 1890 in Berlin erscheinende "Freie Bühne für modernes Leben" den Herausgebern und Redakteuren ins Haus gekommen – für die Zeitschrift der "Wahrheit", die sich nicht ohne Pathos, doch schon wesentlich gelassener als fünf Jahre zuvor "Die Gesellschaft" ankündigte. – Hatte es damals noch kraftmeierisch geheißen:

> Wir wollen die von der spekulativen Rücksichtsnehmerei auf den schöngeistigen Dusel, auf die gefühlvollen Lieblingsthorheiten und moralischen Vorurteile der sogenannten 'Familie' (im weibischen Sinne) arg gefährdete Mannhaftigkeit und Tapferkeit im Erkennen, Dichten und Kritisieren wieder zu Ehren bringen [...] Unsere 'Gesellschaft' wird keine Anstrengung scheuen, der herrschenden jammervollen Verflachung und Verwässerung des litterarischen, künstlerischen und sozialen Geistes starke, mannhafte Leistungen entgegenzusetzen, um die entsittlichende Verlogenheit, die romantische Flunkerei und entnervende Phantasterei durch das positive Gegenteil wirksam zu bekämpfen. (18,55 f.)

– so war in das der "Freien Bühne" "Zum Beginn" Vorangestellte schon mehr Ruhe eingekehrt, mehr Zuversicht und Siegessicherheit:

> Einst gab es eine Kunst, die vor dem Tage auswich, die nur im Dämmerschein der Vergangenheit Poesie suchte und mit scheuer Wirklichkeitsflucht zu jenen idealen Fernen strebte, wo in ewiger Jugend blüht, was sich nie und nirgends hat begeben. Die Kunst der Heutigen umfaßt mit klammernden Organen alles was lebt, Natur und Gesellschaft [...] Der Bannerspruch der neuen Kunst, mit goldenen Lettern von den führenden Geistern aufgezeichnet, ist das eine Wort: Wahrheit; und Wahrheit, Wahrheit auf jedem Lebenspfade ist es, die auch wir erstreben und fordern [...] Die moderne Kunst, wo sie ihre lebensvollsten Triebe ansetzt, hat auf dem Boden des Naturalismus Wurzel geschlagen. Sie hat, einem tiefinnern Zuge dieser Zeit gehorchend, sich auf die Erkenntniß der natürlichen Daseinsmächte gerichtet und zeigt uns mit rücksichtslosem Wahrheitstriebe die Welt wie sie ist. Dem Naturalismus Freund, wollen wir eine gute Strecke Weges mit ihm schreiten [...] (18,155)

Deutlich wird: man steht nicht mehr am Anfang, kann rekurrieren auf bereits Geleistetes und Vorhandenes, fühlt sich als Weggenosse von literarisch Arrivierten, die gleichzeitig Progressive sind, Verfolger der Lüge insbesondere, Aufklärer im weitesten Verstand. Man sieht die "Konsequenzen" des einst hektisch und verworren "Turbulenten": der jetzt so genannte "Naturalismus" – die Etikette vor 1889 hießen in der Regel anders (vgl. 102,28) – hat sich durchgesetzt.

Die 1889 einsetzende *hoch*naturalistische Phase endet – hier muß man zögern: denn wie der Anfang, so ist auch das Ende einer Epoche schwierig festzulegen, meist sogar noch schwieriger als der Anfang, der uns schon genügend Probleme aufgab. – Man wird eine Epoche nicht schon dann enden lassen, wenn die ersten literaturkritischen und -historischen Käuzchen einen Todesruf von sich geben – man wird also gewiß nicht vom Ende des Naturalismus sprechen müssen, weil etwa Hermann Bahr bereits 1891 "Die Überwindung des Naturalismus" forderte, Bahr, jener chamäleonartig Versatile, der freilich ein stark entwickeltes Gespür für sich anbahnende Entwicklungen hatte; auch nicht, weil Theodor Fontane im Jahr zuvor den Höhepunkt des Naturalismus bereits überschritten sah. (Vgl. 333,II,280; 101,201)

Man wird andrerseits nicht in den Fehler verfallen dürfen, einzelne dem Naturalismus zuzurechnende Werke wie Hauptmanns 1932 publiziertes Drama "Vor Sonnenuntergang" – im Titel bewußt analog formuliert zu seinem vor 43 Jahren aufgeführten "Schnaps- und Zangenstück" (199,55) – als Epochenende anzusehen. Dasselbe gilt, wenn wir bei Hauptmann bleiben, für seine 1911 erschienene Tragikomödie "Die Ratten" (die uns in anderem Zusammenhang noch interessieren muß).

Für das Ende des Naturalismus würde ich – schon aus grundsätzlichen Überlegungen – eine fließende Grenze vorschlagen, nämlich die Jahre 1893–95. – Die Gründung von Vereinen zum Beispiel oder das Zusammenfinden von Gleichgesinnten läßt sich auch im außerliterarischen Bereich leichter datieren als deren Auseinandergehen, -laufen, -fallen. Oft halten sich institutionelle Hülsen länger als ihr Inhalt.

Nochmals ist auf die 1893 erkennbare Synchronität von Hauptmanns "Weber" und "Hannele" hinzuweisen; was sich hier individualbiographisch zeigt, wiederholt sich im Schaffen anderer Naturalisten: eine allgemeine Abwendung vom 1889/90 bereits sichtbaren und im Grunde damals schon nicht mehr überbietbaren Perfektionismus der Wirklichkeitswiedergabe setzt ein zugunsten von Konzepten, die einen Pendelschlag vom naturalistischen Extrem weg darstellen; zugunsten von "Reaktionsbewegungen auf den Naturalismus" (16,10) etwa symbolistisch-märchenhafter Art (hierher gehört "Hannele"), wo neben dem naturalistisch gelernten Handwerkszeug genauer Beobachtung und exakter Milieudarbietung die Rolle der Phantasie wieder ins Spiel kommt – und sei diese Phantasie auch im Fall Hanneles pathographisch 'naturgetreu' nachgezeichnet.

Seit der Aufhebung des Sozialistengesetzes im Jahr von Bismarcks Entlassung, 1890, ist auch ganz offenkundig der zeitweilig emotional getragene Reiz der konspirativen Solidarität mit Armen und Verfolgten verbraucht; und nun wird der Naturalismus *wieder* individualistisch wie in seinen Anfängen bei den Harts und bei Henckell und Conradi; er bleibt allerdings nicht mehr individualistisch-genialisch wie um 1885, sondern bezieht die theoretische Fundierung seines *zweiten Individualismus* (der sich egozentrischer und elitärer gibt) von Max Stirner und Friedrich Nietzsche. (Vgl. Kap. II.7)

Phantasie und individualistische Ausrichtung – diese Momente spielen ihre Rolle in Max Halbes "Jugend", einem Stück, das 1893 erscheint und bei aller Nähe zum 'technischen' Naturalismus (Dialektverwendung, Pathographie beim Trottel Amandus, Milieudarstellung, Vergangenheitswirkung) doch eher in Richtung nicht-naturalistischer Literaturproduktion tendiert, wie sie gleichzeitig von Wedekind und Schnitzler mit der Betonung einer nicht mehr genetisch *erklärten*, sondern *erklärenden* Erotik vorgestellt wird: Liebe nicht länger als Endprodukt aufzählbarer Einzelfaktoren (vgl. dazu das Vorwort Strindbergs zu "Fräulein Julie"), sondern als verselbständigte Macht sui generis, die sich über Gesetze und Vorurteile hinwegsetzt.

Mit Hauptmanns "Biberpelz" erscheint im selben Jahr die erste große Komödie des Naturalismus: jenes Naturalismus, der sich bis dahin sehr einheitlich durch einen pessimistischen Grundzug ausgezeichnet hatte, eine Evolution ins stets Depravierte. Hier, bei Mutter Wolffen, wird der bislang immer negativ verlaufene 'Kampf ums Dasein' zu einem fintenreichen Jux äsopischen Einschlags: der Kleine, Machtlose, vermag durch Witz und Tücke den Großen, trotz aller Macht 'Armen' und 'Dummen' übers Ohr zu hauen; vermag die Überlegenheit eines Einzelnen, Schlauen über die blasierte Amtsautorität unter Beweis zu stellen.

Auch hier sind es – in neuer, sehr spezifischer Mischung – Phantasie und Individualismus, die, noch auf naturalistischem Boden stehend, diesen doch bereits zu verlassen beginnen. – Ähnliches gilt, um im Jahr 1893 zu bleiben, von Otto Erich Hartlebens "Satire" "Die Erziehung zur Ehe" und seiner "Comödie" "Hanna Jagert", ebenso vom vieraktigen Lustspiel "Die Kinder der Excellenz", das Wolzogen und Schumann zusammen verfaßten, auf der Grundlage eines 1888/92 entstandenen Romans. Gleichfalls 1893 erscheint "Der Pfarrer von Breitendorf", ein Roman von Wilhelm von Polenz, im Titel nicht ohne Grund an Anzengruber erinnernd, in der Tendenz ebenso; deutlicher noch in dieser Tendenz und vorbildlich für eine eigene – später verhängnisvoll pervertierte – Tradition wird Polenz' 1895 erschienener Roman "Der Büttnerbauer", der in Rußland breit rezipiert wurde (vgl. 80,257 f): "Heimatkunst" wird das dafür erfundene Etikett heißen, im Begriff eher verharmlosend und idyllisierend, doch sehr viel naturalistischer (und das heißt hier immer noch: pessimistischer, deterministischer, fatalistischer) als die Schwarzwälder Dorfgeschichten eines Auerbach oder die Erzählungen der Schweizer Realisten, auch als die österreichischen Bauernnovellen Anzengrubers.

Innerhalb dieses historischen Rahmens von 1882–84/*1885* bis *1893–95* ist neben der Grobeinteilung in Früh- und Hochnaturalismus, in die Perioden der "Turbulenz" und der "Konsequenz", weiter zu differenzieren in Phasen der Gattungs*bevorzugung;* diese Unterscheidung würde als ganz 'reinlich' aufgehende Rechnerei mißverstanden: bestimmte Gattungen – neben der quantitativ breiten und durchgängig im genannten Zeitraum publizierten Theorie (vgl. 11;18;22) – herrschen ganz deutlich in bestimmten Zeiträumen vor, ohne daß dadurch die anderen Gattungen ausgeschlossen wären.

Erkennbar ist die Vorherrschaft der *Lyrik* um 1885, die aber sehr schnell von der Bevorzugung der *Prosa* abgelöst wird (vgl. 20). 1886 erscheint Karl Bleibtreus "Revolution der Litteratur" bei Friedrich in Leipzig,[30] bei jenem mutigen Verleger, der die meisten naturalistischen Autoren betreute und seit 1887 auch "Die Gesellschaft" übernahm; der 1890 im Leipziger Realistenprozeß zusammen mit Conrad Alberti und Wilhelm Walloth vor Gericht stand. Bleibtreu schreibt im Abschnitt "Noch einmal das Jüngste Deutschland":

> Die Lyrik für sich als Dichterberuf sollte doch endlich überlebt sein. *Nebenher* wird sie ewig ihre Berechtigung behalten. [...] Mögen die Jüngsten eine einzige geniessbare [!] realistische Novelle bringen, welche das moderne Leben wiederspiegelt: dann werden sie einem ernsten und strebenden Dichter das Zugeständniss abnöthigen, dass sie zum Bau am künftigen Tempel der Literatur mitberufen sind; eher nicht. (174,70)

Bleibtreus – teilweise sogar selbstkritischer – Rat (er hatte Gedichte für die "Modernen Dichter-Charaktere" beigesteuert, sich aber nach deren Erscheinen sogleich wieder davon distanziert) wird tatsächlich befolgt: Novellen und Romane, Skizzen und Studien beherrschen bis 1889/90 die naturalistische Literatur; in Berlin zunächst von Max Kretzer, später von Conradi, Hille, Alberti und Mackay getragen, in der Zola-begeisterten Münchner "Gesellschaft" vor allem von Michael Georg Conrad, dem 'deutschen Zola', propagiert.

Den Schnittpunkt zwischen Prosa und *Drama* markiert sehr exakt Hauptmanns 1889 "Vor Sonnenaufgang" vorangestellte Widmung an "Bjarne P. Holmsen", also an die Skizzen und Studien epischer, doch durch Dialogisierung dramen-affiner Art, welche Holz und Schlaf gemeinsam in "Papa Hamlet" veröffentlicht hatten.

---

[30] Einen reprographischen Nachdruck mit ausführlicher Kommentierung hat Johannes J. Braakenburg herausgegeben: 174.

In der Folgezeit wird es vor allem das in Berlin durch Ibsen, Strindberg und Tolstoi beeinflußte Drama sein, das als Leistung des Naturalismus fortlebt. Der heutige durchschnittliche Literaturkonsument wird abgesehen vom "Bahnwärter Thiel" und den 'Novellen' Holzs und Schlafs kaum etwas von der naturalistischen Epik kennen, von der Lyrik ebensowenig – vielleicht ein paar Gedichte von "Vater Arno Holz"[31] und noch weniger von Karl Henckell, eher noch einige naturalistische Frühgedichte von Richard Dehmel.[32]

Nochmals, um Mißverständnisse zu vermeiden, sei betont: es gibt auch in der 'dramatischen' Phase des Naturalismus noch Gedichte (ganz zu schweigen von der weiterhin wichtig bleibenden Prosa) von einzelnen Autoren; sogar von einer großen Gruppe, die Karl Henckell 1893 – beauftragt von der Sozialistischen Deutschen Arbeiterpartei – in der Anthologie "Buch der Freiheit" (vgl. 7) versammelte; und es gibt auch vereinzelt dramatische Versuche vor 1889.

Doch: das gattungsmäßige Hauptgewicht liegt um 1885 auf der Lyrik, bis 1889/90 auf der Epik, schließlich, seit diesem Doppeljahr, auf der später weitgehend allein noch bekannten und gleichfalls weitgehend mit dem Naturalismus insgesamt gleichgesetzten Dramatik. (Vgl. 12;14;15; 13)

II.2.2 Generation

Was über allen noch so deutlichen Individualismus hinaus bei den jungen Naturalisten ein weithin homogenes Gruppenbewußtsein schuf – und später auch die Bildung fester Zirkel erleichterte –, waren verschiedene Faktoren:

Die meisten von ihnen waren als Altersgenossen in den frühen sechziger Jahren geboren worden (1862: Conrad Alberti, Hermann Conradi, Gerhart Hauptmann, Johannes Schlaf; 1863: Hermann Bahr, Arno Holz; 1864: Otto Erich Hartleben, Karl Henckell, John Henry Mackay; 1865: Otto Julius Bierbaum, Max Halbe), entstammten mittelständischen – nicht aber großbürgerlichen – Familien und verlebten Kindheit und Jugend in der Provinz; erst später zog es sie in die Großstädte München und vor allem Berlin.

Den deutsch-französischen Krieg hatten sie als Kinder noch 'von ferne' erlebt, 'näher' schon die sprunghafte Wirtschaftsexpansion der neuen Reichsherrlichkeit. Ihre Elterngeneration trug den – doppelsinnig zu verstehenden – 'Gründerschwindel' und das 'Wirtschaftswunder' der sieb-

---

[31] So 209. Diese Formulierung nun auch als Kapitelüberschrift in 211,236.

[32] Die "Phantasus"-Gedichte von Arno Holz mit ihrer Anordnung um die "unsichtbare Mittelachse" (206,X,503) zählen entgegen häufigen derartigen Rubrizierungen nicht mehr zum Naturalismus.

ziger Jahre, ermöglicht durch den Goldregen der französischen Reparationsmilliarden, der binnen weniger Jahre das noch weitgehend agrarische Deutschland zu einem Industriestaat machte und somit die sozio-ökonomische Struktur des Reiches rapide veränderte. (Vgl. 255) Trotz des Fallissements Einzelner wie des Eisenbahnkönigs Strousberg – "Fallissement" ist bezeichnenderweise der Dramentitel eines Stückes von Ibsens Landsmann Björnson – wurden die wenigen Reichen immer reicher, die vielen Armen immer ärmer: eine Verschärfung der sozialen Gegensätze war die unausbleibliche Folge der größer werdenden ökonomischen Diskrepanz.

Die heranwachsenden Naturalisten erlebten zur Zeit ihrer Pubertät, wie sich die Staatsmacht, nicht nur im Preußen des Dreiklassenwahlrechts, entschieden auf die Seite der Besitzenden schlug und jene Partei, welche die Interessen der vielen Armen vertreten wollte, durch das höchst fadenscheinig begründete Sozialistengesetz von 1878 in die Position vaterlandsvergessener Meuterer drängte, keineswegs aber damit das erklärte Ziel erreichte, wie es das kontinuierliche und bald unübersehbare Ansteigen sozialdemokratischer Mandate im Reichstag dokumentierte. (Vgl. 300)

Die genuine Reserve von Heranwachsenden der Elterngeneration gegenüber mußte sich bei den künftigen Naturalisten um so mehr verstärken, als der wirtschaftlichen und industriellen Entwicklung keinerlei Entsprechung auf kulturellem, insbesondere literarischem Sektor gefolgt war, als vielmehr hier Konzepte von gestern und vorgestern perpetuiert wurden. Kulturelle Stagnation und Regression standen in eklatantem Gegensatz zum rapiden Fortschritt des Marktes; eines Marktes, der weitgehend im Besitz der alten Eliten blieb, welchen sich nobilitierungsbemühte bürgerliche Unternehmer in Lebenshaltung und Habitus anzupassen oder einzugliedern versuchten. (Vgl. 315;316)

Dieser Anpassung entsprach aber keine Erstarkung der politischen Rolle des Bürgertums, das vor allem in Preußen zu einem unwesentlichen Faktor ohnehin undemokratischer Meinungsbildung degradiert blieb. Die 48er Ideen von Volkssouveränität und individueller Autonomie waren nach 1870/71 schnell über Bord geworfen worden, um in der "Tragödie des deutschen Liberalismus" (301) in der Fetischisierung deutscher Einheit (einer Einheit des Marktes und des Geldes im wesentlichen) depraviert zu werden. Der mächtigste Mann des Reiches, Bismarck, behandelte nicht allein die außenpolitischen Partner, sondern auch die Parteien des deutschen Reiches wie Bälle, mit denen er nach Belieben spielte. So kehrte rasch Resignation ein vor dem großen Mann, der in der Tat die Geschichte Deutschlands alleine machte und sich von niemandem hineinreden zu lassen bereit war.

Auf den Schulen hatten sich die späteren Jüngstdeutschen dem bürgerlichen Literaturkanon anzubequemen, dem nach 1871 in seiner Hochschätzung bald ins Unermeßliche gesteigerten – 'alten' – Goethe vor allem: hier liegt die Wurzel einer demnach aus Schulzwang *auch* begründeten späteren Ablehnung des 'Weimaraners'. – Im elterlichen Hause lasen die älteren Geschwister und besonders die Mütter unterdessen in Familienzeitschriften und zwischen Buchdeckeln Autoren, die den literarischen Markt beherrschten, denen ein lesehungriges (und damals auf das *nur eine* Freizeitmedium angewiesenes) Publikum Auflage um Auflage verschaffte, bis eine sehr einheitliche Richtung des Geschmacks – die jungen Naturalisten sollten bald sagen: der dilettantischen Geschmacklosigkeit – mit solcher Ausschließlichkeit dominierte, daß es den künftigen Literaturrevolutionären leicht nachzusehen war, wenn sie im Wald manieristischer Epigonalität die wenigen Bäume der großen Realisten übersahen. (Vgl. Einleitung in 335)

Ähnlich oder gleich war die Ausbildung der nachmaligen Jüngstdeutschen: Grundschule, Gymnasium, Abitur, beginnendes Studium – diese Stationen einer zielstrebig angegangenen bürgerlichen Karriere sind bei fast allen zu finden; ähnlich war auch bei den meisten die vorherrschende Faszination durch die Naturwissenschaften, durch positivistische und materialistische Konzepte, welche um so mehr Reiz ausstrahlen mußten, als die Vätergeneration sie (bei gleichzeitiger Praktizierung) theoretisch ablehnte.

Auf literarischem Gebiet entwickelte sich ein durch die Mittelmäßigkeit der deutschen Konsumliteratur verursachtes und bald mit der Kraft eines Vakuums wirkendes Bedürfnis nach fremden Vorbildern, die der veränderten Zeit Rechnung trugen, nach der fortschrittlichen Literatur des Auslands, die für den skandinavischen Bereich von Georg Brandes, für Frankreich von Michael Georg Conrad vermittelt wurde: nur die produktive Rezeption dieser Autoren versprach auch für Deutschland eine Literatur auf der 'Höhe der Zeit'.

Ähnlichkeiten nicht nur biographischer Art schuf das zeitweilige Wohnen (zuweilen auch 'Hausen') vieler Jüngstdeutscher im proletarisch-kleinbürgerlichen Milieu Berlins: konkreter Anschauungsunterricht über das Leben der 'unteren Stände' fand hier statt; Studien vor Ort – dem Ort ihrer Erzählungen, Gedichte und Dramen – konnten und mußten hier betrieben werden. Geldnot und künstlerische Erfolglosigkeit schufen solidarische Bindungen zu den Massen der dumpf Dahinlebenden und in Abhängigkeiten Verkümmernden, zu jenen, die ohne viel Hoffnung ihr Los der gesellschaftlichen und ökonomischen Benachteiligung als Fatalität auf sich nahmen und die allenfalls in der Hosentasche die Faust ballten. Hier, im düsteren Berlin der Mietskasernen und Krämerläden, der Hinterhöfe und Kneipen, der Absteigen und Bordelle, lagen die Stoffe des Naturalismus 'auf der Straße': der Alkoholismus etwa oder die Prostitution, Bettler und Selbstmörder, Degeneration und Vertierung, Ehekonflikte und Kinderarbeit, Armenkrankheiten und Maschinensklaventum. – Hier, in "Zille sein" ganz und gar nicht romantischem "Milljöh", sprach man Soziolekt und Dialekt, die Codes der Zukurzgekommenen und Kurzgehaltenen: sprachlicher Ausdruck des Unvermögens, sich sein eigenes Leben einrichten zu können; sprachliche Widerspiegelung der Beschränktheit und Abhängigkeit, der vielfältigen Heteronomie und Determination.

Und Ähnlichkeiten bedeutete auch die bei den meisten Naturalisten feststellbare baldige Flucht aufs Land, nach Erkner oder Friedrichshagen, ins naturverbundene Idyll "Hinter der Weltstadt" (Essay-Titel Bölsche; vgl. 180): Flucht in der Tat vor dem Angestecktwerden durch die Armeleutekrankheiten des Resignierens, des Vegetierens, des Sich-Schickens in ein Schicksal, das umso grausamer empfunden werden mußte, als es nicht vom 'Himmel' verhängt als vielmehr von Menschen gemacht und bewacht wurde: das Schicksal, der wenigen Reichen wegen immer mehr Arme zu brauchen, das Schicksal, mit der menschlichen Arbeitskraft auch alle humane Kraft verkaufen und verschleißen zu müssen. – Aus diesem hoffnungslosen Grau flüchteten sich die Naturalisten – spätestens seit der Aufhebung des Sozialistengesetzes – ins Grüne, in Künstlerkolonien bohèmehaften Anstrichs (vgl. 92), in die Distanziertheit einer elitären Idylle, in welcher dann wie von selbst das einstige soziale Engagement zurücktreten mußte zugunsten von Rechtfertigungskonzepten individualistischer Art, wie sie der wiederentdeckte und von John Henry Mackay apostolisch propagierte Max Stirner und der neuentdeckte und nun eigentlich erst zu breiterer Wirkung kommende Friedrich Nietzsche boten.

Biographisch analog endeten in diesem neuen und extremen Individualismus jene jungen Autoren, die als einzelne Gymnasiasten und Studenten aufbegehrt hatten gegen das dilettantische und verlogene Einerlei einer nur aufs Schöne und Gängige bedachten Kulturproduktion, die sich dann zusammengefunden hatten mit den anderen Unzufriedenen, um das Los der gesellschaftlich Unbefriedigten zu ihrem Thema zu machen, die aber bei alledem Individuen und bürgerliche Künstler geblieben waren und sich nach dem kurzen Stoß in die "soziale Trompete" (204,94) nun retirierten ins Grüne, in den Individualismus – und literarisch in Konzepte, die bald nichts mehr zu tun haben konnten mit dem Etikett Naturalismus.

Daß die jungen Bilderstürmer fast durchweg kleinbürgerlichem Milieu entstammten, ist in der Forschungsliteratur oft festgehalten worden. Sehr viel seltener wurden aus dieser zunächst nur statistischen Beobachtung die nötigen Schlüsse vor allem sozialpsychologischer Art gezogen.

Dieter Bänsch kommt in seinem Aufsatz "Naturalismus und Frauenbewegung" auf den zuweilen nicht nur unterbewußten "Antifeminismus der Naturalisten" zu sprechen, den er erklärt aus dem "Mechanismus patriarchalischer Selbstidentifizierung, auf den der Bildungsprozeß der Söhne innerhalb der bürgerlichen Familie gerade im 19. Jahrhundert angelegt ist, zumal in dem an sozialem Aufstieg orientierten kleinbürgerlichen Milieu, aus dem fast alle Naturalisten kommen." (28,143)

Aus derselben Milieufixierung erklärt sich auch der oft rabiat vorgetragene Affekt gegen das in der Gründerzeit finanziell wie bewußtseinsmäßig erstarkte Großbürgertum (das in Fontanes bourgeoiser "Jenny Treibel" noch Gegenstand recht versöhnlicher Satire ist); Adel, Kirche oder gar das Königshaus bleiben dagegen weitgehend aus dem Blick, sind der sozialen Schichtung nach für die kleinbürgerlichen Naturalisten 'zu weit entfernt', als daß mit ihnen eine direkte Auseinandersetzung sich anböte.

Besonders gravierend wirkt die Stellung einer auf Avancement bedachten "lower middle class" in der Abgrenzung 'nach unten': über eine emotionale Solidarisierung hinaus kommt man meistens nicht; statt praktischer Zusammenarbeit begnügt man sich mit der verbalen Verbrüderung eines letztlich unverbindlichen 'Mitleidspathos'. – Der Grund für diese häufig kritisierte Halbheit ist darin zu sehen, daß neben dem gefühligen Beklagen von Mißständen – bewußt oder, wahrscheinlicher, unbewußt – die Angst einhergeht, die sozial Benachteiligten könnten tatsächlich ans Ruder kommen.

Die Jüngstdeutschen stellen sich also dar als relativ einheitliche Generation. Der gemeinsame Hintergrund ihrer Erfahrungswelt und die vergleichbaren Teile ihrer Biographien erlauben um 1885 rasche Verständigung, zunächst freilich vornehmlich darüber, was nun – nicht nur in literarischen Dingen – verändert werden soll. Sehr viel schwieriger gestaltet sich der Konsens über Tendenzen und Inhalte, Schwerpunkte und Formen der dann proklamierten "Moderne". Rivalitäten untereinander und auch das rasche Auseinanderlaufen der Naturalisten nach 1893 sollten aber nicht vergessen lassen, daß eine recht homogene Gruppe Träger der Ersten Moderne und der sie initiierenden Literaturrevolution ist.

II.3 Zentren, Organe, Entfaltung

II.3.1 Foren

Für den deutschen Naturalismus werden zwei großstädtische Zentren von Belang, *München* und *Berlin*, Orte also, die durch Ausdehnung und Sozialstruktur naturalistische Thematik 'auf der Straße liegen' haben, Orte auch, die wegen des pulsierenden "Weltstadt"-Lebens und wegen der Chance kulturellen Austauschs und insbesondere literarischer Kommunikation auf die jungen Autoren Faszination ausüben.[33]

In München ist es vor allem der 'Prophet Zolas', Michael Georg Conrad, der einen Kreis von Gesinnungsgenossen um sich schart, vereint in der Absicht der "Emanzipation der periodischen schöngeistigen Litteratur

---

[33] Vgl. 70,278 ff. und die unter 3. aufgeführte Memoirenliteratur.

und Kritik von der Tyrannei der 'höheren Töchter' und der 'alten Weiber beiderlei Geschlechts'" (18,55), wie es "Zur Einführung" der *'Gesellschaft'* heißt, die vom 1. Januar 1885 an erscheint und den Untertitel "Realistische Wochenschrift für Literatur, Kunst und öffentliches Leben" trägt.

Das erste 'moderne' Kampforgan war zwar schon 1882–84 in Leipzig erschienen, die sechs Hefte der im Titel an Friedrich Theodor Vischers "Kritische Gänge" anknüpfenden *'Kritischen Waffengänge'*, allein verfaßt von den Brüdern Heinrich und Julius Hart, engagiert fechtend für eine gegenwartsbezogene Literatur nationalen Gehalts und gegen das Salonpoetentum à la Lindau und Träger, aber vorerst nur im Wahrheitspostulat "für" und in der Forderung der Verwissenschaftlichung der Literatur "gegen Zola" ausgerichtet;[34] weniger ein dezidiertes Programm enthaltend als ein schnell verstandenes Fanal zur Sammlung junger, mit dem gründerzeitlichen Literaturbetrieb unzufriedener Autoren. (Vgl. 21)

Die von Conrad edierte "Gesellschaft" (vgl. 6;91) – Carl Bleibtreu wurde vom 4. Jahrgang an (1888) sein Nachfolger; ab 1894 zeichnete dann Hans Merian verantwortlich – hatte ihrem Untertitel entsprechend mehr als nur literarische Ambitionen; innerhalb der literarischen Auseinandersetzungen knüpfte das Blatt intentional an die "Kritischen Waffengänge" an, stellte sich aber rückhaltlos auf die Seite Zolas, neben dem Dostojewskij (vgl. 253) und später auch Ibsen (vgl. 324) als Vorbilder anerkannt wurden. – Die zunächst favorisierten Autoren lenken das Augenmerk vornehmlich auf die Prosa, in welcher der Münchener Literaturpapst Paul Heyse, nach Geibels Weggang aus der bayrischen Metropole unbestrittenes Haupt des epigonalen Münchner Dichterkreises, zur Zielscheibe energischer Attacken wird. (Vgl. 154) In Anlehnung an Zolas Romanzyklus der "Rougon-Macquart" schreibt Conrad einen zweibändigen Roman "Was die Isar rauscht" (1888).

> Wir brauchen ein Organ des ganzen, freien, humanen Gedankens, des unbeirrten Wahrheitssinnes, der resolut realistischen Weltauffassung! (18,55)

– mit solchen markigen Sätzen sucht die "Gesellschaft" einen Weg, "in der Litteratur, Kunst und öffentlichen Lebensgestaltung die oberste Führung zu übernehmen" (18,56); allerdings bleibt die Zeitschrift bei aller prinzipiellen Offenheit für die Erste Moderne ein Diskussionsforum, in welchem auch kritische Stimmen gegen naturalistische 'Auswüchse' laut werden und in welchem der aufkommende Berliner Naturalismus zuweilen über bloße Konkurrenzabgrenzungen hinaus deutliche Ablehnung erfährt. (Vgl. 111) Symptomatisch dafür steht die Weigerung des Her-

---

[34] "Für und gegen Zola" ist ein Beitrag der Brüder Hart im Zweiten Heft der "Kritischen Waffengänge" betitelt.

ausgebers, Hauptmanns "Soziales Drama" "Vor Sonnenaufgang" abzudrucken; dagegen wird in der "Gesellschaft" erstmals "Bahnwärter Thiel" publiziert. – Zum engeren Mitarbeiterkreis zählen neben Michael Georg Conrad Conrad Alberti, Otto Julius Bierbaum, Carl Bleibtreu, Hermann Conradi, Max Halbe und auch Detlev von Liliencron – über weitere Mitarbeiter unterrichtet Fritz Schlawe (19,I,21). – Durch die 1890 erfolgte Gründung der Berliner "Freien Bühne" verliert die "Gesellschaft" ihre führende Stellung in der publizistischen Propagierung des Naturalismus; sie existiert, zeitweilig Heimatkunst und Impressionismus unterstützend, bis 1902.

Neben den Autoren Hermann Conradi, Conrad Alberti und Wilhelm Walloth steht im Leipziger Realistenprozeß 1890 auch *Wilhelm Friedrich* vor Gericht, der wichtigste Verleger des deutschen Frühnaturalismus. In seinem Haus erscheint ab 1880 "Das Magazin für die Litteratur des In- und Auslandes", das seit 1886 von Carl Bleibtreu geleitet wird (bis 1888). Im folgenden Jahr übernimmt Friedrich auch die vorher bei Franz in München erschienene "Gesellschaft" in sein Programm, das neben Zola- und Dostojewskij-Übersetzungen für viele "Jüngstdeutsche" offensteht. – Als erste Publikation des neu gegründeten Verlags *Samuel Fischer* in Berlin erscheint 1887 Henrik Ibsens "Rosmersholm"; ein Jahr später folgt "Die Wildente". Fischers Name verknüpft sich bald mit dem Gerhart Hauptmanns, dessen Werke er bis zur "Ausgabe letzter Hand zum 80. Geburtstag des Dichters am 15. November 1942" verlegt. Auch andere Naturalisten bringen ihre Bücher bei Fischer heraus. Seit 1890 wird hier, initiiert von Samuel Fischer und Otto Brahm, die "Freie Bühne für modernes Leben" publiziert, jene Zeitschrift, die mit dem gleichnamigen Theaterverein zusammen die Führung des deutschen Naturalismus endgültig nach Berlin bringt. (Vgl. 354)

1886 wurde in Berlin von dem Arzt Dr. Konrad Küster, dem Literaturhistoriker Eugen Wolff und dem Schriftsteller Leo Berg der Verein "*Durch!*" gegründet, eine "freie literarische Vereinigung", die "einen Sammelplatz vornehmlich für die jungen modernsten Dichter und Schriftsteller bilden" wollte (18,143). Überzeugt, daß die deutsche Literatur an einem "Wendepunkt ihrer Entwicklung angelangt" sei (22,1), forderte die Vereinigung den Gegenwartsbezug einer "modernen" Dichtung. "Die Moderne" wurde als Begriff von Eugen Wolff geprägt, der das Wesen der "Moderne" in einem Vortrag im Verein "Durch!" 1886 vor allem aus dem Gegensatz zur Antike ableitete – hier anknüpfend an die Brüder Hart, die bereits 1882 betont hatten, "daß das Heil nicht aus Egypten und Hellas kommt" (18,22). So sehr der Verein auch die umwälzende Rolle der Naturwissenschaften im 19. Jahrhundert hervorhob und von der modernen Dichtung Werke "in unerbittlicher Wahrheit" (22,1) forderte, so verdeutlichte doch die Rückbesinnung auf die "deutsche idealistische Philosophie" (22,1) und die Bevorzugung des Terminus "Realismus" gegenüber "Naturalismus" – "das aesthetisch und moralisch Beleidigende" (18,143) – die anfängliche Unentschiedenheit und Zaghaftigkeit. Das programmatische Ziel war "eine Revolution der Literatur zu Gunsten des modernen Kunstprinzips" (22,2), obgleich kritische Distanz zu Zola und den Harts analoge nationale Töne aus heutiger Sicht an der Entschiedenheit der proklamierten "Revolution" zweifeln lassen; hier zeigt sich der vor 1889/90 noch eklatante Unterschied zum nachmaligen "konsequenten Naturalismus". – Zu den Mitgliedern zählten unter anderen die Brüder Hart, Bruno Wille, John Henry Mackay, später auch Arno Holz, Johannes Schlaf und Gerhart Hauptmann. (Vgl. 8)

Bruno Wille, Wilhelm Bölsche und die Brüder Hart zogen sich Ende der achtziger Jahre aus Berlin zurück nach Friedrichshagen am Müggelsee. "Hinter der Weltstadt" (Titel 180) bildet sich dort der *Friedrichshagener Dichterkreis,* eine Künstlerkolonie bohèmehaften Anstrichs (vgl. 92,52;180), der bald über die bereits Genannten hinaus erweitert wird durch ständige Bewohner oder gelegentliche Besucher Friedrichshagens (vgl. 41): Wilhelm Hegeler, der Verfasser der "Mutter Bertha", gehört dazu, jenes Romans, der auf dem SPD-Parteitag von Gotha 1896 heftig diskutiert wurde (vgl. 59,97 ff.); Ludwig Jacobowski, kurze Zeit über Vorsitzender der "Neuen Freien Volksbühne"; John Henry Mackay, der Autor des 1891 erschienenen Romans "Die Anarchisten"; Hans Land, neben Wilhelm Hegeler 1896 in Gotha wegen seines Romans "Der neue Gott" (1890) angegriffen; Felix Hollaender, dessen Roman "Jesus und Judas" (1890) zur im Naturalismus häufig verwendeten Thematik eines 'neuen' Christus gehört (vgl. 70, 107–115); weiter der soziale Lyriker Karl Henckell und der Theaterkritiker und Satiriker Otto Erich Hartleben, beide in der Volksbühnenbewegung leitend tätig. – Die Friedrichshagener, über die eine jüngst erschienene Monographie von Herbert Scherer unterrichtet (136), vollzogen zum größten Teil die für den Naturalismus seit 1890 kennzeichnende Wendung weg vom sozialen Engagement und hin zu individualistisch-anarchistischen Konzepten in der Nachfolge Max Stirners und Friedrich Nietzsches. (Vgl. 292) Das Verlassen der Großstadt und die 'Rückkehr zur Natur' der meist aus der Provinz stammenden Naturalisten unterstützte und bestätigte jenen Kurswechsel.

1887 gastierte in Berlin das "Théâtre Libre", das im Jahr zuvor von André Antoine mit Unterstützung Alphonse Daudets und Emile Zolas als Dilettantentheater gegründet worden war. In Form eines geschlossenen Vereins, an den die Mitglieder einen Jahresbeitrag zu entrichten hatten, der die Inszenierungen finanzieren half, konnte dieses Unternehmen die strengen französischen Zensurbestimmungen für öffentliche Aufführungen umgehen und Stücke der naturalistischen Moderne in sein 'Privatprogramm' aufnehmen. (Vgl. 282) André Antoine hat 1921 "Mes souvenirs sur le Théâtre Libre" veröffentlicht. – Im preußischen Berlin galt, trotz der verfassungsmäßig garantierten Freiheit der Meinungsäußerung, immer noch eine bereits 1851 – also zur Zeit der nach-48er-Reaktion – erlassene Verordnung über die Zensurpflicht aller öffentlichen Vorstellungen. (Vgl. 266) Um diesem Vorlage-Zwang zu entgehen – der noch gelegentlich der öffentlich geplanten "Weber"-Aufführung die seltsamsten Blüten trieb (vgl. 202) –, gründeten 1889 der Kritiker Theodor Wolff, der Schriftsteller Maximilian Harden, der Literaturhistoriker und Scherer-Schüler Otto Brahm und Paul Schlenther, (vgl. 221) gleichfalls Scherer-Schüler, (vgl. 299) den Theaterverein "Freie Bühne", dessen Namensgebung die Verpflichtung gegenüber dem Pariser Vorbild anzeigte. (Vgl. 140;141) Im Unterschied zu Antoines Truppe wurden jedoch die meist als Matinee aufgeführten Veranstaltungen der "Freien Bühne" von Berufsschauspielern in angemieteten Theatern bestritten. Aufgrund der 'Gesetzeslücke' bezüglich der geschlossenen Vorstellungen konnten so Stücke zur Aufführung kommen, die keinerlei Aussicht hatten, für das allgemeine Publikum zugelassen zu werden. (Vgl. 139) War dies schon bei Ibsens "Gespenstern" zu vermuten, mit welchen die "Freie Bühne" am 29. September 1889 eröffnete, so galt dies noch weit mehr für Gerhart Hauptmanns einen Monat später aufgeführtes "Soziales Drama" "Vor Sonnenaufgang", das einen Theaterskandal allerersten Ranges entfachte. (Vgl. 141;29) – Rivalitäten der leitenden Vereinsmitglieder sowie politische Differenzen führten 1890 zur Gründung der *"Freien Volksbühne"* (vgl. 148) durch Bruno Wille und 1892 zur Sezession der *"Neuen Freien Volksbühne"*, (vgl. 39) woran neben Bruno Wille auch Bölsche, Harden und die Brüder Hart beteiligt waren. Beide Neugründungen wollten verstärkt Arbeiterpublikum anziehen, was auch zu einem guten Teil gelang. In der Tat: "Das böotische Berlin war mit einem Male Literaturstadt geworden". (22,116; vgl. 83;157)

Das Programm dieser drei Theatervereine gebe ich nach der Aufstellung John Osbornes (118,173 ff.) wieder; deutlich wird gegenüber der programmatischen Geschlossenheit der "Freien Bühne", wie die späteren Neugründungen immer wieder Konzessionen an den konventionellen Publikumsgeschmack machten oder aber sich den Volksbildungsvorstellungen einer vornehmlich an klassischen Mustern ausgerichteten sozialdemokratischen Parteiführung orientierten (vgl. 60;134):

a) *Freie Bühne*

1889, 29. Sept.: Ibsen, Gespenster; 28. Okt.: Hauptmann, Vor Sonnenaufgang; 17. Nov.: E. und J. de Goncourt, Henriette Maréchal; 15. Dez.: Björnson, Ein Handschuh.

1890, 26. Jan.: Tolstoi, Die Macht der Finsternis; 2. März: Anzengruber, Das vierte Gebot; 7. April: Holz/Schlaf, Die Familie Selicke *und* Kjelland, Auf dem Heimwege; 4. Mai: Fitger, Von Gottes Gnaden; 1. Juni: Hauptmann, Das Friedensfest; 12. Okt.: Strindberg, Der Vater; 30. Nov.: Hartleben, Angele *und* Ebner-Eschenbach, Ohne Liebe.

1891, 11. Jan.: Hauptmann, Einsame Menschen; 15. Febr.: Becque, Die Raben; 15. März: Anzengruber, Der Doppelselbstmord; 3. Mai: Zola, Thérèse Raquin.

1892, 3. April: Strindberg, Fräulein Julie.
1893, 26. Febr.: Hauptmann, Die Weber; 30. März: Rosmer, Dämmerung.
1895, 12. Mai: Hirschfeld, Die Mütter.
1897, 11. April: Marriot, Gretes Glück *und* Ebner-Eschenbach, Am Ende.
1898, 15. Mai: Hardt, Tote Zeit *und* Hofmannsthal, Die Frau am Fenster.
1899, 12. Nov.: Keyserling, Ein Frühlingsopfer.
1901, 19. Mai: Rosmer, Mutter Maria.

b) *Freie Volksbühne*

1. 1890–92 unter der Leitung von Bruno Wille
1890: Ibsen, Stützen der Gesellschaft; Hauptmann, Vor Sonnenaufgang; Ibsen, Der Volksfeind; H. Hart, Tul und Nahila (eine Lesung).
1891: Schiller, Kabale und Liebe; Sudermann, Die Ehre; Pissemski, Der Leibeigene; Fulda, Das verlorene Paradies; Reuter, Kein Hüsung; Schiller, Die Räuber; Anzengruber, Der Doppelselbstmord; Ibsen, Bund der Jugend; Hebbel, Maria Magdalena; Gogol, Der Revisor.
1892: Halbe, Eisgang; Anzengruber, Der Pfarrer von Kirchfeld; Zola, Thérèse Raquin; Fulda, Die Sklavin; Ibsen, Gespenster; Ludwig, Der Erbförster; Ibsen, Nora.
2. 1892–95 unter der Leitung von Franz Mehring
2.1) Übernahmen aus dem Repertoire des Lessingtheaters
Anzengruber, Das vierte Gebot, Der Meineidbauer, Die Kreuzelschreiber; Sudermann, Die Ehre, Heimat, Sodoms Ende; Lessing, Nathan der Weise, Emilia Galotti; Grillparzer, Der Traum ein Leben; Kleist, Der Zerbrochene Krug; Augier, Die arme Löwin; Blumenthal und Kadelburg, Großstadtluft; Björnson, Fallissement; Ibsen, Stützen der Gesellschaft.
2.2) Stücke, die der Verein selbst auswählte
Faber, Der freie Wille; Goethe, Egmont; Calderon, Der Richter von Zalamea; Schiller, Kabale und Liebe; Molière, Der Geizige; Verga, Sizilianische Bauernehre; Bahr, Andere Zeiten; Hauptmann, Die Weber; Mellesville und Duveyrier, Michel Perrin; Edgreen und Leffler, Wie man wohltut; Held, Ein Fest auf der Bastille; Hauptmann, Der Biberpelz; Heyse, Ehrenschulden; Westenberger und Croissant, Hildegard Scholl; Reuter, Kein Hüsung; Augier, Der Pelikan.

c) *Neue Freie Volksbühne* 1893–95 (Leitung: Bruno Wille)

Goethe, Faust I; Wolzogen, Das Lumpengesindel; Anzengruber, Der G'wissenswurm; Reuter, Kein Hüsung; Tolstoi, Macht der Finsternis; Lange, Der Nächste; Anzengruber, Der Meineidbauer; Molière, Tartüff; Hartleben, Die Erziehung zur Ehe; Hauptmann, Die Weber; Ostrowski, Gewitter; Halbe, Jugend; Anzengruber, Die Kreuzelschreiber; Ibsen, Ein Volksfeind; Lessing, Emilia Galotti; Erckmann-Chatrian, Der Rautzan; Guinon und Dénier, Die Dummen; Freytag, Die Journalisten; Anzengruber, Das vierte Gebot; Hauptmann, Einsame Menschen; Becque, Die Raben; O. Vischer, Schlimme Saat; Benedix, Die zärtlichen Verwandten;

Meyer-Förster, Unsichtbare Ketten; L'Arronge, Mein Leopold; Agrell, Einsam; Schiller, Don Karlos.

Am 29. 1. 1890 erschien erstmals die "*Freie Bühne für modernes Leben*" als Wochenschrift im Fischer-Verlag; seit dem dritten Jahrgang wurde daraus die Monatsschrift "Freie Bühne für den Entwickelungskampf der Zeit"; 1894 hieß das Blatt "Neue deutsche Rundschau"; ab 1905 führte die Zeitschrift den bis heute beibehaltenen Titel "Die neue Rundschau" (vgl. 65a). Ihr erster Leiter war Otto Brahm, seit 1891 mit ihm zusammen Wilhelm Bölsche. – Das im ersten Heft vorangeschickte "Zum Beginn" erklärte den Kampf wider "die Lüge in jeglicher Gestalt" und für "die individuelle Wahrheit" (18,155) zum Programm und stellte sich dezidiert auf den "Boden des Naturalismus" (18,156), wenngleich dieser auch sofort als möglicherweise transitorische Kunstrichtung der Moderne gekennzeichnet wurde. Sehr viel entschiedener in Urteil und Auswahl der Beiträge als die Münchner "Gesellschaft", favorisierte die "Freie Bühne" das Drama, wobei Ibsen als großes Vorbild galt (vgl. 269;271); dem konsequenten Naturalismus etwa der "Familie Selicke" von Arno Holz und Johannes Schlaf stand das Blatt allerdings reserviert gegenüber, ebenso den sozialistischen Tendenzen mancher naturalistischen Autoren. – Seit Bölsches Übernahme der Redaktion erhielt die naturwissenschaftliche Fundierung der Moderne spürbares Schwergewicht. Die wichtigsten literarischen Mitarbeiter von 1890 bis 1893 waren (nach 19,I,28): Bahr, Dehmel, Dostojewskij, Garborg, Hamsun, Hauptmann, Holz, Kielland, Liliencron, Schlaf, Tovote, Zola, Hartleben, Maupassant, E. Strauß, Strindberg, Tolstoi, Wolzogen, Falke, Halbe, Mackay, Schnitzler, Wille, Bierbaum, J. Hart. (Vgl. 40)

Damit sind die Hauptumschlageplätze der naturalistischen Literatur in Deutschland genannt ebenso wie die meisten der wichtigen Namen – oft in mehrfachem Zusammenhang. Bio-bibliographische Informationen über die Autoren des Naturalismus sind unter anderem dank dreier vor kurzem verlegter Anthologien leicht zu erhalten. (11;15;20) – Auf 'kleinere' Unternehmen wie den "Ethischen Club" (hier hielt Arno Holz 1890 seinen Vortrag "Schleimige Reime und der Unfug des Reimens überhaupt") oder die von Leo Berg und Eugen Wolff edierten "Literarischen Volkshefte", auf drei von Konrad Küster begründete akademische Periodika (vgl. 210,73) oder auf eine spezifiziertere "Literarische Gruppenbildung innerhalb des Berliner Naturalismus" (so der Titel einer 1972 publizierten Monographie von Katharina Günther: 66) braucht hier nicht eingegangen zu werden.

II.3.2 Beginn

Vor 1885 kündigt sich mit plakativen Parolen und ungenierter Lautstärke eine "Revolution der Literatur" an, die zunächst von den Gegnern auf den Namen "Naturalismus" getauft wird – im Verlauf der erregt hinüber und herüber geführten Debatte wird dann der ursprüngliche Schimpfname zur gern übernommenen Bezeichnung des literarischen 'Machtwechsels'.

Was sich zukunftsgewiß und mit der siegestrunkenen Martialik jugendlicher Haudegen gibt, ist zunächst eine Verbalkanonade auf arrivierte Literaten: auf die Poeten der Gründerzeit, ganz selten nur – und dann vergröbernd bis zur (auch den Verfasser karikierenden) Karikatur – auf die Autoren des Realismus.[35]

Aus dem gemeinsamen Gefühl heraus, daß jede Abkehr vom abgelehnten Alten der 'modernen' Literatur goldene Zeiten bringen müsse, wird, vorerst ohne alle verbindliche Konzeption, auf die Gründerzeitpoeten mit diffamierenden Parolen eingedroschen, unbekümmert darum, daß sich noch keinerlei Alternative zeigt. Destruktion heißt die Losung – in der Hoffnung auf eine Literatur, die dem nachsiebziger Reichs- und Wirtschaftsfrühling ebenbürtig sei. (Vgl. 56)

Daß es mit der epigonal-manieristischen "Tyrannei der Modedichterlinge und Poesiefabrikanten" (18,36) nicht weitergehen könne, allein das ist um 1882–84 – als die Brüder Heinrich und Julius Hart Kriegsgenossen für ihre "Kritischen Waffengänge" suchen und werben – communis opinio; einigend wirkt kein Programm, kein System, sondern lediglich die solidarisierende Rhetorik literarischer Drachentöter:

> Es muß ausgeholzt werden, daß der Morgenwind der Freiheit durchstreichen kann, der die Saat herweht. Die Axt muß mörderisch übers Gestrüpp. Dieses ist die große Sorge, daß wir uns den Trümmerschutt der Überlieferung aus der Seele schaffen und rastlos den Geist aufwühlen, mit grimmen Streichen, bis alle Spur der Vergangenheit vertilgt ist. (172,37)

Dem Rhetorischen und keineswegs 'Methodischen' dieser Literatenschlacht, diesem bald erbittert von beiden Seiten geführten Federkrieg entspricht es, daß die jugendlichen Aggressoren sich nicht mit den 'Stärksten' einlassen, sondern ihre Breschen dort zu schlagen suchen, wo am ehesten der Einbruch in die feindliche Front möglich scheint: bei 'Schwachen', manchmal geradezu läppisch Schwachen. Geibel etwa wird ebensowenig wie Heyse direkt attackiert, allenfalls in Nebensätzen; Schack wird ausgenommen von der Kritik, Lingg ebenfalls und Grosse oder Hamerling. Dafür nimmt man sich das Dramatikerchen Heinrich Kruse vor oder den lyrischen Hauslieferanten der "Gartenlaube", Albert Träger.

Allerdings: was diesen Autoren angekreidet wird – Einförmigkeit, Massenproduktion, Dilettantismus, Nachbeterei –, gilt für ihre berühmteren, 'stärkeren' Kollegen auch, oft weniger, zuweilen mehr: die naturalistische Gesamt-Diagnose der gründerzeitlichen Konsumliteratur ist im

---

[35] Als Beispiel nenne ich Conrad Albertis Kritik an Gottfried Keller. In: 3,1889, Heft 9, S. 1347–49.

wesentlichen stimmig, wenn auch ohne jedes Bemühen um hermeneutische Gerechtigkeit. (Vgl. 335,32 ff.)

Vor aller eigenen Zielsetzung – in Richtung Nationalität (vgl. 1;4), in Richtung Männlichkeit,[36] in Richtung Ideal-Realismus,[37] in Richtung Individualität, letzteres ganz besonders – rangiert das Verlangen, tabula rasa zu machen, Disqualifikationen auszusprechen, gewohnte Produktions- und Rezeptionsprozesse als Rituale eines aufs nur "Schöne" ausgerichteten Marktes zu entlarven. (Vgl. 131)

"Daß das Heil nicht aus Egypten und Hellas kommt" (18,22), darin stimmen mit den Brüdern Hart die demnächst sich "Jüngstdeutsche"[38] nennenden Autoren überein, die gerade zwanzigjährigen Literaturrevolutionäre, wie sie sich gern selbst bezeichnen; daß stattdessen "aus der germanischen Volksseele heraus" (ebd.) zu schaffen sei, darüber herrscht schon weniger Übereinstimmung; was schließlich die bald akzeptierte Vorbildhaftigkeit ausländischer – 'progressiver', 'moderner' – Literatur angeht, so halten sich die Urteile "Für und gegen Zola" zunächst noch die Waage: zu stark sind – trotz des wiederholt erklärten Willens, alles anders, alles besser zu machen – die Erwartungshaltungen an das 'Dichterische' noch konventionell ausgeprägt, zu stark also noch die Ressentiments wider eine Literatur des 'Häßlichen', wie man sie bei dem Franzosen mehr befremdend als überzeugend vorfindet.

Was demnächst neben der Anlehnung an die Oppositionsliteratur der "Biedermeierzeit", an das Junge Deutschland und den Vormärz, exemplarische Modernität gewinnen soll, Zolas Theorie nämlich vom Romanschriftsteller als einem "juge d'instruction" und einem "expérimentateur" (18,31), das scheint jetzt noch als ein "Gewebe von Einseitigkeiten, falschen Voraussetzungen, Entstellungen und halben Wahrheiten" (ebd.), scheint also exakt als das, was die zeitgenössische Kritik später dem deutschen Naturalismus ankreiden soll.

"Wahrheit" – das heißt zu diesem Zeitpunkt noch keineswegs ein Objektivismus naturwissenschaftlicher Provenienz, noch nicht ein induktiv-methodischer Empirismus, noch nicht ein die Dichtung mit den 'anderen' Wissenschaften monistisch gleichstellender Szientifizismus, auch noch nicht eine Aufklärungskampagne über die mannigfachen Mißstände im Gefolge der "sozialen Frage"; "Wahrheit" steht synonym für individuelle Handschrift, charakteristische Persönlichkeit, selbständiges und nicht an Mustern und Schablonen orientiertes Dichten, eine Dichtung, die anders ist

---

[36] Geradezu ein Topos ist im Frühnaturalismus die Klage über "Verweichlichung" und "Verweiblichung" konventioneller Literatur.

[37] Vgl. die Äußerung der Brüder Hart, welche "großen ideal-realistischen Gehalt" fordern (18,37) und die zahlreichen Stellen in 174.

[38] Die Brüder Hart stehen den Jungdeutschen noch keineswegs positiv gegenüber. Vgl. dazu 18,20.

als süßlich, schwächlich, lüstern und geleckt, als empfindsam und rührselig, als überspannt und verlogen (11,115).

Was neu sein soll, ist für den Frühnaturalismus lediglich das dezidiert Nicht-Alte, ist das andere, von dem man noch nicht zu sagen weiß, was es eigentlich sei. (Vgl. 102,17 ff.)

Bei aller schnell erreichten Einigkeit wider die geborgten Gefühle, Stimmungen und Formen, wider die "literarischen Bettler, Falschmünzer und Troßbuben" (4,68), wider die überjährten Themen und die bislang nie ernsthaft in Frage gestellten Funktionsbestimmungen einer konventionellen Literatur erweist es sich um 1885 als ungleich schwerer, einheitliche Zielvorstellungen darüber zu vereinbaren, was denn in der "Moderne" die Stelle des Alten einzunehmen habe. "Modern" hat also zunächst abwehrenden und angreifenden Charakter, bedeutet programmatisch kaum mehr als eine Leerformel, deren Füllung erst der weitere Verlauf der "Literaturrevolution" bringen soll.

Erst als das zunächst gewählte Vorbild des Sturms und Drangs[39] – ein Vorbild im Intentionalen – abgelöst wird von jenem des Jungen Deutschland – ein Vorbild im Zeitbezug und im Stofflichen –, erst als auf dem fruchtbaren Umweg einer nicht länger voreingenommenen Zola-Rezeption positivistisch-materialistische Modelle in den Blick kommen, das methodisch-induktive Verfahren obligat und die dezidierte Stellungnahme zur eigenen Zeit und deren Problemen (insbesondere zur sozialen Frage; vgl. 82;90;104;113;127) proklamiert wird – erst dann erhält der 'eigentliche' Naturalismus seine Physiognomie: Naturwissenschaften, Szientifizismus, Determinismus, soziale Anklage konstituieren dann die Erste Moderne, geben ihr – wenn auch nur über ein gutes Jahrfünft verbindlich – eine relativ einheitliche Kontur.

Im Verhältnis zu jener späteren Ausprägung bedeutet der Frühnaturalismus in der Tat ein ohne jede Konsequenz verlaufendes "Stadium der Turbulenz" (246,308); "Naturalismus heißt vorweg kein Stil, sondern nur ein Geschlecht" (ebd., 303) – ein Geschlecht allerdings, das durch Generationengleichheit und Einigkeit im 'Anti' den Boden bereitet für den späteren Stil.

II.4 Voraussetzungen

II.4.1 Theorie

Es ist eine methodologische Zwischenüberlegung wert, die Schwierigkeiten anzudeuten, die sich beim Versuch ergeben, die naturwissenschaft-

---

[39] Besonders vorbildlich wirkt Jakob Michael Reinhold Lenz. Vgl. 279.

lich-positivistisch-materialistische Umwälzung im szientifischen Weltbild des 19. Jahrhunderts zu skizzieren.

Es kann dabei weder um den – in diesem Kontext von vornherein hoffnungslosen – Versuch einer Gesamtdarstellung gehen, noch darum, auf der Suche nach möglichst monokausal deutlichen Beeinflussungszusammenhängen allein jene Namen vorzustellen, deren Wirkung im deutschen Naturalismus unübersehbar ist.

Ein weiteres kommt hinzu: Erkenntnisse werden oft nicht in direkter Linie vom Erkennenden an den Interessierten weitergegeben, sondern der Weg der Erkenntnisvermittlung führt über – häufig mehrere – Stationen, Zwischenträger, Popularisatoren, über die Medien öffentlicher Kommunikation. Selten entspricht das an den Adressaten gelangende Ergebnis der authentischen, der – wenn man so will – 'reinen Lehre': der Prozeß der Ideenverbreitung unterliegt stets Verzerrungen nach der einen wie nach der anderen Seite: was in umfangreichen und zuweilen wissenschaftsspröde formulierten Schriften niedergelegt ist, wird zum einen verwässert, verdünnt, verkürzt; zum anderen verschärft zu Parolen, Schlagworten, starren Formeln. – Um es für die uns interessierende Zeit anschaulich zu machen: der Marxismus der 70er und 80er Jahre existiert für den zeitgenössischen Rezipienten – zumal nach dem Sozialistengesetz 1878 – in sehr chimärisch-ungefährer Weise, im doppelten Wortsinn 'gespenstisch'; Darwins Theorien dagegen werden um alle Differenziertheit gebracht und zu verzeichnenden Wortblasen entstellt: 'rote Gefahr' und 'der Mensch als Enkel der Affen' – so rezipiert der Bürger die genannten Konzepte; auf dieser Stufe der Verzerrung herrschen pure Affekte, und eingängige Auseinandersetzung bleibt so ausgeschlossen. – Nachzudenken wäre über eine Psychopathologie des defensiven, alles Neue sogleich verteufelnden Konservatismus.

Was wer von wem wann wußte, kannte: das ist das Problem von (Idee-)Rezeption, das auch in der neueren Theorie und Forschung nur punktuell einer Lösung nähergebracht werden konnte. – Auf die Zeit des Naturalismus bezogen: waren Comtes oder Taines Schriften – soweit übersetzt und zugänglich – tatsächlich selbst bekannt? Oder 'lagen' ihre Ergebnisse lediglich 'in der Luft', kolportiert als progressiver Bildungsstand und umgeben von der "modernen" Gloriole des Fortschritts, aber doch nur 'von ferne her' gekannt, überkommen also durch Zweite und Dritte und Vierte?

Und – kannte man übers 'Ganze', über die freilich leicht pauschal zu benennende Umwälzung hinaus tatsächlich die einzelnen Vertreter, jenen, der zuerst von Soziologie sprach (Comte), jenen, der der induktiven Methode endgültig Bann brach (Mill), jene, die "Positivismus" auf eine verbindliche Formel gebracht hatten (Taine, Spencer)?

Die Lage ist schwierig genug! Doch vor weiterer – nicht vermeidbarer – Problematisierung sei gleich die 'Flucht nach vorn' angekündigt, eine Darstellung nämlich maßgeblicher Positionen, die jedoch vornehmlich auf den programmatischen Wert derselben abhebt und auf eine inhaltliche Darstellung oder gar Diskussion weitgehend verzichten muß.

Die weiteren Probleme, die abschließend noch angedeutet sein sollen: zum ersten haben die einzelnen Positionen der szientifischen Umwälzung des 19. Jahrhunderts keineswegs in der Reihenfolge gewirkt, wie sie im historischen Nacheinander erstmals publiziert worden waren. Zum zweiten: keinesfalls – am ehesten noch mit der Ausnahme Darwin/Haeckels – wirkten jene Positionen isoliert, einzeln erkennbar, individuell profiliert; vielmehr gab es von Anfang an regen Austausch, zitierende Verweise, Ideenamalgame, Thesenkonglomerate. – Um es wiederum anschaulich zu machen: Holz' "Kunstgesetz" verdankt seine Prägnanz und schuldet seine unüberbietbare Konsequenz nicht nur der kritischen Abgrenzung gegenüber Zola, sondern hat zur stillschweigenden Voraussetzung Bernards Physiologie-Einführung, die induktive Methodik J. St. Mills, den Positivismus Comtes. Kurzum: was sich wiederholt und mit narzißtischem Furor als einsame Einzelleistung auszuweisen versucht, ist das Endprodukt konvergierender Vorarbeiten.

Die Schlußfolgerung aus den zuletzt angedeuteten Problemen könnte – und das wäre falsch! – heißen, vor lauter darstellungstechnischen Schwierigkeiten und Aporien sich ins Pauschal-Behauptende zu flüchten, etwa in dieser Art: die Naturalisten wußten's ja selbst nicht so genau – so können auch wir darauf verzichten... Oder – und das wäre ebenso falsch! – sie könnte heißen, es beim Nennen einiger bekannter Namen zu belassen: so sind viele Darstellungen des Naturalismus vorgegangen. Doch weder mit dem Aufstellen generalisierender Formeln noch mit dem bequemen Rückzug auf bekannte Größen (deren tatsächliche Bedeutung zu suchen man dem Leser über die 'einschlägige Literatur' anmutet) kann's getan sein.

Auch auf die Gefahr des allzu Systematischen, des allzu säuberlich Enumerativen oder des allzu organologisch Plausiblen hin muß das Verfahren so aussehen, wichtige Positionen in ihrer programmatischen, also wissenschaftstheoretischen und -historischen Bedeutung so vorzustellen, daß überprüfbar wird, wo die Naturalisten was festmachen konnten; anders: woher sie 'im Grunde' ihr theoretisches, und das heißt die Intention ihrer Dichtung bestimmendes Rüstzeug bezogen.

In einem "Landhause zu Friedrichshagen bei Berlin" – jenem Ort, wo sich "Hinter der Weltstadt" (Bölsche) der "Friedrichshagener Kreis" naturalistischer Schriftsteller zusammenfand; an einem Ort also, der nicht phantasiegeboren war, sondern genau wie die kleinbürgerlichen Behausungen *in* der Weltstadt dem Erfahrungsbereich seiner Autoren zugehörte – spielt Gerhart Hauptmanns "Drama" "Einsame Menschen", fünf Akte lang im selben "gutbürgerlich eingerichtet(en)" Zimmer, an dessen Wänden "Bildnisse – Photographie und Holzschnitt – moderner Gelehrter (auch Theologen), unter ihnen Darwin und Haeckel" hängen. (194,I,169) Haeckel, so erfährt man, sei Johannes Vockerats Lehrer gewesen, "und ich bin stolz darauf" (194,I,178). Später wird mitgeteilt, der Haeckel-Schüler arbeite an einem umfangreichen wissenschaftlichen Werk, das sein Freund Braun bezeichnet als "Mir zu gelehrt. Philosophisch-kritisch-psycho-physiologisch – was weiß ich!" (194,I,189)

Was Braun "zu gelehrt" erscheint und zunächst wie eine verworrene Kontamination heterogenster Disziplinen anmutet, entspricht wissenschaftsgeschichtlich sehr genau dem Bemühen des 19. Jahrhunderts, im Zeichen von Positivismus und Materialismus einen für alle Wissenschaftszweige verbindlichen methodischen Zugriff zu postulieren, einen szientifischen Monismus anzustreben, der jeglicher Einzeldisziplin vorgeordnet sein sollte.

Die von Darwin und Haeckel angeführte Bildergalerie des Vockeratschen Wohnzimmers zu ergänzen, ist kein allzu riskantes hypothetisches Unternehmen: auf den Holzschnitten und Photographien wird Comte zu sehen sein und Taine, Mill, Spencer und Buckle – um bei nur wenigen (und zunächst aufs Ausland beschränkten) Mutmaßungen zu bleiben, die sehr viel Plausibilität für sich haben; die Bildnisse dieser Wissenschaftler – ihre Leistung also in der Forschungsgeschichte des 19. Jahrhunderts – sollen kurz skizziert werden.[40]

Als Begründer des modernen Positivismus ist *Auguste Comte* zu nennen, der von 1798 bis 1857 lebte und 1830–42 sein sechsbändiges Hauptwerk veröffentlichte, den "Cours de philosophie positive", welcher im ersten Band die Mathematik behandelte, im zweiten Band Astronomie

---

[40] Ich kann aus mehreren Gründen darauf verzichten, die Entwicklung des deutschen Materialismus zu skizzieren. Zum einen entspricht der Versuch, die Theologie auf anthropologische Basis (Strauß, Feuerbach) oder Hegel "vom Kopf auf die Füße" zu stellen und zur ökonomischen Analyse vorzudringen (Marx, Engels) oder die Einheit von "Kraft und Stoff" – so ist der "Siebenzehnte Brief" in Jacob Moleschotts "Der Kreislauf des Lebens. Physiologische Antworten auf Liebig's Chemische Briefe" (Mainz 1852) überschrieben; das gleiche Begriffspaar wird zum Titel von Louis (Ludwig) Büchners 1855 in Frankfurt a. M. publiziertem Buch "Kraft und Stoff. Empirisch-naturphilosophische Studien. In allgemeinverständlicher Darstellung" – zu erweisen, der bei Comte, Taine, Mill, Spencer oder Buckle stets deutlichen Konzeption einer empirisch abgesicherten, antispekulativen 'Desillusionierung' einer bislang apriorisch dekretierenden, von Setzungen ausgehenden Wissenschaft. – Zum andern wurden im deutschen Naturalismus vor allem die ausländischen Vorbilder für die eigene theoretische Standortbestimmung von Belang. Zum dritten war die Vor-48er-Tradition des spezifisch deutschen Materialismus nach 1848 weitgehend unterdrückt, 'vergessen' oder von anderen philosophischen Konzepten abgelöst worden, etwa von Schopenhauers Philosophie oder Eduard von Hartmanns 1869 erstmals erschienenen "Philosophie des Unbewußten"; und selbst innerhalb der Sozialdemokratie herrschte bis 1891 – teilweise erzwungen durch das Sozialistengesetz von 1878 – ein theoretisches Vakuum (vgl. 300). – Schließlich sind die genannten deutschen Positionen andernorts bereits vielfach dargestellt worden, so daß sich in unserem Zusammenhang eine ausführliche Referierung erübrigt. Vgl. 313.

Physik, im dritten Band Chemie und Biologie, in den drei letzten Bänden schließlich die Soziologie. – Auf diese letzte Wissenschaft, als deren Begründer Comte angesehen werden muß, kam es ihm vor allem an: ihr gab er den Namen und ihre erste systematische Ausprägung. Die anderen von Comte behandelten Wissenschaften aber stellen keine zufällig gewählten Disziplinen dar, sondern sie bilden eine vom Allgemeinsten und Abstraktesten zum Subjektivsten und Konkretesten aufsteigende Reihe bis hin zur Soziologie, wobei jede Einzelwissenschaft die elementaren Tatsachen der voraufgehenden zur Voraussetzung hat: so sind die 'einfache' Mathematik und die bereits 'kompliziertere' Astronomie samt den übrigen Zwischenstufen mit der 'schwierigsten' aller Einzeldisziplinen durch übereinstimmende Gesetzmäßigkeiten verbunden, mit der Soziologie.

Für die wissenschaftliche Betrachtung der menschlichen Gesellschaft verwirft Comte jeden spekulativen, metaphysischen oder irgendwie von gesetzten Entitäten deduzierten Zugriff, um stattdessen Beobachtung und Experiment als alleinige Instrumente zum Auffinden von Zusammenhängen zuzulassen und dann als konstant erwiesene Zusammenhänge als Gesetze aufstellen zu können: jegliche Erkenntnis positivistischer Art muß durch Erfahrung kontrollierbar sein, kann demnach – beobachtend und experimentell – von nichts anderem ausgehen als vom tatsächlich Gegebenen, vom zweifelsfrei Überprüfbaren. Erkenntnis der dann "Tatsachen" genannten Gesetzmäßigkeiten findet ausschließlich 'von unten' statt, von einer jedermann einsichtig zu machenden Basis der Faktizität. Ohne jede Ausnahme sind für die positivistische Philosophie "alle Vorgänge unveränderlichen Gesetzen unterworfen" (280,65) – eine Einsicht, die sich später lapidar bei Arno Holz' Überlegungen zu seinem Kunstgesetz wiederholen wird, die aber in der Wissenschaftsgeschichte vor Comte zugunsten erkennbarer Vorentscheidungen vernachlässigt worden ist. In der "Entwicklung des menschlichen Geistes" hat nämlich Comte "ein großes Gesetz entdeckt", das "loi des trois états", welches folgendermaßen lautet:

> Jeder Zweig unserer Kenntnisse durchläuft der Reihe nach drei verschiedene theoretische Zustände (Stadien), nämlich den theologischen oder fiktiven Zustand, den metaphysischen oder abstrakten Zustand und den wissenschaftlichen oder positiven Zustand. (280,64)

Wissenschaftlichkeit im strengen Verstand kann nur dem "état positif" zugestanden werden; im "theologischen Zustand" war "absolute Erkenntnis" das Ziel des Bemühens – um den Preis, übernatürliche und im letzten nur glaubensmäßig erfaßbare Wesenheiten anzuerkennen; "Im metaphysischen Zustand, der nur eine Abwandlung des vorhergehenden ist, werden die übernatürlichen Mächte durch abstrakte Kräfte oder Entitäten ersetzt" – statt den Priestern des "état théologique" bestimmen nun die Philosophen und Juristen die Erklärung der Phänomene, eine Erklärungsart freilich, bei welcher immer noch die Phantasie der Beobachtung präponderiert. – Erst im "état positif" kehrt sich dieses Verhältnis um. Nun wird nicht länger nach 'ersten' oder 'wesentlichen' Ursachen gefragt, nach personifizierten oder abstrakten Ur-Instanzen, sondern nur noch die "Gesetze der Vorgänge" – auch im menschlichen, im soziologischen Bereich – verdienen Interesse. Die "Aufstellung des Relativen statt des Absoluten" ist Ziel aller positivistischen Wissenschaft, welche "wissen" will, "um vorauszusehen".

Savoir pour prévoir, prévoir pour prévenir

heißt ihr Motto, ein Motto, das gerade im Bereich der menschlichen Gesellschaft verlangt, soziologische Phänomene nicht als unveränderliche Gegebenheiten zu betrachten, sondern als Gewordenes und mithin auch weiterhin Veränderbares. In diesem instrumentalen Sinn kann eine positivistisch betriebene Soziologie "als die einzige feste Grundlage für die Umgestaltung der bürgerlichen Gesellschaft verstanden werden" (280,70; vgl. 244;245; vgl. Kap. II.10).

Der Comte-Schüler *Hippolyte Taine* (1828–1893) formulierte in der Einleitung seiner 1863 publizierten "Histoire de la littérature anglaise" den berühmt gewordenen Satz:

> Le vice et la vertu sont des produits comme le vitriol et le sucre (309,XV),

dem sich ein weiterer Satz von gleichem Provokationswert an die Seite stellen läßt, daß der Mensch ein Wesen höherer Gattung sei, das Philosophie und Dichtung hervorbringe wie die Seidenwürmer ihre Gespinste und die Bienen ihre Waben. – Derartige Aussagen machten deutlich, daß auch für die Bereiche von Moral und Literatur exklusive Kategorien ebenso verabschiedet werden sollten, wie es Comte für die Soziologie bereits postuliert hatte. Wenn Tugend und Vitriol, Dichtung und Honigwaben in einem Atemzug genannt und nicht nur verglichen, sondern in Genese und Erklärbarkeit identisch gesetzt wurden, dann trat der in anderen Disziplinen längst nicht so starken Vorurteilen ausgesetzte Positivismus auch in Bereichen mit monistischem Machtanspruch auf, die bisher als Reservate eigener Dignität gegolten und mit Termini wie Inspiration oder Genialität ihre Sonderstellung anderen menschlichen Betätigungen gegenüber betont hatten.

Den Begriff des Genies behält Taine zwar in seiner "faculté maîtresse" noch ansatzweise bei, jedoch nur so, daß zu den alle Menschen bestimmenden Grundmomenten der "trois forces primordiales" hier ein Weiteres hinzuträte, das Ausnahmecharakter besäße, ohne die allen gemeinsamen Faktoren Rasse, Zeit und Milieu jedoch nicht bestehen könne. Durch diese Faktoren wird für Taine der 'elementare' Mensch fixiert:

> Trois sources différentes contribuent à produire cet état moral élémentaire, *la race, le milieu* et *le moment.* (309,XXII f.)

Was Taine anstrebt, ist die Ersetzung einer normativen Ästhetik durch eine positivistische, geprägt durch ethnologische, historische und soziologische Fakten. Jeder Autor – und, das darf man im Vorblick auf die naturalistische Literatur hinzufügen: jeder Mensch überhaupt – ist von den drei genannten Grundkräften geprägt, präformiert, determiniert: also Gesetzmäßigkeiten inter- oder besser noch überpersonaler Art unterworfen, welche vor aller individuellen Besonderheit rangieren und die Biographie des einzelnen Autors (und die eines jeden Menschen) rückbinden an die Konkreta der jeweiligen Epoche, der jeweiligen Abstammung und des jeweiligen Umfelds soziokultureller, klimatologischer und mentaler Art. Zeit, Rasse und Milieu kennzeichnen als objektiv-faktisch rekonstruierbares Koordinatensystem den genetischen Ort des Einzelnen, umreißen sein fortwirkendes Grundarsenal an 'Mitgegebenem', das sowohl Gabe wie Hypothek bedeutet.

Während ein Literaturhistoriker wie Josef Nadler später mehr den Stammesaspekt – die Rasse – betonen wird, spielt in der über Zola vermittelten Literatur des deutschen Naturalismus das Milieu (vgl. 129) die dominierende Rolle; Albertis Aussage mag stellvertretend stehen für eine Vielzahl von 'Verpflichtungsadressen' Taine gegenüber:

> Das Milieu in der Kunst wie in der Kunstlehre konnte sich erst entfalten, sobald die jahrhundertealte Legende vom freien Willen des Menschen zerstört war, sobald man wußte, daß der Wille des Menschen in keinem Augenblick frei ist, sondern jeder Mensch nur das will, was er wollen muß, wozu seine Natur und das Milieu ihn zwingen, daß er in jedem Augenblicke einem physiologischen und milieumäßigen Zwange gehorcht. (11,164)

Den für den deutschen Naturalismus wichtigsten 'Verbindungsmann' zu Taine stellt der Berliner Germanist Wilhelm Scherer dar, dessen Schüler Otto Brahm und Paul Schlenther waren. Er prägte für die Beurteilung von Autoren (wie für die von Menschen allgemein) die Formel vom "Ererbten", "Erlebten" und "Erlernten".

In einem Brief vom 29. Juli 1888 an Oskar Jerschke berichtet Arno Holz:

> Auf meinem Schreibtisch lagert die halbe Berliner Bibliothek: Taine, Comte, Mill und Spencer sind jetzt meine Schutzheiligen. (210,95)

Dasselbe Bekenntnis hätten auch andere Jüngstdeutsche in gleicher Weise ablegen können, wenn auch nicht jeder von ihnen 'ad fontes' ging, somit die Lehren dieser Forscher über Dritte rezipierte. – Hatten Comte und Taine für die Bereiche von Soziologie und Literaturwissenschaft einen Prozeß eingeleitet, welcher durch Gleichstellung dieser Disziplinen mit den Naturwissenschaften 'entheroisierend' wirken mußte und das Betreiben dieser Disziplinen objektivierbaren Maßstäben unterwarf, sie auf 'positive', intersubjektiv-überprüfbare Verfahren verwies, so war es vor allem *John Stuart Mill* (1806–73), der in seinem 1843 publizierten "System of Logic, ratiocinative and inductive. Being a Connected View of the Principles and the Methods of Scientific Investigation" methodisch jenem Prinzip zum Durchbruch in einer ausschließlich von Erfahrung zu bestimmenden Philosophie verhalf, das als Induktion den Gegenbegriff zur bisher gebräuchlichen deduktiven Methode bildete. Mill, der 1865 ein Buch über "Auguste Comte and the Positivism" veröffentlichte, machte die Erfahrung zur einzigen Erkenntnisquelle; als Erkenntnisverfahren erklärte er allein die induktive Methode für zulässig und mithin alles Denken von Setzungen her für spekulativ. Induktion bedeutete für ihn – fußend auf der englischen Tradition des Empirismus, wie ihn vor allem Locke, Bacon und Whewell vertraten – das ständig empirisch bezogene und überprüfte Verfahren, durch Einzelbeobachtungen und Experimente Schlüsse zu erzielen, analog den Naturwissenschaften also auch in den Geisteswissenschaften zu allgemeinen Begriffen und Gesetzen allein auf dem Weg der Erfahrung zu gelangen. – Zusammen mit den Ergebnissen Comtes und Taines wurde Mills Verfahren experimentell-induktiver Methodik für den deutschen Naturalismus vor allem über Claude Bernard von Bedeutung, der in seiner "Introduction à l'étude de la médecine expérimentale" (1865) die Grundsätze Mills neben Comtes Dreistadiengesetz auf die Medizin anwandte und mit seiner Schrift für Emile Zola zum Vorbild seines "Experimentalromans" (1880) wurde (vgl. Kap. II.4.2). In seiner 1891 erschienenen Schrift "Die Kunst. Ihr Wesen und ihre Gesetze" berief sich Arno Holz wiederholt auf Mill (vgl. Kap. II.10); wiederum stellvertretend für viele weitere Belege gebe ich ein Notat von Franziska von Kapff-Essenther wieder:

> Das Auge des Dichters sieht heute nicht mehr ins Blaue hinein; es sieht dieselben Dinge wie wir – es sieht nur tiefer in sie hinein, es sieht das Ineinander, wo wir nur das Nach- und Nebeneinander sehen. [...] Mit einem Wort: er folgt heute eben jener Methode, welche längst die Wissenschaft beherrscht – der analytisch-induktiven –, sein Resultat aber ist die poetische Wahrheit, welche sich der Spekulation entzieht. (11,238 f.)

Auch *Herbert Spencer* (1820–1903) zählte zu Holz' Kronzeugen bei der Entwicklung seines Kunstgesetzes. In seinem zehnbändigen "System of Synthetic Philosophy" (1855–96) erklärte Spencer – ausgehend von der prinzipiellen Einheit aller Wissenschaften und vom Gedanken eines nach gleichfalls einheitlichen Gesetzen geordneten Universums – noch vor Darwin die Evolution zum Grundprinzip des Kosmos: nicht nur alles organische Leben, sondern auch die menschliche Gesellschaft mit all ihren Institutionen sei einem großen, von Naturgesetzen beherrschten Entwicklungs- oder Fortschrittsprozeß unterworfen, einem Prozeß, bei dem die Vorgänge der Integration und der Differenzierung von größter Bedeutung seien. – Den Gedanken der Anpassung, der für Darwins Selektionstheorie eine zentrale Rolle spielen sollte, hatte Spencer bereits 1852 in seiner Schrift "The Development Hypothesis" verbreitet, einen Gedanken, der sich sowohl auf die ständig bessere Anpassung der Organismen an ihre natürliche Umgebung bezog wie auch auf die Anpassung des Menschen an sein soziales Umfeld. – Für die Naturalisten wurde neben der hauptsächlich über Darwin rezipierten Evolutionstheorie vor allem Spencers prinzipieller Wissenschaftsmonismus von Belang: hierher bezogen sie die generelle Gleichwertigkeit aller Phänomene, die Literaturwürdigkeit alles Beobachtbaren. Conrad Alberti etwa resümierte, bereits Darwins Leistung mit einbeziehend:

> Da alle Naturgesetze, welche die mechanischen Vorgänge in der physischen Welt regeln, auch alle geistigen Vorgänge und Erscheinungen bestimmen, so ist auch die Kunst genau denselben Gesetzen unterworfen wie die mechanische Welt. Die Prinzipien des Kampfes ums Dasein, der natürlichen Auslese, der Vererbung und der Anpassung haben in Kunst und Kunstgeschichte ebenso unbedingte Geltung wie in der physiologischen Entwickelung der Organismen. (18,130)

Eine weitere Aussage Albertis, die uns in anderem Zusammenhang noch einmal interessieren muß, ergänzt das eben Gesagte durch provozierende Drastik:

> Das Wesen des künstlerischen Realismus ist Pantheismus auf der Grundlage induktiver Erkenntnis. Daher sind vor dem Naturgesetz und vor der Aesthetik alle Wesen und Dinge einander gleich, es gibt keine künstlerischen Stoffe zweiten und dritten Ranges, sondern als Stoff steht der Tod des größten Helden nicht höher als die Geburtswehen einer Kuh, denn dasselbe und einheitliche und allgewaltige Naturgesetz verkörpert sich in diesem wie in jenem. Es gibt nichts Höheres als das Naturgesetz und darum nichts Wahreres und nichts Schöneres. (46,35)

In seiner der "Geschichte der deutschen Sprache" (1868) vorangestellten Widmung an seinen Lehrer und Freund Müllenhoff schrieb der bereits erwähnte Berliner Literaturhistoriker Wilhelm Scherer:

> Denn wir glauben mit Buckle, daß der Determinismus, das demokratische Dogma vom unfreien Willen, diese Zentrallehre des Protestantismus, der Eckstein aller wahren Erfassung der Geschichte sei. Wir glauben mit Buckle, daß die Ziele der historischen Wissenschaft mit denen der Naturwissenschaft insofern wesentlich verwandt seien,

als wir die Erkenntnis der Geistesmächte suchen, um sie zu beherrschen, wie mit Hilfe der Naturwissenschaften die physischen Kräfte in menschlichen Dienst gezwungen werden. (298,223 f.)

Henry Thomas Buckle (1821–62) hatte mit seiner "History of Civilization in England" (1857–61) ein Werk vorgelegt, das Spencers Monismusforderung voll entsprach: Geschichtswissenschaft wurde hier als Naturwissenschaft getrieben.

Man is affected by four classes of physical agents; namely, climate, food, soil, and the general aspect of nature (240,V)

– so war ein Kapitel in Buckles Zivilisationsgeschichte angekündigt; ein anderes annoncierte selbstsicher und unter Berufung auf Comte und Mill:

The historical method of studying mental laws is superior to the metaphysical method. (240,VI)

Buckles "historische Methode" bestand in der Abwehr aller bisher in der Geschichtswissenschaft üblichen Spekulationen und Konjekturen: die Menschen und ihre Geschichte waren für ihn allein beschreibbar aufgrund klar vorgegebener Fakten und Gesetze, Fakten und Gesetze 'von dieser Welt'. Die Lehre von der Vorsehung und die Lehre vom freien Willen verwarf Buckle als unbeweisbare Hirngespinste; sein Begriff des empirisch belegbaren Determinismus wurde zu einem Haupt-'Gesetz' des Naturalismus. Eine Aussage Wilhelm Bölsches – durch sein 1887 publiziertes Buch "Die naturwissenschaftlichen Grundlagen der Poesie. Prolegomena einer realistischen Ästhetik" einer der Hauptvermittler des Positivismus und Materialismus für die naturalistischen Autoren – mag stellvertretend für viele ähnliche Stellungnahmen dienen:

Für den Dichter aber scheint mir in der Tatsache der Willensunfreiheit der höchste Gewinn zu liegen. Ich wage es auszusprechen: Wenn sie nicht bestände, wäre eine wahre realistische Dichtung überhaupt unmöglich. Erst indem wir uns dazu aufschwingen, im menschlichen Denken Gesetze zu ergründen, erst indem wir einsehen, daß eine menschliche Handlung, wie immer sie beschaffen sei, das restlose Ergebnis gewisser Faktoren, einer äußern Veranlassung und einer innern Disposition, sein müsse und daß auch diese Disposition sich aus gegebenen Größen ableiten lasse – erst so können wir hoffen, jemals zu einer wahren mathematischen Durchdringung der ganzen Handlungsweise eines Menschen zu gelangen und Gestalten vor unserm Auge aufwachsen zu lassen, die logisch sind wie die Natur. (11,131)

Empirisch-induktiv versuchte auch jener Forscher Gesetzmäßigkeiten auf die Spur zu kommen, der wie kein zweiter Wissenschaftler Diskussionen und Gemüter in der zweiten Hälfte des 19. Jahrhunderts erhitzte: *Charles Darwin* (1809–82). Obgleich ihn seine zahlreiche Gegnerschaft, auch in Deutschland – wo vor allem Ernst Haeckel für ihn eintrat und seine Erkenntnisse propagierte und weiterführte –, zum Gottseibeiuns stilisieren oder als Affenmenschen karikieren wollte, war Darwin nichts weniger als ein frevlerischer Ketzer, vielmehr ein streng-asketischer und fast übervorsichtiger Gelehrter; freilich ebenso streng in den Schlüssen, die sich aus seinen Beobachtungen ergaben. Und diese Schlüsse waren in der Tat imstande, bisher als kaum erschütterlich angesehene Vorstellungsbereiche zu revolutionieren und insbesondere das Gebäude der christlichen Weltanschauung in ähnlicher Weise zu erschüttern, wie es vor ihm Kopernikus und nach ihm Sigmund Freud gelingen sollte. (251,7)

Nach eigener Aussage bereits zu seiner Volksschulzeit mit einer "Neigung für Naturgeschichte und ganz besonders für das Sammeln" (251,15) ausgestattet und vornehmlich an der "Variabilität der Pflanzen interessiert" (251,16), lernte er früh die "Zoonomie" (1794–96) seines Großvaters Erasmus Darwin und die Entwicklungstheorie Jean-Baptiste de Lamarcks kennen, beidesmal also Gedankengebäude, die bereits die Idee der *Evolution* (vgl. 77) kannten und ansatzweise verwendeten, jene Idee, welche durch Darwin selbst in seiner Abstammungslehre aus dem Bereich des Hypothetischen gelöst werden sollte. Geologische und zoologische Studien sowie langjährige Forschungsreisen ließen schon den knapp Dreißigjährigen erste Notizen zu dem Werk machen, das schließlich am 24. November 1859 unter dem Titel "Entstehung der Arten durch natürliche Zuchtwahl oder Die Erhaltung der bevorzugten Rassen im Kampf ums Dasein" erschien (247) – am gleichen Tag wurden sämtliche 1250 Exemplare dieser ersten Auflage verkauft, ähnlich schnell die 3000 Exemplare der zweiten Auflage.

Hatte in diesem Buch nur ein einziger Satz am Ende des Werkes auf den Menschen abgehoben:

> Es wird Licht fallen auf den Ursprung des Menschen und auf seine Geschichte

und erschien erst 1871 das zweite berühmte Buch Darwins, "Die Abstammung des Menschen und die geschlechtliche Auslese", so war doch schon seit 1859 jedem Leser deutlich, was diese eher zurückhaltend denn aggressiv vorgetragene Theorie bedeuten mußte: das Ende der Vorstellung einer göttlichen Schöpfung der Tierarten und auch des Menschen.

Am Ende der Einleitung zur "Entstehung der Arten" formulierte Darwin:

> Wenn aber auch vieles dunkel bleiben wird, so kann ich doch nach dem sorgfältigsten Studium und dem unbefangensten Urteil, deren ich fähig bin, keinen Zweifel mehr daran hegen, daß die Ansicht, die die meisten Naturforscher bis vor kurzem vertraten, und die ich selbst

früher vertrat, nämlich daß jede Art unabhängig für sich geschaffen wurde, irrig ist. Ich bin vollkommen überzeugt, daß die Arten nicht unwandelbar sind, sondern daß die ein und derselben Gattung angehörenden in gerader Linie von anderen, gewöhnlich schon erloschenen Arten abstammen, ebenso wie die anerkannten Varietäten einer bestimmten Art von dieser Art abstammen. Ich bin ferner überzeugt, daß die natürliche Zuchtwahl das wichtigste, wenn auch nicht das einzige Mittel der Veränderung gewesen ist. (251, 106)

Wie es dem heutigen Züchter gelingt, etwa Schafsrassen zu verändern und somit Heredität und Variabilität der gegebenen Art auszunützen, so verfährt nach Darwin auch – streng und unerbittlich – die Natur: das "Überleben der Tüchtigsten" (diesen Terminus übernimmt Darwin von Herbert Spencer) in dem durch Überproduktion von Nachkommenschaft verursachten "Kampf ums Dasein" (vgl. 247;248;249;250;251;252)[41] sorgt durch ständig verbesserte Anpassung an neue Lebensbedingungen zum Wandel des Artbildes: im Prozeß des Auslese, der *Selektion*, gehen diejenigen zugrunde, welche unzulängliche Fähigkeiten und Eigenschaften haben; die Rasse wird nur durch die 'besten' Exemplare erhalten, die durch Auswahl geeigneter Fortpflanzungspartner, also durch Zuchtwahl, ihre 'guten' Eigenschaften auf die Nachkommen vererben.

Am 19. September 1863 sprach auf der 38. Versammlung deutscher Naturforscher und Ärzte in Stettin *Ernst Haeckel* (1834–1919) "Über die Entwicklungstheorie Darwins"; er faßte vor dieser längst zum hervorragendsten Umschlagplatz naturwissenschaftlicher Erkenntnisse gewordenen Institution nochmals die Lehre Darwins zusammen:

Alle verschiedenen Tiere und Pflanzen, die heute noch leben, sowie alle Organismen, die überhaupt jemals auf der Erde gelebt haben, sind nicht, wie wir anzunehmen von früher Jugend gewohnt sind, jeder für sich selbständig erschaffen worden, sondern haben sich trotz ihrer außerordentlichen Mannigfaltigkeit und Verschiedenheit im Laufe vieler Millionen Jahre aus einigen wenigen, vielleicht sogar aus einer einzigen Stammform, einem höchst einfachen Urorganismus, allmählich entwickelt.

---

[41] Conrad Alberti veröffentlichte 1888–1895 eine sechsbändige "Romanreihe" unter dem Titel "Der Kampf ums Dasein" – die Einzeltitel lauten: "Wer ist der Stärkere? Ein sozialer Roman aus dem modernen Berlin." (Leipzig 1888); "Die Alten und die Jungen. Socialer Roman." (Leipzig 1889); "Das Recht auf Liebe." (Leipzig 1890). – Vgl. als einen weiteren Reflex unter vielen die letzte der "Strophen" von Arno Holz (in 207,V,258):

Stahl und Eisen, Blut und Dampf,
rollen, donnern, sieden, zischen,
und ein Wehruf gellt dazwischen:
Dieses Leben ist ein Kampf!

Zu Haeckel vgl. 263.

All dies war seit 1859 wohlbekannt – ganz abgesehen von den mannigfachen Vorläufern Darwins, die bereits mit dem Evolutionsmodell gearbeitet hatten; neu jedoch und provozierend waren die Folgerungen, die Haeckel zog:

> Was uns Menschen selbst betrifft, so hätten wir also konsequenterweise, als die höchst organisierten Wirbeltiere, unsere uralten gemeinsamen Vorfahren in affenähnlichen Säugetieren, weiterhin in känguruhartigen Beuteltieren, noch weiter hinauf in der sogenannten Sekundärperiode in eidechsenartigen Reptilien, und endlich in noch früherer Zeit, in der Primärperiode, in niedrig organisierten Fischen zu suchen. (263,69)

Einzigartigkeit und Gottesebenbildlichkeit des Menschen, Grundpfeiler der christlichen Weltanschauung, wurden mit solchen Folgerungen in den Bereich des Wunschdenkens und des Kinderglaubens verwiesen, Vorstellungen also, welche den göttlich verliehenen freien Willen konstituiert hatten – auch von der Evolutionslehre her fand somit der von anderen Wissenschaftlern konstatierte Determinismus seine biologistische Bestätigung.

Haeckel begnügte sich nicht wie Darwin, neue Erkenntnisse vorzustellen; für ihn war diesen Erkenntnissen gegenüber eine dezidierte Entscheidung von jedem einzelnen abverlangt:

> [...] auf der Fahne der progressiven Darwinisten stehen die Worte: Entwicklung und Fortschritt! Aus dem Lager der konservativen Gegner Darwins tönt der Ruf: Schöpfung und Spezies! [Doch] dieser Fortschritt ist ein Naturgesetz, welches keine menschliche Gewalt, weder Tyrannenwaffen noch Priesterflüche, jemals dauernd zu unterdrücken vermögen. (263,71)

Haeckel, über den der naturalistische Theoretiker Wilhelm Bölsche eine umfangreiche Monographie veröffentlichte, hatte sich mit dieser Rede einem Kampf gestellt, der noch über Jahrzehnte gehen sollte.

Für das wissenschaftliche Deutschland des 19. Jahrhunderts ging breite Publikumswirkung von den 1822 von Lorenz Oken begründeten und ihre Tagungsbeiträge stets rasch publizierenden "Versammlungen deutscher Naturforscher und Ärzte" aus. Diese interdisziplinäre Einrichtung, deren Themenspektrum überaus weitgefächert war,[42] erhielt immer mehr die von der Presse stark beachtete Funktion einer Börse geistiger Entwicklungen: äußerst aktuell und oft programmatisch wurde auf diesen in

---

[42] Ich nenne Vorträge, die sowohl dem genannten Aktualitätsanspruch genügen wie auch Themen behandeln, die im Naturalismus belangvoll wurden: 1830 Gysbert Swartendyk Stierling, Über Freiheit und Zurechnungsfähigkeit in psychisch-juridischer Hinsicht; 1837 Johann Heinrich de Chaufepie, Über den Einfluß des Branntweins auf Gesundheit, Glück und Moralität; 1837 Wilhelm

wechselnden Tagungsorten stattfindenden Kongressen zu Problemen der Zeit Stellung bezogen. (Vgl. 313a)

Zu den hier Vortragenden gehörten, um nur einige Namen zu nennen, Carl Gustav Carus, Carl Vogt, Emil du Bois-Reymond, Rudolf Virchow, Auguste Forel, Werner Siemens und Ernst Mach. 1863 hielt auf dieser in Deutschland und anderswo einmaligen Wissenschaftsbörse Ernst Haeckel in Stettin seinen Vortrag "Über die Entwicklungstheorie Darwin's", der die Deszendenzlehre des Engländers erstmals vor einem kompetenten deutschen Auditorium bekannt machte. Die gleiche Institution wurde dem unermüdlichen und von oft böser Kritik unbeirrbaren Propagator Darwins zur nochmals gesuchten Plattform: Haeckel sprach hier 1882 "Über die Naturanschauung von Darwin, Göthe und Lamarck", also über Gegner des statischen Schöpfungsglaubens, wie ihn noch Linné vertreten hatte – sein Glaubensbekenntnis hatte noch geheißen: "Es gibt so viele Arten, als der göttliche Geist im Anfang lebende Wesen geschaffen hat" (263,69). Darwins Herold bekam bald produktiv-kritische Gefolgschaft: über Darwinsche Erkenntnisse referierten

1863 Georg Heinrich Otto Volger, Über die Darwin'sche Hypothese vom erdwissenschaftlichen Standpunkte aus
1864 Ders., Über die Darwin'sche Hypothese von der Entstehung der Arten
1865 Karl Heinrich Schultz (-Schultzenstein), Über die Stellung Blumenthal's zur Darwin'schen Schöpfungstheorie
1873 Oskar Schmid, Über die Anwendung der Descendenzlehre auf den Menschen
1878 Ders., Über das Verhältnis des Darwinismus zur Socialdemokratie
1879 Felix Victor Birch-Hirschfeld, Über mimische Gesichtsbewegung, mit Berücksichtigung der Darwin'schen Versuche, ihre Entstehung zu erklären
1884 Alfred Kirchhoff, Über den Darwinismus in der Völkerentwicklung
1885 August Wiesmann, Über die Bedeutung der geschlechtlichen Fortpflanzung für die Selektionstheorie.

Daß Darwins Lehren nicht so 'plötzlich' kamen, wie es manchen seiner Gegner scheinen mochte; daß sie vielmehr den – freilich konsequent und radikal durchgeführten – Abschluß einer längst schon angebahnten

---

Ernst August Schlieben, Über die unselige Zunahme des Selbstmordes wie der unehelichen Geburten; 1843 Adam Burg, Über die Veränderungen, welche das Schmiedeeisen durch verschiedene Behandlungsweisen erleidet, mit besonderer Rücksicht auf die daraus entspringenden Nachtheile für Waggon- und Locomotivachsen; 1860 August Hirsch, Über den Zusammenhang der wissenschaftlichen und religiösen Naturanschauung; 1881 Theodor Meynert, Über die Gesetzmäßigkeit des menschlichen Denkens und Handelns; 1886 Werner Siemens, Über das naturwissenschaftliche Zeitalter; 1888 Wilhelm Waldeyer-Hartz, Das Studium der Medicin und die Frauen.

Entwicklung bedeuteten, wird klar, wenn andere Themenstellungen der "Versammlungen" genannt werden: so hielten folgende Forscher Vorträge:

1844 Johann Bernhard Wilbrand, Über die körperliche Bildung der Affen im Vergleich mit der körperlichen Bildung des Menschen, und über die entgegengesetzte Entwicklungsrichtung beider von Seiten des geistigen Lebens
1846 August Zeune, Über die Entstehung des Menschengeschlechts
1851 Hans Peter Detlef Reichenbach, Über die Entstehung des Menschen
1857 Hermann Schaaffhausen, Über die Entwicklung des Menschengeschlechts und die Bildungsfähigkeit seiner Rassen
1858 Christian Josef Fuchs, Über die ursprüngliche Entstehung des Menschengeschlechts
1858 Johann Ignaz Hoppe, Über die Dauer und Forterbung von Krankheiten, und über die etwaige Verschlechterung und Verbesserung des Menschengeschlechts in körperlicher Beziehung.

Das wissenschaftliche Werk, an dem Johannes Vockerat in Hauptmanns "Einsame Menschen" seit Jahren arbeitet – begleitet vom völligen Unverständnis seiner Familie und in trotziger Isolation des kontaktlosen Privatgelehrten – ist nach Auskunft seines Freundes Braun "philosophisch-kritisch-psycho-physiologisch" (194,I,189). Was zunächst wie distanzierte Ironie oder definitorische Hilflosigkeit wirken könnte, ist in Wirklichkeit eine sehr exakte Beschreibung einer um Gesamtschau bemühten Entwicklung interdisziplinärer Forschung, wie sie in dieser Zeit häufig praktiziert wurde. Es genügt, recht wahllos einige Titel der wissenschaftlichen Publikationen der 70er Jahre zu nennen, um die Tatsache zu verdeutlichen, daß im Zeichen des materialistischen Positivismus ein Konvergieren verschiedenster Ansätze festzustellen war:

1871 Paolo M. Mantegazza, Fisiologia dell'amore
1872 Ernst Reinhold Eduard Hoppe, Über das Verhältnis der Naturwissenschaft zur Philosophie (313a,51)
1874 Moritz Benedikt, Über Psychophysik der Moral (313a,22)
1875–78 Albert Eduard Friedrich Schäffle, Encyclopädischer Entwurf einer realen Anatomie, Physiologie und Psychologie der menschlichen Gesellschaft mit besonderer Rücksicht auf die Volkswirtschaft als sozialen Stoffwechsel
1877 Paul von Lilienfeld, Die sociale Psychophysik.

Der Schluß aus alledem: die einzelnen Wissenschaftszweige befruchteten sich nicht nur gegenseitig, sondern suchten sich gezielt zu verschränken, sich zu einem Strang zu verschlingen – und dies bezeichnenderweise schon deshalb, um gemeinsam stark auch wider die Gegner zu sein, deren Front allmählich abbröckeln mußte: zahlreich sind die Zeugnisse großer Siegeszuversicht der 'neuen' Wahrheit in den Schriften progressiver Wissenschaftler; daß sich durchsetzen mußte, was exakt beobachtet und experimentell überprüft und durch den negativen Gegenbeweis erhärtet war – das gab diesen Forschern wider konservative und kirchliche Anfeindungen Mut; und das schaffte unter ihnen ein Solidaritätsgefühl, das in den gemeinsam erlittenen Attacken persönlicher Art war, durch die konvergierende Nähe ihrer verschiedenen Disziplinen zudem sachlicher Art. Wenn man so will: "philosophisch-kritisch-psychophysiologisch" waren all ihre Veröffentlichungen – denn Philosophie war nicht mehr 'apriorisch', deduktiv, transzendental, sondern materialistisch-induktiv-objektivistisch, mithin kritisch; und auf physiologisch nüchterne Herleitung psychischer Vorgänge lief alles hinaus, sobald es um den Menschen ging: Psychophysik als spekulationsfreie Deskription menschlich-situativen Verhaltens, gestützt auf die Lehre der "trois forces primordiales" Rasse, Moment und Milieu, auf die Lehre der Determination, die Verabschiedung also liebgewordener und von den konservativen Kritikern immer noch hochgehaltener Autonomie-Vorstellungen.

> Die Basis unseres gesamten modernen Denkens bilden die Naturwissenschaften (11,128 f.)

konnte Wilhelm Bölsche für die naturalistische Generation feststellen; und:

> Wir haben gebrochen mit der Metaphysik. (11,132)

Induktiv-experimenteller Positivismus, das sollte dieses Kapitel zeigen, wird für die Autoren Jüngstdeutschlands nach der literaturrevolutionären Anfangsphase eines am Sturm und Drang orientierten Individualismus zur verbindlichen Maxime des 'eigentlichen', des immer 'konsequenteren' Naturalismus, einer Art zu schreiben also, die sich in Stoffwahl wie Darbietungsform einfügen will in den Monismus, der die Umwälzung des 19. Jahrhunderts kennzeichnet. Vor diesem Hintergrund entsteht – oftmals in allzu großer Dogmatik und in geradezu 'gläubiger' Übernahme naturwissenschaftlich-positivistischer Ergebnisse als Religionsersatz[43] – eine Literatur des Empirismus und des Szientifizismus, der es ebenso um experimentell-induktiv erreichte Objektivität – um "Wahrheit" – zu tun ist wie den wissenschaftlichen Vorbildern.

Die 'moderne' Literatur – so bezeugen es viele Aussagen naturalistischer Autoren[44] – soll selbst zur Wissenschaft werden. Wie der junge

---

[43] In der Naturalismus-Forschung ist diese naturwissenschaftliche 'Gläubigkeit' immer wieder kritisiert worden; vgl. etwa 15,6 ff.

[44] Vgl. dazu die Äußerung Bölsches: Des "Realismus" "wesentlichste Mission ist, zu zeigen, daß Wissenschaft und Poesie keine prinzipiellen Gegner zu sein brauchen." (zit. in: 11,134); weiter die Äußerung Heinrich Harts: "Auch die Literatur muß sich von der subjektiven Willkür befreien [...] Auch sie muß, bildlich gesprochen, aus wirrer, wurzelloser Spekulation zur Wissenschaft emporwachsen, zu einer Psychologie in Gestalten, zu einer allumfassenden Weltansicht in lebenatmenden Bildern." (zit. in: 11,139 f.)

Spitta in Hauptmanns "Ratten" sich von der Theologie löst, um Schauspieler zu werden; wie Gustav Wendt in Holz/Schlafs "Familie Selicke" als Theologe nicht mehr an Gott glaubt, so trennt sich der "wissenschaftliche" Naturalismus zugunsten von Determinismus und Vererbungslehre von Inspiration und Phantasie. Statt bloßer Beschreibung geht es auch ihm um die erklärende Bestimmung dinglicher und menschlicher Phänomene, um die empirisch verfolgbare Genese von "Einzelerscheinungen" und ihre Einordnung in Gesetze. Karl Bleibtreu etwa betont:

> Für die neue Poesie werden weder Bösewichter noch Heilige, weder Kretins noch Genies *geboren*. Sie *werden* erst zu dem, was sie sind, durch die auf sie wirkenden Verhältnisse. (11,121)

Hans Merian ergänzt diese Feststellungen über eine neue Art der Literatur, in welcher die herkömmliche "Schuld" nicht mehr vorkommen kann – deren Rolle übernehmen Gesetze der Vererbung oder des Milieus:

> Wo immer wir eine Einzelerscheinung unseres Lebens genauer ins Auge fassen, treten sofort die tausend und aber tausend das Individuum mit der Gesellschaft (Milieu) und der Vergangenheit (Abstammung – Darwinismus) verbindenden Fäden und Beziehungen zutage. Unsere Weltanschauung ist also einerseits eine *soziale*, andererseits eine *evolutionistische*. Nach dieser ganzen Auffassungsart muß der moderne Bösewicht als ein *Kranker* erscheinen. Wir haben nicht mehr den dem Himmel trotzenden Verbrecher der Antike, nicht mehr den freiwillig vom Himmel abgefallenen Höllenkandidaten des Mittelalters vor uns, sondern einen Degenerierten, einen *Verkommenen*.[45] (11,183)

II.4.2 Ausländische Vorbilder

> Zola, Ibsen, Leo Tolstoi,
> eine Welt liegt in den Worten,
> eine, die noch nicht verfault,
> eine, die noch kerngesund ist! (206,X,35)

---

[45] Vgl. Max Kretzers 1883 publizierten "Berliner Roman" "Die Verkommenen". – Die für den Naturalismus aufgezeigten theoretischen Grundlagen sind in ihrer Wirkung freilich nicht auf die Epoche beschränkt. Vgl. Bd. 3 der Reihe "Deutsche Literatur im 20. Jahrhundert. Literaturwissenschaftliche Arbeitsbücher": Silvio Vietta/Hans-Georg Kemper, Expressionismus. (= UTB 362) München 1975.

– so schreibt Arno Holz in seinem 1885 hektographiert publizierten "Erbauungsbuch für meine Freunde" "Unterm Heilgenschein", knapp zusammenfassend und als Vorbild anerkennend, was den deutschen Naturalismus mit seinen ausländischen Anregern verknüpft. Die "Welt" jener drei Autoren – deren Namen zumindest um die Strindbergs und Dostojewskijs zu ergänzen wären – bildete den denkbar größten Kontrast zur in Deutschland um 1885 vorherrschenden Literatur, zu jener Literatur jedenfalls, die bekannt war, die gekauft wurde, über die 'man' sprach und die von sich reden machte: zu den Werken des gründerzeitlichen Literaturbetriebs. – "Kerngesund" war die "Welt" der drei von Holz erwähnten Autoren jedoch keineswegs in den Augen bürgerlicher Kritiker und deren nachplappernder Lesergefolgschaft: ihnen bedeuteten diese Namen zuallererst Perversion, Immoralität und Provokation. Denn bekanntermaßen war die deutsche Literaturwirklichkeit vor 1885 auf alles andere bedacht als auf Irritation durch Themen, die sich um Deckungsgleichheit mit der tatsächlichen Zeitproblematik bemühten: hier beherrschten die Professorenromane der Ebers und Dahn, die Gesellschaftskomödien der L'Arronge und Voß, die Lyrik der Heyse und Scheffel den Publikumsgeschmack – eine Literatur, die auf Entspannung abgestimmt war, auf Amüsement und Wohlklang, auf Rekreation und Feierabend, vor allem darauf, alle "Realitätsvokabeln" (Broch) der eigenen Zeit und der eigenen Probleme aus der "schönen Literatur" fernzuhalten. (Vgl. Einleitung in 335)

Die Romane Zolas mußten vor diesem Hintergrund als 'rotes Tuch' wirken, die Dramen Ibsens als unwillkommene Aufklärung, jene Strindbergs als lästige Enthüllungen. Diese Werke, seit ihrem ersten Bekanntwerden eingetaucht in eine Aura von Sozialismus, Pessimismus und Brutalität, erregten auf deutschem Boden Abwehrreaktionen von zwar unterschiedlicher Schattierung, doch insgesamt von solcher Entschiedenheit, daß jeder Nachahmungsversuch jener 'undeutschen' Vorbilder von vornherein als böswillige Entweihung der 'positiven', der 'gesunden' deutschen Literatur erscheinen mußte.

Wenn Ibsen in seinem berühmten Vierzeiler formulierte:

> Leben heißt, dunkler Gewalten
> Spuk bekämpfen in sich,
> Dichten, Gerichtstag halten
> über sein eigenes Ich. (49,60)

– dann war der Abstand zu einer in Deutschland gefeierten Dichtung evident, der es keineswegs um je individuelle Selbstanklage und Gewissenserforschung ging. Wenn sich Strindberg anschickte, die Institution der Ehe analytisch zu sezieren, dann war solche Kritik an einer der 'heiligsten' "Stützen der Gesellschaft" (Dramentitel Ibsens) ein provokanter Einbruch in bislang sorgsam gehütete Tabubereiche, dessen man sich schnell mit medizinischen Etiketten wie "eine psychiatrische Studie, kein Trauerspiel" (49,64) zu erwehren suchte. Wenn schließlich Zola – stofflich und für die Prosa des deutschen Naturalismus der bedeutendste Anreger – in seinem "L'Assomoir" (deutsch: Die Schnapsbude *oder* Der Totschläger *oder* Die Giftschenke), im "Germinal" oder auch in anderen Romanen seiner zwanzigbändigen "Histoire naturelle et sociale d'une famille sous le Second Empire", "Les Rougon-Macquart", das Elend der Proletarier in aller Kraßheit darstellte, um es zu kontrastieren mit der genußsüchtig-skrupellosen Ausbeuterschicht der nur scheinbar honorigen Bourgeoisie; wenn er allen idealistischen Anthropologismen den schroffen Titel "La bête humaine" entgegensetzte – dann konnte all dies auf der deutschen Literaturszene, immer noch geprägt und limitiert durch klassizistische, romantizistische und nachbiedermeierliche Muster, nur als Affront gewertet werden: im Deutschland der achtziger Jahre war die Trennung der Schafe und der Böcke, des 'staatstragenden' Bürgertums und der "vaterlandslosen Gesellen" amtlich abgesegnet. – Nicht nur sein 1880 formulierter Satz, die naturalistischen Romanciers seien "les juges d'instruction des hommes et de leurs passions" (318,115), erwies die Verwandtschaft Zolas zu Ibsen und seinem "Gerichtstag"; auch deterministische und Vererbungspostulate zeigten ihn wie den skandinavischen Dramatiker als gelehrige Schüler des wissenschaftlichen Positivismus und Materialismus des 19. Jahrhunderts.

Die Werke Zolas, Ibsens und Strindbergs wirkten neben russischen Autoren wie Tolstoi und Dostojewskij vorbildlich für jene jungen Schriftsteller, die sich mit der manieristischen Erstarrung des gründerzeitlichen deutschen Literaturbetriebs nicht länger zufriedengeben wollten. Den drei erstgenannten Autoren vor allem nachzueifern, bedeutete ihnen die Chance, den Anschluß an die sehr viel weiter entwickelte europäische Literaturszene zu gewinnen. (Vgl. 339)

Mir scheint es im Rahmen dieser Naturalismus-Darstellung sinnvoll, nicht noch einmal durch verschiedene Werk-Werk-Vergleiche (etwa: Hauptmanns "Vor Sonnenaufgang" und Tolstois "Macht der Finsternis", Schlafs "Meister Oelze" und Ibsens "Gespenster", Conrads "Was die Isar rauscht" und Zolas "La ventre de Paris" usw.) deutliche Einzelabhängigkeiten des deutschen vom ausländischen Naturalismus nachzuweisen, sondern die bisher meist beiläufig behandelte Vorläuferrolle von Zola, Ibsen und Strindberg im Bereich theoretischer Reflexion zu zeigen.

Dadurch wird nicht nur eine rückbindende Kontinuität zum Kapitel "Theorie" (vgl. Kap. II.4.1) ermöglicht, sondern auch erkennbar, wieviel an theoretisch-ästhetischen Überlegungen schon bereitstand, als die deutschen 'Literaturrevolutionäre' an die Entwicklung eigener Konzepte gingen: was Bleibtreu, Bölsche oder andere Manifest-Schreiber nach 1885 proklamierten, war sowohl Reflex auf die Werkpraxis der ausländischen Anreger wie auch Entfaltung jener Positionen, die deren Produktionen als theoretische Bestimmungen 'moderner' Literatur vorausgegangen waren: auch im Bereich der ästhetischen Reflexion schuldet der deutsche Naturalismus den außerdeutschen Vorbildern Dank.

Daß die bedeutendsten Anreger des deutschen Naturalismus aus dem Ausland kamen, war schlimm genug – die Skandinavier als 'Artverwandte' mochten da eben noch passieren...; daß aber der wichtigste Anreger, Emile Zola, sogar aus Frankreich kam, aus dem Land, das man zwar besiegt hatte, dessen – wirkliche oder angebliche – Rachegelüste aber eine ständige Propaganda bewußt zu halten verstand: dies war für weite Kreise eines bald imperialismussüchtigen Deutschland schon Grund genug, der von ihm beeinflußten Generation der Naturalisten voller Mißtrauen gegenüberzustehen, sie zu diskreditieren und zu bekämpfen.

Auf das 'Wirtschaftswunder' gründerzeitlicher Industrie-Expansion hielt man sich zwar sehr viel zugute: man scheute sich nicht, den – französischen Reparationszahlungen als mächtiger Finanzspritze verdankten – neuen Wohlstand protzig zur Schau zu stellen, vor allem in der pompösen Staatsarchitektur der Denkmäler, Bahnhöfe und Opernhäuser – in der Tat, mit Broch zu reden, die Begründung des "Stils der Stillosigkeit"; doch existierten in Deutschland zählebig wie eh und je antizivilisatorische Affekte, die den industriellen Progreß der westlichen Nachbarn in das bekannte Schlagwort von der 'seelenlosen' Zivilisation und ähnliche verräterische Wortbildungen zu bannen suchten. Bei Frankreich kam noch die besonders pikante Variante hinzu, Paris als 'Sündenbabel', als neues Sodom und Gomorrha darzustellen; sybaritische und apokalyptische Bilder hielten dazu her, die Hauptstadt des transrhenischen Erz- und Erbfeinds als riesige Kloake und als großes Bordell mit der Note *öffentlichen* Abscheus abzuqualifizieren.

Bei Tisch las man's anders; und die ehemals obligaten Arkadien-Exkursionen waren längst abgelöst von den "geschäftlich" als notwendig erklärten Paris-Reisen honoriger Bürger. – Offiziell jedoch regierte die Version vom 'Sumpf Paris': eine Version, welche Zolas Romane nur noch bestätigen konnten. So schloß sich der Kreis; und nach dem *punctum* mußte das Ergebnis für die mächtig einsetzende Deutschtümelei zweifelsfrei lauten, daß eine von 'dort' übernommene Literatur undeutsch, schmutzig-ekelhaft, des Teufels sei.[46]

---

[46] Einer der Zeitgenossen, der Dramatiker und Epiker Julius Hillebrand, hatte den sonst unbemerkten Zusammenhang zwischen der Verketzerung des deutschen Naturalismus und seiner Begründung durch französische Anreger bereits erkannt: "Diese antizolaistischen Kritiker sind von so enormer Geistesimpotenz, daß ihre einzige Ausflucht darin besteht, die Weisheit der von Heine gegeißelten Krähwinkler auch auf das literarische Gebiet zu übertragen:

'Ausländer, Fremde sind es meist,
Die unter uns gesät den Geist
Der Rebellion. Dergleichen Sünder
Gottlob! sind selten Landeskinder.'" (18,66)

Michael Georg Conrad, 1846 geboren und somit anderthalb Jahrzehnte älter als die meisten jüngstdeutschen Generationsgenossen, brachte bereits 1880 in seinen "Parisiana. Plaudereien über die neueste Literatur und Kunst der Franzosen" den Namen von jenseits des Rheins mit, welchen er den Literaturrevolutionären ins Stammbuch schrieb, einen Namen, der ein Programm darstellte und der den deutschen Autoren, die um Anschluß ans außerdeutsche literarische Niveau bemüht waren, zum Programm dienen sollte: *Emile Zola.* In Frankreich war Zola um 1880 bereits ein fester Begriff, sowohl mit seinen Erzählungen und Romanen wie auch mit seinen theoretischen Überlegungen – allen voran sein 1879/80 zuerst in St. Petersburg und dann in Paris publizierter "Le roman expérimental". In Theorie wie Praxis – hier beeinflußt von Gustave Flaubert und den Brüdern Goncourt, auch von der 74bändigen "comédie humaine" Honoré Balzacs (vgl. 295;296) – ging es Zola um eine Art, Literatur zu betreiben, die ihren Impetus nicht mehr in innerliterarischen Maximen und Konventionen hatte, sondern die ihre Stoßrichtung bezog von den Naturwissenschaften im allgemeinen und von der "Introduction à l'étude de la médecine expérimentale" von Claude Bernard im besonderen.

Daß Zola seinen 1880 erschienenen "roman expérimental" mit immer wieder erklärter Absicht auf die berühmte "Introduction" von Claude Bernard stützte – sie war erstmals 1865 veröffentlicht worden; ihr Autor starb 1878 und bekam als zweiter Wissenschaftler nach Alexander von Humboldt die Ehren eines Staatsbegräbnisses –, daß er also das bislang von weihevoll-hochgemuter Terminologie abgeschirmte Gebiet der musen-inspirierten Literatur 'erniedrigte' zu einer Disziplin, die wie die anderen Wissenschaften des 19. Jahrhunderts mit induktiv-experimenteller Methode zu arbeiten habe, mußte Anstoß erregen. Mit einiger Bitterkeit stellte Zola in seinem Vorwort fest, in Paris hätte er für diesen als Sakrileg empfundenen Akt kein Verständnis gefunden; er sei der großen Nation der Russen zu immerwährendem Dank verpflichtet, daß fünf der sieben im "roman expérimental" zusammengefaßten Beiträge zunächst in St. Petersburg hätten erscheinen können. – Es läßt sich leicht denken, daß ein derartiger 'Frevel' um 1880 in Deutschland genausowenig einen Verleger gefunden hätte, um 1880, als sich der Münchner Dichterkreis eben rüstete, sein zweites "Dichterbuch" von Heyse herausgeben zu lassen. – Daß es sogar im sehr viel mehr laizistischen Frankreich auf Schwierigkeiten stieß, den Experimentalroman als moderne Form zu propagieren, als einzige Form, die der neuen Zeit angemessen sei, zeigt mit einiger Drastik, wie sehr die "schöne Literatur" auch in jenem Land als ausgespartes arcanum betrachtet wurde; zeigt, daß auch in Frankreich, wo der Übergang vom Realismus zum Naturalismus sehr viel fließender war als in Deutschland und keineswegs einen abrupten Bruch markierte, Dichtung immer noch streng konventionell als Kunst sui generis galt, als etwas ganz Besonderes, vom übrigen Leben Abgesondertes. Und das in einem Land, das seit Lamarck, Comte, Taine und Bernard sich zur Avantgarde des natur-wissenschaftlichen Zeitalters zählen durfte! In einem Land, in dem das siècle de la lumière wesentlich stringenter nachwirkte und lebendig blieb als in Deutschland die Aufklärung – die zu ihrer Zeit bereits hatte mit Strömungen des Pietismus und der Empfindsamkeit konkurrieren müssen und die von der "Genieperiode" als nüchterne Verkümmerung schöpferischen Dichtens in Acht getan worden war.[47] – Hatte Zola in Frankreich aber auch mit vorurteilsschweren Widerständen zu kämpfen, so setzte er sich schließlich doch durch. Es muß in diesem Zusammenhang – auch auf die Gefahr der Wiederholung hin – darauf verwiesen werden, daß die konsequente Trennung von Staat und Kirche, die nationale Tradition der clarté (auf die sich Zola beruft) und die viel weniger verkrampfte Stellung dem Sozialismus gegenüber weit günstigere Voraussetzungen für den Durchbruch der Moderne bot, als dies in Deutschland – selbst nach dem Nachlassen des unsinnigen und letztlich völlig uneffektiven Kulturkampfs – der Fall war: hier hatte man 1878 mit dem Sozialistengesetz einen neuen Sündenbock im "vierten Stand" gefunden und mit leicht zitablen Formulierungen wie der von den "vaterlandslosen Gesellen" an den Pranger gestellt.

Claude Bernard war es gewesen, der in die 'anthropologischste' aller außerkünstlerischen Disziplinen Methoden eingeführt und sie für allein zulässig erklärt hatte, wie sie im 19. Jahrhundert nach und nach die Einzelwissenschaften bis hin zur Psychologie und zur Soziologie übernommen hatten: das empirisch-induktive Vorgehen, das genaue Beobachten, das experimentierende Verifizieren von Hypothesen – eine Wahrheitsfindung demnach, die sich ausschließlich an beobachtbaren und belegbaren Fakten orientierte und nicht länger von Setzungen, Entitäten oder apriorischen Annahmen ausging; ein Vorgehen, das die bisher "Kunst" gewesene Medizin erst zu einer Wissenschaft zu machen unternahm. Von der in den anderen Nachbardisziplinen gebräuchlichen Methode der Überprüfung der Fakten und deren vernünftiger Auswertung dürfe, so postulierte Bernard, auch der Bereich des Humansten nicht ausgeschlossen bleiben. Statt dekretorischer Systeme sollte die Analyse experimentalwissenschaftlicher Art "die unmittelbare, strenge Anwendung der Logik auf Tatsachen" bringen, "die uns Beobachtung und Experiment liefern". (233,16)

die Beobachtung zeigt, der Versuch belehrt (233,20)

– so machte Bernard den Unterschied zur bisherigen Forschung rein statistisch-empirischer Art deutlich:

---

[47] Diskussionsbedürftig erscheinen mir die Bemerkungen über das Verhältnis Aufklärung – Naturalismus bei 49,33 ff.

Erfahrung sammeln und sich auf Beobachtung stützen ist etwas anderes als Versuche machen und Beobachtungen machen. (233,26, gesperrt)
In jeder experimentellen Erkenntnis gibt es drei Phasen: die Beobachtung, den Vergleich, das begründete Urteil. (233,29)

Nach solchen einleitenden Vorklärungen des Unterschieds zwischen alter und neuer Methode konnte Claude Bernard Leitsätze des künftig verbindlichen Verfahrens formulieren:

Die *Beobachtung* ist also die Erforschung eines natürlichen Vorgangs, das *Experiment* die Erforschung eines durch den Untersucher abgeänderten Vorgangs. (233,33)
Eine *experimentelle Wissenschaft* ist eine aus Experimenten hervorgegangene, d. h. eine, in der man über die Ergebnisse von Experimenten nachdenkt, die unter Bedingungen erhalten wurden, die der Experimentator selbst geschaffen und festgelegt hat. (233,34)
Mit Hilfe dieser *aktiven Experimentalwissenschaften* wird der Mensch zum Erzeuger von Vorgängen, zu einem wahren Gegen-Machthaber der Schöpfung. (233,37)
Das Experiment ist im Grunde genommen nur eine provozierte Beobachtung. (233,38, gesperrt)
Man kann also sagen, das Experiment ist eine *Beobachtung, provoziert* in der Absicht, einen Gedanken entstehen zu lassen. (233,40)
Die experimentelle Methode hat die Aufgabe, eine Konzeption *a priori,* die sich auf Intuition oder ein unbestimmbares Gefühl der Dinge gründet, in eine auf die experimentelle Untersuchung aufgebaute Deutung *a posteriori* umzuwandeln. (233,48)

"Der Mensch ist von Natur aus Metaphysiker" (ebd.), so betont Bernard, um dann im Anschluß an Auguste Comtes Dreistadiengesetz festzustellen, daß der Mensch "zuerst lange in theologischen und scholastischen Diskussionen herumirren" mußte, "bevor er die Fruchtlosigkeit seiner Bemühungen auf diesem Wege einsah." (ebd.)

Der Metaphysiker, der Scholastiker und der Experimentator, sie alle gehen von einer Idee *a priori* aus. [Doch der] Experimentator [. . .] stellt seine Idee als eine Frage hin, als eine vorweggenommene, mehr oder weniger wahrscheinliche Deutung der Natur, von der er logische Folgerungen ableitet, die er mittels des Experiments dauernd der Wirklichkeit gegenüberstellt.
So geht er von Teilwahrheiten zu allgemeineren Wahrheiten fort, aber ohne daß er je zu behaupten wagt, er halte die volle Wahrheit in Händen. (233,48 f.)

Wiederum im Anschluß an Comte betont Bernard das Fortschreiten des menschlichen Verstandes in drei Stufen: dem Gefühl entspreche die

Theologie, der Vernunft die Scholastik, der Erfahrung schließlich die objektive Wirklichkeit.

Zolas "Le roman expérimental" liest sich über weite Strecken hin wie ein studentisches Exzerpt aus Bernards Schrift: Bernard ist sein absoluter Lehrmeister. Ihm bleibt im Grunde nur die Aufgabe, "médecin" durch "romancier" zu ersetzen. Eine Prämisse ist freilich nötig: die Experimentalmethode – so Zola – könne sich nicht allein auf "la connaissance de la vie physique" beziehen, sondern mit ebensolchem Anspruch auch auf "la connaissance de la vie passionnelle et intellectuelle". (318,111) Ob auch in diesem Bereich experimentiert werden könne, ist für Zola nach dieser Prämisse eine nur rhetorische Frage. Wie der Wissenschaftler der Experimentalmethode nach einer Wahrheit sucht, so auch der Romanautor:

> Le romancier part à la recherche d'une vérité.
> En somme, toute l'opération consiste à prendre les faits dans la nature, puis à étudier le mécanisme des faits, en agissant sur eux par les modifications des circonstances et des milieux, sans jamais s'écarter des lois de la nature. Au bout, il y a la connaissance de l'homme, la connaissance scientifique, dans son action individuelle et sociale. (318,115)

Nun kann formuliert werden, was der naturalistisch-experimentalwissenschaftliche Roman bedeutet:

> le roman naturaliste [...] est une expérience véritable que le romancier fait sur l'homme, en s'aidant de l'observation. (318,115)

Hatte Bernard grundsätzlich festgestellt

> L'expérimentateur est le juge d'instruction de la nature,

so spezifizierte Zola diesen Satz vom experimentellen Gerichtsverfahren auf sein eigenes Metier:

> Nous autres romanciers, nous sommes les juges d'instruction des hommes et de leurs passions.

Ebenso wie Bernard – doch bereits gegen den zeitgenössischen Vorwurf des bloßen Photographierens der Realität gerichtet – betonte Zola "l'impossibilité d'être strictement vrai". Und wiederum analog zu Bernard hob er ab auf die vom Experimentator erst hergestellten Versuchsbedingungen:

> il faut que nous produisions et que nous dirigions les phénomènes; c'est là notre part d'invention, de génie dans l'oeuvre. (318,115)

Erfindung, Genie, Temperament – an dieser Stelle wird deutlich, worin die späteren Mißverständnisse bei Arno Holz in seiner wiederholten Polemik wider Zola lagen: denn Temperament oder Genie waren im

Verständnis Zolas keineswegs spekulative oder phantastische Zurücknahmen experimentalwissenschaftlichen Vorgehens, sondern lediglich das Zugeständnis dessen, daß sich bei noch so großer Autorenabwesenheit und noch so deutlichem Für-sich-Sprechen der zu beobachtenden Dinge der Autor eben doch nicht ganz verbergen lasse, daß er zumindest in der Auswahl des dann Dargebotenen vorhanden sei.

Doch zurück zu Zola, der in seiner Schrift nicht müde wird, alle Erkenntnisleistung Bernard zuzubilligen und sich lediglich als Umsetzer des auf die Physiologie Gemünzten zu betrachten. Analog zu Bernard fordert er anstelle der "romans de pure imagination" nunmehr "romans d'observation et d'expérimentation". Obgleich er sich klar darüber ist, daß gegenüber den Bereichen 'toter' Natur die menschlichen Bereiche ungleich komplexer, diffiziler, komplizierter und prekärer sind, hält er an der generellen Übertragbarkeit von Bernards Einsichten auf das Gebiet des Romans fest; wobei neben Bernard als weiterer Gewährsmann Darwin auf den Plan tritt:

> Sans me risquer à formuler des lois, j'estime que la question d'hérédité a une grande influence dans les manifestations intellectuelles et passionnelles de l'homme.

Und auch sein Landsmann Hippolyte Taine wird zum Zeugen aufgerufen:

> je crois que le milieu social a également une importance capitale.

Die ganze Wissenschaftsgläubigkeit des 19. Jahrhunderts spricht schließlich aus dem Satz, daß eines Tages

> nous saurons comment fonctionne la machine individuelle de l'homme. (318,117)

Nach derlei Rückversicherungen und Zielprojektionen kann Zola formulieren, was der neue, von ihm bereits in Praxis vorgeführte Roman im Gefüge der Wissenschaftsdisziplinen seines Jahrhunderts bedeutet und leistet:

> le roman expérimental est une conséquence de l'évolution scientifique du siècle; il continue et complète la physiologie, qui elle-même s'appuie sur la chimie et la physique; il substitue à l'étude de l'homme abstrait, de l'homme métaphysique, l'étude de l'homme naturel, soumis aux lois physico-chimiques et déterminé par les influences du milieu; il est en un mot la littérature de notre âge scientifique, comme la littérature classique et romantique a correspondu à un âge de scholastique et de théologie. (318,118)

Eine zeitaltergemäße Literatur also wird propagiert, eine Literatur auf dem – wissenschaftlichen – Stand der Zeit; die Folge solcher grundsätzlicher Überlegungen liegt auf der Hand: es kann sich nicht mehr um eine Literatur handeln, die irgendwann und irgendwo angesiedelt ist, in fernen Zeiten und Zonen, vielmehr um eine Literatur, von hier und heute handelnd und für hier und heute von verbindlichem Erkenntniswert – mehr noch, von moralischer Funktion:

> Nous sommes, en un mot, des moralistes expérimentateurs.

Gerade diesen Anspruch – den auch die deutschen Naturalisten ganz entschieden erheben sollten – hat sowohl die zeitgenössische Diskussion des Naturalismus wie auch seine spätere literaturhistorische Würdigung sehr schnell aus den Augen verloren. Über den vorläufigen Befund nämlich der Oberflächenbeschreibung kam die Kritik selten hinaus; über die exakt dargestellten Phänomene hinaus glaubte man 'nichts dahinter', verkannte also die Tiefenstruktur des angeblich nur Photographischen, verkannte vor allem den Anspruch, als Moralist vorzuführen, was ist, um deutlich zu machen, was falsch und veränderungsbedürftig ist (vgl. Kap. II.12). – Zola wurde nicht müde, ebendiesen Anspruch zu betonen und der allgemeinen Hochschätzung zu empfehlen:

> la haute morale de nos oeuvres naturalistes, qui expérimentent sur l'homme, qui démontent et remontent pièce à pièce la machine humaine, pour la faire fonctionner sous l'influence des milieux. (318,119)

Die bisherigen Romanautoren, so fährt Zola fort, hätten neben guten Einzelbeobachtungen dem Übernatürlichen und Irrationalen, geheimnisvollen Kräften und Mächten Raum gegeben – die künftige Literatur jedoch hat den Mächten und Kräften dieser Welt nachzugehen, den wissenschaftlich abgesicherten Gesetzmäßigkeiten wie der Milieupräformierung, der Vererbung und dem Determinismus:

> il faut préciser: nous ne sommes pas fatalistes, nous sommes déterministes, ce qui n'est point la même chose. (318,120)

Am Ziel all dieser Überlegungen stehen

> des documents humains qui pourront devenir très utiles.
> L'homme métaphysique est mort, tout notre terrain se transforme avec l'homme physiologique. (318,126)[48]

---

[48] Die Zeugnisse der naturalistischen Zola-Rezeption sind überaus zahlreich, seit die Brüder Hart 1882 "Für und gegen Zola" eintreten; vgl. auch Kap. II.15. Ich gebe nur einige Hinweise: 319; 320; 321; 322. Vgl. auch 49,50 ff.

Die initiatorische Leistung von *Henrik Ibsens* Dramen für den deutschen Naturalismus ist schon wiederholt beschrieben worden; Bekanntheit hat vor allem die Tatsache erlangt, daß die Berliner "Freie Bühne" ihre erste Aufführung am 29. September 1889 mit Ibsens "Gespenstern" bestritt.

Sehr viel weniger bekannt ist die neuerdings leicht überprüfbare Tatsache, daß Henrik Ibsen neben seiner gefeierten und vieldiskutierten Bühnenpraxis auch ein Theoretiker des modernen Dramas von hohem Reflexionsgrad war, ein Autor, der nicht nur Stücke lieferte, sondern sehr genau darüber nachdachte, wie diese Stücke am ehesten und durchdringendsten zu realisieren seien; auch darüber, daß für seine Stücke erst Publikum, Schauspieler und Kritiker erzogen werden müßten.

Weil er Stücke aus dem "Gegenwartsleben" (267,17) schrieb, weil er mit seinen Stücken ganz dezidiert "Verhältnisse unseres modernen Lebens behandelt" sehen wollte, war er gewiß, dem konventionellen Theaterkonsumenten zunächst fremd erscheinen zu müssen: "Ich sehe voraus, daß diese Arbeit einiges Aufsehen erregen wird" (267,21) – so oder ähnlich kalkulierte er mit ein, was sich in der Tat dann an teilweise massiven Widerständen seinen Stücken entgegenstellen sollte. Auch darüber ist er sich stets klar, daß seine Stücke "Verhältnisse und Zustände" berühren, "die durch eine Dichtung zwar nicht verbessert, wohl aber ins richtige und wahre Licht gerückt werden können," (267,23) – Ähnlich wie bei Zola wird also auch von Ibsen der Anspruch erhoben, jenseits aller Oberflächenbeschreibung mit der exakten Analyse penibler Beobachtung Wirklichkeit so deutlich zu machen, daß beim Zuschauer oder Leser Aufklärung im weitesten Verstand ermöglicht und Einsicht in bisher nur unscharf Geahntes erreicht wird.

Auf die Aufführungspraxis bezogen, schreibt Ibsen 1878, längst also vor der Zeit des eigentlichen Naturalismus mit seinen dirigistischen Bühnenanweisungen:

> Jeglicher Aufmarsch der handelnden Personen im Vordergrund muß vermieden werden, die gegenseitigen Stellungen wechseln, sobald sie sich als natürlich ergeben. Überhaupt soll jede Szene und jedes Bild soweit wie möglich einen Spiegel der Wirklichkeit darstellen.

Wahrheit, Natürlichkeit, Wirklichkeit – darum geht es Ibsen zuallererst, sowohl beim Zeitbezug und beim Inhalt seiner Dramen wie auch bei deren Umsetzung auf dem Theater: alles Kothurnhafte, 'Gespielte', 'Schauspielerische', alles Deklamatorische also und Mimenhafte muß ausgeschaltet werden, damit das auf der Bühne Vorgestellte wie aus dem 'normalen' Leben herausgeschnitten wirkt:

> Einfache, echte Natur möchte ich am liebsten sehen. (267,36)

Neben dem Inszenatorischen kommt es Ibsen auch darauf an, die allgemeinen Probleme seiner Zeit – Probleme, wie sie den deutschen Naturalismus nachhaltig prägen werden – zu durchdenken. Anläßlich seines in Deutschland als "Nora" berühmt gewordenen Dramas "Ein Puppenheim" notiert er:

> die Frau wird im praktischen Leben nach dem Gesetz des Mannes beurteilt, als wäre sie kein Weib [...] In der heutigen Gesellschaft kann eine Frau sich nicht als Frau, und nur als Frau, behaupten. (267,42)

Als eine Menge bösartiger und Unverständnis zeigender Kritiken eintrifft, zeigt er sich keineswegs überrascht und erweist sich als ruhiger und zukunftsgewisser Vorkämpfer für Ideen, die Zeit brauchen, um sich durchsetzen zu können – zumal auf einer Bühne, die zum kulinarischen Amüsierbetrieb herabgekommen ist.

> Vieles ist voller Mißverständnis und Unverstand, aber darauf war ich vorbereitet, und es schadet durchaus nicht. Allmählich wird man es schon richtig verstehen. (267,54)

Solche Zeugnisse abwartender Geduld sind häufig bei Ibsen zu finden – daß sich die Jüngstdeutschen ein Jahrzehnt später immer noch und stärker denn je mit breit anzutreffenden Vorurteilen auseinanderzusetzen hatten, erklärt die Heftigkeit, mit welcher sie ihre Kontroverse führten wider Positionen, die ganz bewußt die Positionen von gestern und vorgestern sein wollten.

Als der Direktor des Wiener Stadttheaters, Heinrich Laube, am "Nora"-Schluß bemängelt, er würde nicht mehr unter die Kategorie "Schauspiel" fallen, hält ihm Ibsen ironisch-belehrend entgegen:

> Aber, verehrter Herr Direktor, legen Sie wirklich so großen Wert auf die sogenannten Kategorien? Ich für meinen Teil halte die dramatischen Kategorien für dehnbar und meine, sie müssen sich nach den gegebenen Tatsachen in der Literatur richten – nicht umgekehrt. (267,57)

Auch hier wird sich die Situation im Deutschland um 1890 wiederholen: die Kritiker wettern gegen die im Dialekt und Soziolekt gehaltenen "Tierlautkomödien", gegen die Dramen, die nur letzte Akte darstellen würden – Freytagsches Aufbauschema und konventionelle Jambensprache gelten als allgemeinverbindlich und immergültig.

Aus den Notaten zu den "Gespenstern" gebe ich eine Zitatenfolge, die zunächst weitgehend für sich allein sprechen kann, auch einiges vom bereits Zitierten wiederholt und unter neuem Aspekt begründet:

> Das Stück soll ein Bild aus dem Leben werden.
> Es rächt sich an den Nachkommen, aus ungerechtfertigten Gründen zu heiraten, auch aus religiösen und moralischen.
> Die heutigen Frauen – mißhandelt als Töchter, als Schwestern, als

Ehefrauen, nicht erzogen im Sinne ihrer Begabung, zurückgehalten von ihrer Berufung, ihres Erbes beraubt, verbittert im Gemüt – sie allein sind die Mütter der kommenden Generation. (267,67)

Die *Gespenster* werden wahrscheinlich in einigen Kreisen Alarm schlagen, aber das mag geschehen. Würden sie es nicht tun, dann wäre es unnötig gewesen, das Stück zu schreiben.
Ich halte es z. Zt. für völlig unmöglich, daß dieses Stück von einer deutschen Bühne aufgeführt wird. (267,71 – niedergeschrieben 1881)

Auf den Sturm, der sich gegen *Gespenster* erhoben hat, war ich vorbereitet. Aber darauf konnte ich keine Rücksicht nehmen, das wäre feige gewesen. (267,73)

Die Methode, die Art der Technik, die der Form des Buches zugrunde liegt, verbot ganz von selbst, daß der Verfasser in den Repliken hörbar wird. Meine Absicht war, im Leser den Eindruck zu erwecken, als erlebe er bei der Lektüre ein Stück Wirklichkeit [...] In keinem meiner Schauspiele steht der Autor so außerhalb da, ist er so absolut abwesend wie in diesem jüngsten.

Weiter hat man gesagt, das Stück verkünde Nihilismus. Keineswegs! Es verkündet überhaupt nichts. Es weist nur darauf hin, daß Nihilismus unter der Oberfläche gärt, zu Hause und anderswo. (267,74)

Ich will gleich einem vereinzelten Franktireur auf Vorposten stehen und auf eigene Faust operieren.
Es ist durchaus möglich, daß dieses Schauspiel in mehrfacher Beziehung etwas gewagt ist, aber ich fand die Zeit gekommen, daß einige Grenzpfähle versetzt werden müssen. (267,75)

Meinem Buch gehört die Zukunft. Diese Kerle, die darüber gebrüllt haben, haben nicht einmal ein Verhältnis zu ihrer eigenen, wirklich lebendigen Gegenwart. (267,76)

Forderung unbedingter Naturwahrheit [...] Die Sprache muß natürlich klingen und für alle Personen im Stück charakteristisch sein. [...] Die Wirkung des Stückes hängt zum großen Teil davon ab, daß der Zuschauer etwas zu sehen und zu hören meint, was sich im wirklichen Leben abspielt. (267,79)

Ich glaubte, die *Wahrheit* sei schon *Schönheit an sich*. (267,88)

Liest man das hier meist in Briefen beiläufig Gesagte aufmerksam und im Vergleich mit Postulaten, wie sie im deutschen Naturalismus erhoben werden sollten, so wird Ibsens "Franktireur"-Leistung deutlich: zur selben Zeit wie Zola für den naturalistisch-experimentalwissenschaftlichen

Roman bricht er für das Drama mit eingefahrenen Konventionen, fordert er den Bezug zur eigenen Zeit, betont er den Diskussionscharakter dieser neuen Art von Literatur. – Vor allem betont er die für seine Stücke noch nicht reife Rezeptions-Situation, besonders in Deutschland: was die jungen Autoren des deutschen Naturalismus oft verbittert erzwingen wollten, den sofortigen Anschluß an den außerdeutschen Standard zeitbezogen-realistischer Literatur, das sah Ibsen mit vollem Recht als langwierigen und nur mit Geduld zu ertragenden Prozeß. Seine Stücke waren einzelkämpferische Aktionen, die diesen Prozeß vorantreiben sollten, mutige Aktionen, die nicht zurückschrecken durften vor dem festgefügten "Lager der Stagnationsmänner" (267,74). Es waren Stücke, die Realität für sich selbst sprechen lassen wollten – schon deshalb verbot sich das Hervortreten des Autors; Stücke, die keineswegs Tendenz auftragen mußten, weil bei genauem Hinsehen auf die defiziente Realität von Ehe, Familie oder Gesellschaft der "Nihilismus unter der Oberfläche" von jedermann erkannt werden konnte. Und dieses genaue Hinsehenkönnen verlangte vom Autor das penible Abzeichnen von Bekanntem, das aber erst bewußt gemacht werden mußte – dazu diente die Forderung vollkommener Naturwahrheit in Sprachgebung (die nicht mehr metrisch harmonisiert, sondern individuell auf die einzelnen Spielpersonen abgestimmt war), in Spielerführung (die nicht mehr zentrale Lichtgestalten und eine Komparserie im Dunklen kannte, sondern gleichberechtigt und wie "im wirklichen Leben" sich bewegende und sich gebende Figuren) und inhaltlicher Ausführung (also im Aufweis von Problemen der Jetztzeit, mit Menschen und Nöten von heute – wie sie etwa bei Ibsens Lieblingsthemen der Ehe- und Frauenproblematik auftraten). Der Zuschauer dieser Stücke sollte sich nicht mit Theater, sondern mit seinem eigenen Leben konfrontiert sehen; er konnte nicht mehr ins Zweistunden-Amüsement wohlformulierter Harmlosigkeiten ausweichen, sondern war gezwungen, seine Nachbarn und sich auf der Bühne wiederzuerkennen, über sich und die Seinen "Gerichtstag" abgehalten zu sehen.

Wie viel an den gegebenen Zitaten bereits zukunftsweisend war (auch über die Epoche des Naturalismus hinaus), muß nicht weiter hervorgehoben werden; ein Gesprächsausschnitt aber verdient noch zitiert zu werden, der sich ebenfalls auf die "Gespenster" bezieht. William Archer fragte Ibsen:

> 'Was geschieht, wenn der Vorhang gefallen ist? Gibt sie ihrem Sohn das Gift oder nicht?'
> Er lächelte und sagte in seiner nachdenklichen Art gedehnt: 'Das weiß ich nicht. Das muß jeder selbst herausfinden.' (267,72)

"Der Vorhang zu und alle Fragen offen" – so wird es später Bertolt Brecht am Schluß seines "Der gute Mensch von Sezuan" formulieren: hier, bei Ibsen, wird dem Zuschauer dieselbe Leistung des Entscheidens abverlangt, genauer: des Sich-Entscheidens in einer vom Autor des Stücks nur aufgewiesenen, aber nicht gelösten oder gar am Schluß versöhnlich harmonisierten Problematik. Auch das Ergebnis von Dichten, auch das Rezipieren von Literatur bedeutet "Gerichtstag"; und die hier Angeklagten wie die herbeigerufenen Zeugen sind nicht allein auf der Bühne zu finden, sondern ebenso im Zuschauerraum. Der Anteil des Autors erweist sich so als jener eines idealen Berichterstatters, der sich aber auf diese exakte Berichterstattung beschränkt; Kommentare zu geben oder Entscheidungshilfen zu leisten, ist nicht sein Geschäft; er läßt den Leser oder Zuschauer selbst den Schiedsspruch fällen. Theater in diesem Verstand kann nicht Belehrung oder Unterhaltung bedeuten, sondern Beunruhigung und Irritation – die sich natürlich um so mehr steigern müssen, als nicht exotische oder historische Themen angeboten werden, sondern 'hautnah' bekannte Problemkreise: das 'tua res agitur' wird zum Prinzip; Literatur ist nicht länger mehr etwas Realitätstranszendentes und Feierabendadäquates, sondern sie ist noch einmal die Wirklichkeit des Alltags, ein Spiegel des gern Verdrängten, ein Forum des meist Unausgesprochenen.

Wenn mit Ibsens offenen Schlüssen – sie werden zum Vorbild für die deutschen naturalistischen Dramatiker – auf Brechts episches Theater vorausgewiesen wird, so knüpfen Bemerkungen Ibsens zu seinem Stück "Ein Volksfeind" an Erkenntnisse an, wie sie seit Hippolyte Taine ins Bewußtsein gerückt wurden:

> Hovstad stammt von armen Kätnern ab, er ist in einem ungesunden Heim bei einfacher und unzureichender Kost aufgewachsen, hat gefroren und geschuftet während seiner ganzen Kindheit und später als armer junger Mensch unter vielen Mängeln gelitten. Derartige Lebensbedingungen hinterlassen ihre Spuren nicht bloß in der inneren, sondern auch an der äußeren Persönlichkeit. (267,101)

Taines "milieu" und "moment" – sie werden hier in Theaterpraxis umgesetzt; in eine Theaterpraxis, die sich nicht mit den Kompromissen einer Branche wie der Operette zufrieden geben kann:

> Knaben von Damen spielen zu lassen, kann notfalls in der Operette angehen, im Vaudeville oder in sogenannten romantischen Schauspielen. Denn dort verlangt man nicht zu allererst unbedingte Illusion; jeder Zuschauer ist sich voll bewußt, nur im Theater zu sitzen und eine Vorstellung zu sehen.
> Anders verhält es sich, wenn *Ein Volksfeind* gegeben wird. Der Zuschauer soll das Gefühl haben, unsichtbar in Dr. Stockmanns Wohnzimmer anwesend zu sein; alles muß da *wirklich* sein, auch die beiden Jungen. (267,103 f.)

"Die Wildente" läßt Ibsen erneut über soziologische und geschlechterspezifische Verkrustungen nachdenken:

> Die Ehe, das Verhältnis zwischen Mann und Frau, hat das Geschlecht verdorben und mit dem Mal der Sklaverei gekennzeichnet.
> Die moderne Gesellschaft ist keine menschliche Gesellschaft, sie ist nur eine Männergesellschaft.
> Wenn die Freiheitsanhänger die soziale Stellung der Frau verbessern wollen, erkundigen sie sich erst, ob die öffentliche Meinung, die Männer, damit einverstanden ist. (267,109)

> Das Christentum demoralisiert und hemmt auf verschiedene Weise Männer und Frauen. (267,111)

Themenbereiche sind hier angesprochen, von denen der deutsche Naturalismus um 1890 weitgehend zehren wird: Frauenemanzipation (vgl. Kap. II.6.2), Eheproblematik, Überich-Instanzen-Druck. – Doch auch zum Inszenatorischen fallen wieder Bemerkungen, wenn "Naturwahrheit und Wirklichkeitsgepräge in jeder Hinsicht" und eine "der üblichen Umgangssprache" "so nahe wie möglich" kommende Übersetzung gefordert wird (267,125). Zu beachten empfiehlt Ibsen weiter,

> wie konsequent jede einzelne Person im Stück ihre eigentümliche, individuelle Ausdrucksweise hat, wodurch gleichzeitig das Bildungsniveau des Betreffenden markiert wird. (267,132)

Auch hier wird Ibsen für den deutschen Naturalismus vorbildlich: seine Autoren sind wie er bemüht, neben dem Dialekt (der mehr bedeutet als nur landschaftliches Kolorit!) den Soziolekt in der Sprachgebung ihrer einzelnen Figuren zu berücksichtigen: von der Sprache her also bereits Rückschlüsse zu ermöglichen auf die vorgeführten Personen; mehr noch, anstelle langatmiger Expositionen durch Sprache zu charakterisieren, sprachlich also ein Koordinatensystem zu erstellen, in welchem Herkunft und Bildung, Mentales und Emotionales seinen Platz hat, sich durch Sprache 'verrät'.

Anläßlich "Rosmersholm" betont Ibsen, dieses Stück sei "als eine Frucht von Studien und Beobachtungen zu betrachten" (267,137 f.), also als Ergebnis von genauen Recherchen, wie sie für Fontane und auch für die deutschen Naturalisten verbindlich werden sollten – etwa Hauptmanns Bemühungen bei den Vorarbeiten zu den "Webern" sind ein bekanntes Beispiel. – Was ins Stück eingegangen ist, hat indes auch seine Verbindlichkeit für dessen Umsetzung auf die Bühne. Der Rebekka-West-Darstellerin Sophie Reimers schreibt Ibsen:

> Im übrigen müssen Sie Ihre Studien und Beobachtungen am wirklichen Leben zu Hilfe nehmen.
> Keine Deklamation! Keine theatralischen Betonungen! Überhaupt nichts Feierliches! Geben Sie jeder Stimmung glaubwürdigen, natürlichen Ausdruck [...] halten Sie sich an das Leben, das draußen um

Sie pulst, und stellen Sie einen leibhaftigen wirklichen Menschen dar [...]
Ich zweifle jedoch nicht, daß Sie diese Schwierigkeiten überwinden werden, sofern Sie nur das wirkliche Leben – und das einzig und allein – als Grundlage und Ausgangspunkt bei der Gestaltung von Rebekkas Persönlichkeit nehmen. (267,149)

Henrik Ibsen – das zeigen alle gegebenen Zitate – wollte und realisierte ein Theater auf dem Stand seiner Zeit; von den gewählten Problemen angefangen über Bemerkungen zur Schauspielerführung bis hin zu Forderungen sprachlicher Wirklichkeitstreue verlangte er die Enttheatralisierung des Theaters durch das Medium vollständiger Illusion, einer Illusion, die nicht illusionieren wollte im Sinn des Phantastischen, im Sinn rasch verfliegenden Bühnenzaubers; die vielmehr die Konfrontation von realen Vorgängen und realen Menschen auf der Bühne mit realen Menschen im Parkett erreichen sollte. In diesem Konzept fiel dem Autor die Rolle des objektiven und sich selbst völlig zurückhaltenden Präsentators von genau beobachteter Realität zu; den Schauspielern die Aufgabe, sich alles Schauspielerischen zu enthalten und den Mann von nebenan, den Mann von der Straße zu zeigen; dem Publikum schließlich die Notwendigkeit, das auf der Bühne Präsentierte nicht als etwas über sich ergehen zu lassen, das den Feierabend mehr oder weniger amüsant verbringen half – vielmehr als etwas jeden einzelnen Angehendes und Bedrängendes, etwas, das Stellungnahme abverlangte und Lösungsvorschläge bewußt aussparte, um nachdenken zu machen und somit kritische Aktivität zu erzeugen.

Mit all diesem wurde Ibsen zum Vorbild der jüngstdeutschen Autorengeneration,[49] die ihn und Zola – und auch Strindberg, über den wir gleich sprechen werden – umso mehr verehren mußten, als es im eigenen Land nirgendwo einen Autor gab, der so genau das vorweggenommen hätte, was die Literaturrevolutionäre seit 1885 auf die eigenen Fahnen schrieben, zum Inhalt ihres Kampfes wider literaturästhetische *und* gesellschaftlich-ideologische Verkrustungen machten; sie wurden zum Haupttroß des "Franktireurs" Ibsen, freilich in einem Land, in dem ganz von vorne anzufangen war, in dem Ibsens Schauspiele allenfalls durch einzelne Truppen – wie den Meiningern (vgl. 258) – und Bühnen eine erste Diskussion entfacht hatten. Dank Zola, Ibsen – und Strindberg – aber wußten sie, daß sie nicht allein standen, daß sie gemeinsam an einem Strang zogen, daß es in einer um gesamteuropäisch orientierten Anschluß bemühten Literaturbewegung um Kämpfe ging, die sich außerhalb und innerhalb des Deutschen Reiches lohnten, die hier wie dort

[49] Für die Ibsen-Rezeption sind die Zeugnisse ebenfalls sehr zahlreich; auch hier gebe ich nur wenige Hinweise: 268; 269; 270; 271; 272.

mit Vorurteilen und Widerständen zu rechnen hatten, die allenthalben gewaltsam vor sich gingen und deshalb Leute brauchten, die nicht allzu schnell der Resignation anheimfallen durften; dank der ausländischen Anreger war ihnen klar, daß es um mehr ging als nur um Literatur, nur um Theaterprobleme, nur um die Ästhetik des Romans: sondern um das Einbringen ihres eigenen Jahrhunderts mit seinen gewaltigen Umwälzungen in den bislang als Freiraum des nur Guten und nur Schönen behaupteten Bereich der Literatur. Literatur also als Realitätseingebundenes, nicht mehr Wirklichkeitsgetrenntes, Literatur als Spiegel der eigenen Zeit mit ihren Ungerechtigkeiten und Problemen – das konnten die Jüngstdeutschen lernen. Und sie waren – wie ihre Werke bald zeigen sollten – dankbare und gelehrige Schüler.

Den Norweger Ibsen wie den Schweden August Strindberg vermittelte an die deutsche Literatur der dänische Literaturwissenschaftler Georg Brandes (vgl. 242,243), der bereits 1871 für die skandinavische Literatur die Gestaltung der zeitgenössischen Wirklichkeit verlangt und gefordert hatte, "Probleme zur Debatte" zu stellen, also die Literatur wegzuführen von bloßer Unterhaltung und Lebensferne. Brandes war es auch gewesen, der für die Deutschen Hebbel wiederentdeckt und ihn der jüngstdeutschen Generation als Vorbild empfohlen hatte – Leo Berg, einer der ersten Literaturhistoriker des Naturalismus, fußte auf Brandes, wenn er einen Aufsatz "Hebbel und Ibsen. Eine Parallele" (1889) erscheinen ließ. (173,258–273)

Auch *August Strindberg* ist bislang fast ausschließlich als Theaterpraktiker beachtet und so als Vorläufer des deutschen Naturalismus eingeordnet worden. Darüber ist vielerorts nachzulesen. Seine Bedeutung als Theoretiker sollte jedoch nicht länger vernachlässigt werden; deshalb seien im folgenden größere Auszüge aus seinem "Fräulein Julie"-Vorwort von 1888 wiedergegeben. Der Bühnenautor, so beginnt Strindberg, erscheint ihm wie

> ein Laiendichter, der die Gedanken der Zeit in populärer Form verbreitet, in so populärer Form, daß die Mittelklasse, die hauptsächlich das Theater füllt, ohne viel Kopfzerbrechen erfassen kann, wovon die Rede ist.

Danach fallen Bemerkungen, die erkennen lassen, wie sehr Strindberg in seinem Denken geprägt ist von der Umwälzung des 19. Jahrhunderts, wie er sich als Autor einordnet in Denkformen und methodische Ansätze, die alles Spekulative, Phantastische und Deduktive ausschließen:

> Es ist mir deshalb in unserer Zeit, in der das rudimentäre, unvollständige Denken, das durch die Phantasie vor sich geht, sich zu Überlegung, Untersuchung, Prüfung entwickelt, [eine knappe Beschreibung induktiv-experimentalwissenschaftlichen Vorgehens] so vorgekommen, als sei das Theater, wie die Religion, auf dem Wege, abgelegt zu wer-

> den als eine aussterbende Form, für deren Genuß uns die erforderlichen Bedingungen fehlen. (305,307)

Die Rede ist – natürlich – vom Theater alter Art, von jenem Theater, das Strindberg wie Ibsen verdrängen wollen mit dem neuen Theater der eigenen Zeit, mit dem Theater der Problemdebatten, um es in Brandes' Worten zu sagen. Sein Einakter "Fräulein Julie" behandelt ein aktuelles und überzeitliches Problem zugleich,

> weil das Problem von sozialem Steigen und Fallen, von Höher oder Niedriger, Besser oder Schlechter, Mann oder Weib, von dauerndem Interesse ist, gewesen und sein wird.

Doch nur auf der aktualisierbaren Ebene des überzeitlich Gültigen vermag das Stück als vom jetzigen Zuschauer zu debattierendes Problem rezipiert werden:

> Daß die Heldin Mitleid erregt, das beruht auf unserer Schwäche, dem Gefühl der Furcht nicht widerstehen zu können, daß das gleiche Schicksal über uns kommen könne. (305,308)

Auch hier wieder: tua res agitur – auch hier wieder der Rückgriff auf bedeutsame Positionen der säkularen Umwälzung, wenn Darwin ins Spiel gebracht wird:

> Man ruft mit Prätention nach der Lebensfreude, und die Theaterdirektoren bestellen sich Farcen, als ob die Lebensfreude darin läge, albern zu sein und Menschen zu zeichnen, die mit Veitstanz oder Idiotismus behaftet sind. Ich finde die Lebensfreude in den starken, grausamen Kämpfen des Lebens, und es ist mir ein Genuß, etwas zu erfahren, etwas zu lernen. (305,309)

Ablehnung des bisherigen Amüsiertheaters der Scribe und Dumas fils, Betonung des Kampfes ums Dasein – der über Darwin hinaus auch im menschlichen Leben gesehen wird – und die Vorrangstellung des *docere* vor dem billigen *delectare* wiederholen Reflexionen, wie wir sie bei Ibsen bereits kennengelernt haben und wie sie im deutschen Naturalismus immer wieder theoretisch und praktisch zur Geltung kommen sollen. – Die Brücke zum 'experimentierenden' Zola, zum kausal-induktiven Verfahren der Literaturproduktion, auch zu Taines trois forçes primordiales, schlagen die folgenden Notate:

> meine Motivierung der Handlung [ist] nicht einfach [...]
> Fräulein Julies trauriges Geschick habe ich durch eine ganze Reihe Umstände motiviert: die Grundinstinkte der Mutter, die unrichtige Erziehung durch den Vater, das eigne Naturell, des Verlobten Suggestionen auf das schwach degenerierte Gehirn [...] und schließlich der

Zufall [des Zusammentreffens der beiden Hauptakteure].
Ich bin also nicht einseitig physiologisch verfahren, nicht monoman psychologisch, habe nicht nur die Vererbung von der Mutter beschuldigt, nicht nur die Schuld auf die Monatskrankheit oder ausschließlich auf die 'Unsittlichkeit' geschoben, nicht nur Moral gepredigt. Dieser Mannigfaltigkeit der Motive will ich mich rühmen als einer zeitgemäßen. (305,310)

Motivische Herleitung und Charakterzeichnung seien im bisherigen Drama allzu sehr vernachlässigt worden, bemängelt Strindberg: man sei da bislang immer mit fertigen Situationen und fixen Typen abgespeist worden und habe vergessen, daß auch die Bühnencharaktere – wirklichkeitsgemäß vorgestellt und nicht aus einer typisierenden Autoren-Retorte erzeugt – "ganz wie die Seele zusammengeflickt" erscheinen müßten:

Als moderne Charaktere, die in einer Übergangszeit leben, welche hastiger, hysterischer ist als wenigstens die vorhergehende, sind meine Figuren schwankend, aus Altem und Neuem gemischt; und es erscheint mir nicht unwahrscheinlich, daß moderne Ideen durch Zeitungen und Gespräche auch bis in die Schicht durchgesickert sind, in der ein Domestik lebt.

Als hastig und hysterisch wird die epochale Signatur der Industrialisierung und wirtschaftlichen Expansion, der Landflucht und Großstadtbildung, der kapitalistischen Verschärfung der Klassengegensätze gekennzeichnet; Alt und Neu stoßen aufeinander, müssen in Konflikt treten; für die Literatur dieser Zeit gilt nicht länger der Schematismus, der den Domestiken allein in der Komparserie ansiedelt: er kann jetzt – 'demokratisch' ein Mensch wie die Komtesse – gleiche Aufmerksamkeit beanspruchen, ist nicht mehr beschränkt auf die Rolle der komischen Figur oder des Boten, der die Meldung von den gesattelten Pferden überbringt. Alt und Neu treffen in "Fräulein Julie" personalisiert zusammen:

Fräulein Julie ist ein moderner Charakter, nicht als ob es das Halbweib, die Männerhasserin, nicht zu allen Zeiten gegeben hätte, sondern weil es jetzt entdeckt, hervorgetreten ist und viel Wesens von sich gemacht hat [...] und entartete Männer scheinen unbewußt Auslese unter ihnen zu treffen. (305,312)

Alt und Neu treffen sich auch in Strindbergs Formulierungen: während das Hysterische und das Degenerierte, das er anspricht, schon vorausweisen auf die décadence des fin de siècle – Strindberg wird dabei als Vorbild und als Autor eine Rolle spielen –, knüpft der Terminus "Auslese" wiederum bei Darwin an. Und Strindbergs Notate zum herkömmlichen und zum neuen Schicksals-Begriff erweisen ihn als Kind seines Jahrhunderts, als aufmerksamen Beobachter der säkularen Umwälzung:

> Die Schuld hat der Naturalist mit Gott ausgestrichen, aber die Folgen der Handlung, Strafe, Gefängnis, oder die Furcht davor, kann er nicht streichen. (305,313).

"Naturalismus" wird hier nicht als definitiver Epochenname gebraucht – er setzt sich in diesen Jahren um 1890 erst sehr langsam durch, wird anfänglich sogar meist als Schimpfwort von den Gegnern benützt –, sondern als Gattungsbezeichnung für eine moderne Art der Welt-Sicht, die nur Sicht der irdischen Welt ohne alle idealistischen oder transzendentalen Rückversicherungs- und Lohn-Straf-Instanzen sein will; für die Welt-Sicht also der Deszendenztheorie Darwins oder der Entfremdungstheorie Marx'scher Prägung:

> Der Bediente Jean ist ein Artbildner [...] Er ist bereits emporgekommen, und ist so stark, daß er nicht verletzt wird, wenn er die Dienste anderer Menschen benutzt. Er ist bereits seinen Genossen entfremdet; [es] wird wahrscheinlich sein Sohn Student und vielleicht Kronvogt. (305,314)

Aufstieg, soziale Umschichtung sind also möglich, können zumindest von einzelnen Individuen geleistet werden, die im Daseinskampf sich als Stärkere bewähren; die "dem zufälligen sozialen Milieu" (305,315), dem sie entstammen, deshalb entkommen können, weil sie nicht den Hemmschuh 'gottgewollter' Gesellschaftshierarchien mit sich herumzuschleppen brauchen.

Auf dem Hintergrund solcher bewußten Einbindung in die Epochenlage kann Strindberg im folgenden inszenatorische Anweisungen treffen, welche die grundsätzlich schon angesprochene Kontemporaneität mit den Mitteln der Bühne noch verstärken sollen:

> Was den Dialog schließlich angeht, so habe ich mit der Tradition etwas [!] gebrochen, indem ich meine Personen nicht zu Katecheten gemacht habe, die dumme Fragen stellen, um eine witzige Replik herauszuholen. Ich habe [...] die Gehirne unregelmäßig arbeiten lassen, wie sie in der Wirklichkeit tun [...] darum irrt auch der Dialog umher. (305,316)

Wirklichkeitstreue wird wie bei Ibsen zum höchsten Postulat moderner Theaterkunst, einer Theaterkunst, die "Alltagsmenschen" (305,315) geben will, um das Dargestellte für den Zuschauer nicht länger als kulturelles Ausweichmanöver vor Realität und Alltag passieren zu lassen, sondern es als *seine* Sache zu präsentieren, eine Sache, mit der er mitreden kann und mitreden muß. – Für die Handlungsmotivation ergibt dies Konsequenzen:

> Unsere wißbegierigen Seelen begnügen sich nicht mehr damit, daß sie etwas vorgehen sehen, sondern sie wollen auch wissen, wie es zugeht!

> Wir wollen gerade die Fäden, die Maschinerie sehen, die Schachtel mit dem doppelten Boden untersuchen, den Zauberreif befühlen, um die Naht zu finden, in die Karten gucken, um zu entdecken, wie sie gezeichnet sind. (305,316)

Analytischem Zurückverfolgen von Kausalketten gilt das moderne Interesse: wichtig ist das Gegenwärtige nur aus der spezifischen Vergangenheit heraus; Fertiges gibt es nicht, nur Gewordenes, Geprägtes, historisch verfolgbar Angelegtes.

Die Akteinteilung hat Strindberg gestrichen: nicht aus artistischer Spielerei und purer Experimentierfreude, sondern wegen deren wirklichkeitszerstückelnden Funktion. Wirklichkeit und Illusion gelten dem 'naturalistischen' Strindberg gleich – das sollte bedacht werden, wenn anscheinend anti-Brecht'sche Äußerungen fallen:

> Das, weil ich zu finden geglaubt habe, daß unsere abnehmende Illusionsfähigkeit vielleicht durch Zwischenakte gestört wird, in denen der Zuschauer Zeit zum Reflektieren bekommt und sich dem suggestiven Einfluß des Verfassermagnetiseurs entziehen kann. (305,317)

Völlige Illusion hat in Strindbergs Konzept – wie bei Ibsen gleichfalls schon erwähnt – die Aufgabe, eine zweite Wirklichkeit auf der Bühne zu erzeugen, eine Wirklichkeit, die nicht mehr distanziert und rasch transitorisch als 'Theater' konsumiert werden kann; die vielmehr den Alltag, aus dem die Theaterbesucher kommen, bewußt prolongiert, sie also nicht in ein amüsantes Spektakel entführt, sondern sie konfrontiert mit ihrer eigenen Welt, ihrer eigenen Zeit, ihren eigenen Problemen. Im Kontext solcher Überlegungen wirken Akteinteilungen 'theatralisch', weil die Wirklichkeit im 'normalen' Leben wie auch die zweite Wirklichkeit auf der Bühne eben nicht in Akten vor sich geht, sondern in einem ununterbrochenen Kontinuum. "Illusion" heißt hier nicht mehr wie früher – und wie später wieder in Brechts Kritik – phantastische Überhöhung der Realität, sondern perfektionierte Wirklichkeitswiedergabe als Zwang zum Nachdenken, zum Mitdenken, zum Entscheidungen-Treffen. Was auf der Bühne abläuft, trifft auf den Zuschauer ohne Atempausen, macht ihn zum ständig vorhandenen Zeugen von 'Problemdebatten', die nicht theatralisch oder akademisch nur oben auf der Bühne existieren, sondern seine Beteiligung erfordern – eine kritische, selbstkritische Beteiligung, die gar nicht so weit entfernt ist von der Zielintention des späteren Brechtschen Theaters.

Den Monolog behält Strindberg bei, doch motiviert er ihn (305,317 f.); ebenso die Pantomime, die dann im deutschen Naturalismus – etwa bei Hauptmann in der fast wortlosen Versöhnungsszene im "Friedensfest" (vgl. Kap. III.3) – eine entscheidende Rolle in Situationen der emotional bedingten Wortlosigkeit und Sprechunfähigkeit spielen wird.

Wirklichkeitsbezug ist auch hier die Devise, hier und bei der Wahl der Requisiten, der Ausstattung des Bühnenraumes – es genügt der kurze Hinweis auf die häufig zurecht episch genannten Bühnenanweisungen im deutschen Naturalismus, um die Kohärenz zwischen dem skandinavischen Anreger und seinen deutschen Jüngern zu belegen.

Die folgenden Ausführungen zur Schauspieler-Choreographie und zum Bühnenraum zeigen Strindberg wiederum in seiner – durch die Verwendung des Monologs bereits deutlichen – Zwischenstellung zwischen Alt und Neu, denn die deutschen Naturalisten waren noch ein gutes Stück radikaler:

> Ich träume nicht davon, daß ich eine ganze wichtige Szene hindurch den Rücken des Schauspielers sehen werde, aber ich wünsche lebhaft, daß entscheidende Szenen nicht am Souffleurkasten gegeben werden, wie Duette, in der Absicht, Applaus hervorzurufen, sondern ich möchte sie an der Stelle, welche die Situation ergibt, ausgeführt sehen.
> Also keine Revolutionen, sondern nur kleine Modifikationen, denn man kann die Bühne nicht zu einem Zimmer machen, dem die vierte Wand fehlt. (305,321)

Die deutschen Naturalisten machten in der Tat, was Strindberg noch unmöglich schien!

In den meisten Darstellungen der deutschen Literaturgeschichte pflegt man unter den "ausländischen Anregern" oder "Vorbildern" immer wieder die Namen Tolstoi und Dostojewskij zu finden. Doch die Weitervererbung dieses Forschungstopos sollte zukünftig mit einigen Vorbehalten erfolgen. Sigfrid Hoefert hat nämlich in einem kürzlich erschienenen Beitrag "'Gerhart Hauptmann und andere' – zu den deutsch-russischen Literaturbeziehungen in der Epoche des Naturalismus" (80) nachgewiesen, daß es außer Tolstois 1887 ins Deutsche übersetzten Tragödie "Macht der Finsternis" – aufgeführt am 26. Januar 1890 von der Freien Bühne – kaum ein Werk der russischen Literatur gab, das auf den deutschen Naturalismus, insbesondere auf Hauptmann, nachhaltig und gar direkt gewirkt hätte. Im Fall von Tolstois "Macht der Finsternis" und Hauptmanns "Vor Sonnenaufgang" lagen die Parallelen und Analogien auf der Hand – und der deutsche Dramatiker (dessen erste Gesamtausgabe in Rußland verlegt wurde; was an Zolas zuerst in St. Petersburg veröffentlichte fünf Untersuchungen aus dem "roman expérimental" erinnern kann) hat sich auch wiederholt von jenem Stück als beeinflußt erklärt; wie man hinzufügen muß: in stofflicher Hinsicht – denn formal verdankte er sehr viel mehr dem noch nicht als Dioskurenpaar Holz/Schlaf erkannten Bjarne P. Holmsen. – Andere Werke Tolstois jedoch und vor allem der "Raskolnikow" Dostojewskijs wirkten – wie Ernst Hauswedell untersuchte – eher als "indirekte Förderer": "einmal, daß das Verbrechen aus der psychischen Veranlagung der Hauptperson heraus entwickelt und bis zu einem gewissen Grade entschuldigt wird, und dann, daß die

Bestrebungen dahingehen, eine ausführliche und möglichst genaue Seelenanalyse darzubieten." (80,239) Hoeferts Belege machen "deutlich, daß Dostojewskijs Einfluß auf die Naturalisten nur schwer direkt greifbar wird", eher noch auf spätere Werke Hauptmanns, die nicht dem Naturalismus zuzurechnen sind. Michael Georg Conrad und Hermann Conradi wiesen zwar mehrmals auf die vorbildliche Menschen- und Sprachgestaltung im "Raskolnikow" hin; doch über mehr atmosphärisch registrierte Wahlverwandtschaften hinaus ging der Kontakt nicht.[50] – Andrerseits, und das haben deutsche Darstellungen bisher oft ungenügend klar gemacht, wirkten in Rußland zwei Naturalisten sehr nachhaltig: Gerhart Hauptmann, um den sich der berühmte Stanislawski in seinem Künstlertheater Verdienste erwarb – im Eröffnungsjahr 1898 standen mehrere Werke des Deutschen auf dem Spielplan –, und Wilhelm von Polenz, dessen "Büttnerbauer" vor allem von Plechanow und Tolstoi in Rußland bekannt gemacht wurde. – Um Hoeferts Ergebnisse zusammenzufassen: die russische Literatur wirkt nur sehr punktuell auf den deutschen Naturalismus; die erkennbaren Übereinstimmungen sind im wesentlichen tendenzieller, im Falle Tolstois stofflicher Art; umgekehrt bildet der deutsche Naturalismus einen – auch durch Distanzierung und Abgrenzung – fruchtbaren Vorwurf für die russische Literatur, wie es die kritische Auseinandersetzung von Autoren und Regisseuren wie Stanislawski, Lunatscharski und Gorkij deutlich macht.

II.4.3 Zur nationalliterarischen Tradition

Daß der Däne Georg Brandes neben dem Norweger Ibsen auch den Deutschen Hebbel an die Deutschen vermitteln mußte; daß ein junger Mann, auf der Suche nach Vorbildern und selbst noch auf 'allen möglichen Hochzeiten tanzend', daß 1887 Gerhart Hauptmann den jung verstorbenen und schnell vergessenen Georg Büchner wiederentdecken mußte (vgl. 307); daß ganze literarische Strömungen wie das Junge Deutschland und der Vormärz durch den Mißerfolg der 48er Revolution und den siegreichen Vormarsch der Reaktion in die literaturhistorische Stänker-Ecke gestellt und als wertlose Leitartikelpoetasterei diffamiert und mithin zur Kontinuitätslosigkeit verdammt werden konnten; daß neoidealistische und epigonalromantische und klassizismusorientierte Strömungen den beginnenden Siegeszug materialistischer Ideen und Programme zurückwerfen konnten – all das gehört zu den Merk-Würdigkeiten der deutschen Literaturgeschichte.

Wenn die deutsche Literatur der Ersten Moderne des wiederholten An-

---

[50] Zur Rezeption von Tolstoi und Dostojewskij vgl. 253; 311; 312; vgl. auch die Hinweise bei 80.

stoßes von außen bedurfte – von Zola oder von Ibsen, um nur die wichtigsten beiden Namen zu nennen –, um zu eigenen Positionen zurückzukehren, an eigene Positionen wiederanzuknüpfen, um das bisher Position Gebliebene zur innovierten Tradition auszubilden – dann verdeutlicht dies, daß Literaturgeschichte stets ein Streit, zuweilen (wie um 1885) geradezu ein Kampf um die Hegemonie bestimmter Konzepte ist (vgl. 56); auch, daß 'ästhetische Kriegshandlungen' immer sehr viel komplizierter zu verlaufen pflegen, als es eine um Übersichtlichkeit bestrebte, mit möglichst großen und eindeutigen Epochen-Schubladen operierende Literaturgeschichte wahrhaben möchte, eine Literaturgeschichte, welche letztlich die Geschichte der literarischen 'Sieger' ist. Binnenliterarisch geht dann in Literaturgeschichten vieles restlos auf in 'sauberer', klarer Darstellung, wenn machtpolitisch sanktionierte Ideologie die störende Spreu von jenem Weizen gesondert hat, der seine Qualität nicht so sehr seiner literarischen, ästhetischen Eigenheit verdankt, sondern der Konformität mit (immer noch) herrschenden Konzepten. Außerliterarische: politische, gesellschaftliche, ideologische Faktoren – sie verhindern in einer Literaturgeschichte der 'Sieger' das Geltenlassen des Mißliebigen; dem Popanz 'staatstragender' Literatur wird in der Literarhistorie oftmals derart geopfert, daß erst auf dem Weg gewaltiger Unterschlagungen Homogenität erzielt wird.

Dem literarhistorischen Bewußtsein zu Beginn der 80er Jahre des 19. Jahrhunderts waren große Teile der Literatur dieses Jahrhunderts fremd; Scherers berühmte Literaturgeschichte endete mit Goethes Tod. Für viele 'Gebildete' war damit tatsächlich das Ende der großen, bedeutenden Dichtung markiert. – Das euphorische Großmachtbewußtsein nach dem siegreichen Krieg gegen Frankreich 1870/71, vom willfährigen Troß der Gründerzeitpoeten schnell verklärt und durch die Sedanstagfeiern wachgehalten, suchte sich *seine* Literatur vor allem in der klassischen Periode: Goethes "Faust" beispielsweise, das hat Hans Schwerte ausführlich dargestellt (vgl. 342;351;358), wurde nun erst zur weltlichen Bibel der Deutschen – der großen Macht sollte große Literatur zur Seite gestellt werden; beide Bereiche wurden reziprok aufeinander zugeordnet.

Der 'alte Goethe' – mit ihm und anderen Literaturgrößen wurden jene jungen Leute im Gymnasialunterricht konfrontiert, die später die naturalistische Literaturrevolution tragen sollten. Und gerade am 'alten Goethe' nahmen sie Anstoß, an der literarhistorischen Retortengestalt des abgeklärt-weisen Weimaraners, des 'unpolitischen' Alleskönners, jener übergroßen Vaterfigur also, wie ihn das spätere 19. Jahrhundert stilisiert sehen wollte – nahmen sie ebenso Anstoß wie die jungdeutsche Autorengeneration vor 50 Jahren.

Die Umbenennung der zweiten Auflage der "Modernen Dichter-Charaktere" (1885) in "Jung-Deutschland" (1886) und der bald verwendete Gruppenname "Jüngstdeutsche" – "Naturalisten" sollte erst im nachhinein zum Sammelbegriff werden: dieser Terminus war zunächst eine von den Gegnern gebrauchte Bezeichnung, welche Distanz und Verurteilung einer Literatur des locus terribilis ausdrückte – zeigte, nach der anfangs intentional empfundenen Affinität zum genialisch-individualistischen Sturm und Drang, wie der später so genannte Naturalismus aus der Not eines unmöglichen Direktanschlusses an die unmittelbar voraufgehende Literatur die Tugend einer Verknüpfung mit einer weiter zurückliegenden Epoche machte: mit dem Jungen Deutschland, unter welchen Begriff auch die Autoren des Vormärz gerechnet wurden, wählten sich die jungen Naturalisten Vorbilder, welche aus ähnlichen Motiven geschrieben hatten, wie es nun wieder für verbindlich erklärt wurde, Vorbilder auch, die ihrer Themenwahl und ihrer Literatur-Auffassung wegen seitens des bürgerlichen Publikums in Acht getan worden waren.

Die Jungdeutschen und Vormärzler nämlich hatten einer entschieden tendenziösen Literatur das Wort geredet, einer Literatur, die nicht mehr einem kanonischen Schönheitsideal und einer herkömmlichen Gattungsordnung entsprechen, sondern direkt in die politischen Tageskämpfe eingreifen wollte, einer Literatur, die um der Agitation willen auf Formvollendung verzichtete, einer Literatur, die statt schön wirkungsvoll sein sollte, aufklärend-kritisch und tagesbezogen, ein Diskussionsforum, auf welchem vorurteilslos Fragen wie die einer neuen Moral oder die der "Wiedereinsetzung des Fleisches" besprochen wurden: eine Literatur also, die alles 'romantische' Ausweichen vor der eigenen Zeit vermied und sich nicht scheute, journalistische Formen zu verwenden, somit sehr direktexponiert zu schreiben, oft verknüpft mit dem Grundsatz klarer Parteilichkeit (die freilich noch nicht sozialistisch, sondern bürgerlich-republikanisch ausgerichtet war). Eine derartige Literatur öffentlicher Unbequemlichkeit mußte in der Biedermeierzeit Anstoß erregen, und der berühmt-berüchtigte Bundestagsbeschluß vom 10. Dezember 1835 war nur der eklatanteste Beleg eines staatlichen Konzepts rigider Abwehrmaßnahmen, die daneben in scharfer Zensur, ständiger Gesinnungsschnüffelei und erzwungener Emigration bestanden.

Das klägliche Scheitern der 48er-Revolution setzte all dem ein Ende, was vorher auf ein Kampfbündnis zwischen Literatur und Politik gezielt gewesen war – um dann literarisch dem Realismus deutscher Prägung Raum zu geben, der um so viel 'zahmer', 'verklärender' als jener Realismus des Auslands war, den die deutschen Naturalisten dann bewundern und dem sie sich anschließen sollten.

Das neugewählte Vorbild der Jungdeutschen und Vormärzler brachte den Jüngstdeutschen thematische Verbindlichkeiten und einen Konsens im Stofflichen und vor allem im Politischen, welches Gemeinschaftskonzept von den Sturm-und-Drang-Affinitätserklärungen noch nicht hatte geleistet werden können: in jener Verwandtschaftsbekundung hatte es sich vorerst – bei allen tatsächlichen Vergleichsmöglichkeiten – nur darum gehandelt, wider eine voraufgehende, als homogen und erstarrt angesehene Epoche Sturm zu laufen, aus einem verkrusteten Kanon auszuscheren, dem einzelner Schriftsteller das Recht eigener Gesetzgebung in aestheticis zuzuschreiben, vom einzelnen Autor die Kraft individueller Handschrift zu verlangen anstelle bequem-doktrinären Sich-Einfügens in gängige Muster und Schablonen. *Inhalte* aber hatten bei der erklärten Wahlverwandtschaft der jungen Naturalisten mit dem Sturm und Drang kaum eine Rolle gespielt, jedenfalls nicht in der Anfangsphase um 1885: das bürgerliche Trauerspiel – ohne Zweifel ein Genre soziologischer Opposition wider den Feudalismus – wurde nicht fortgesetzt und auf die Verhältnisse um 1885 transponiert; und so groß auch die Ähnlichkeiten der "Sozialen Dramen" um 1890 mit dem bürgerlichen Trauerspiel der Stürmer und Dränger sein mochten, so war doch für sie ein anderer Anstoß maßgebend, das Theater der Skandinavier Ibsen und Strindberg.

Daß das soziale Drama des deutschen Naturalismus eine konsequente und durch die soziologische Umschichtung 'fällige' Fortentwicklung der Tradition des bürgerlichen Trauerspiels sei, also der Linie, die sich von Lessing über den Sturm und Drang bis zu Büchner und Hebbel ziehen läßt, ist öfters in der Forschungsliteratur betont worden. So richtig diese Entwicklungslinie auf den ersten Blick auch scheint, so sollten doch auch die gravierenden Unterschiede nicht übersehen werden, die zwischen bürgerlichem Trauerspiel einerseits und sozialem Drama andrerseits bestehen, Unterschiede, die der kluge Kritiker Julius Hillebrand in einem Beitrag "Naturalismus schlechtweg!" in der "Gesellschaft" herausgestellt hatte:

> [Das soziale Drama] unterscheidet sich vom herkömmlichen bürgerlichen Trauerspiel vor allem dadurch, daß es nicht blos Honoratioren, also Pfarrer, Kommerzienräte, Sekretärs oder Lieutnants, sondern auch den vierten Stand auf die Bühne bringt, zweitens dadurch, daß es in tieferm Erfassen der Motive auch die physiologische und pathologische Seite des Charakters zu beleuchten und an Stelle der abgedroschenen Spießbürgerkonflikte die großen Geisteskämpfe der Wirklichkeit auf die Bühne zu bringen sucht, endlich dadurch, daß es den konventionellen Theaterjargon durch die *Sprache des Lebens* ersetzt. (18,68)

Manches ist sicher aus dem Unterscheidungszwang antithetischer Formulierungen zu grobschlächtig formuliert; doch insgesamt kann Hillebrand zugestimmt werden. Allerdings sind weitere Unterscheidungen noch nötig, um neben allen Gemeinsamkeiten die Differenz zwischen bürgerlichem Trauerspiel und sozialem Drama des Naturalismus klarer herauszustellen. Hatte nämlich – von Büchners "Woyzeck" und Hebbels "Maria Magdalene" abgesehen – das bürgerliche Trauerspiel das spezifisch "Bürgerliche" meist in der Konfrontation mit der Welt des Adels gezeigt – um es auf eine verknappte, doch in unserem Zusammenhang hinreichende Formel zu bringen: ethisch-moralischer Anspruch des Bürgers hier, sittliche Verderbtheit und infames Intrigantentum dort – war das soziale Drama des Naturalismus in der Regel in einem einzi[g] "Stand" angesiedelt, dem mittleren und Kleinbürgertum, oft sogar in proletariodem oder ganz proletarischem Milieu (Hauptmanns "Weber" sind die Ausnahme; hier ist der Proletarierwelt die Welt des reichen Dreissiger gegenübergestellt; ähnlich der Konflikt zwischen Vorder- und Hinterhaus in Sudermanns "Ehre"). Hatte das bürgerliche Trauerspiel – wiederum abgesehen von Büchner und Hebbel, die in der Tat eine Brücke zum Naturalismus bilden – das machtpolitisch zwar unterlegene, doch moralisch stärkere und zukunftsträchtigere Bürgertum als vorbildliche soziale Potenz dargestellt, so präsentierte das soziale Drama des Naturalismus die lower middle class und das Proletariat als "Stände" der Zukunftslosigkeit, als Träger gesellschaftlich vermittelter Fatalitäten. Und vor allem: galt im bürgerlichen Trauerspiel noch die Autonomie des Individuums als Hebel möglicher und erreichbarer Veränderungen, so legte sich über die Gestalten des sozialen Dramas der pessimistische Mantel völliger Determiniertheit.

Winthrop H. Root hat in einem äußerst informativen Aufsatz "German Naturalism and its literary predecessors" das positive Verhältnis der "Jüngstdeutschen" zum Sturm und Drang und zum Jungen Deutschland (samt Vormärz) – mit welchen Epochen den Naturalismus ein "feeling of kinship" (296,115) verband – dargestellt, auch das negative Verhältnis zur idolisierten Klassik, zur Romantik und zum Poetischen Realismus. Daß aber, im Gegensatz zum Jungen Deutschland, "Naturalism essentially non-politically minded" sei (296,120; vgl. 122), muß entschiedenen Widerspruch hervorrufen. Denn nicht allein auf 'rein' literarischem Sektor wurde von der jüngstdeutschen Generation mit ihrem schnell ins Zentrum gerückten (freilich nicht von Anfang an vertretenen; vgl. 62;102) Interesse an der Genese und den Implikaten der "sozialen Frage", auch mit ihrer anti-gründerzeitlichen Hinwendung zur allein literaturwürdigen Gegenwart eine dezidiert politische Auffassung vertreten, welche Kunstproduktionen nicht arkanisch von der Alltagswirklichkeit sondern, sie vielmehr mit dieser stets konfrontieren wollte. Hinzu kommt die prinzipielle Entscheidung, auch im Bereich der Dichtung die "moderne" Progression anderer Sektoren des öffentlichen Lebens mit- oder zunächst einmal nachzuvollziehen, etwa der nicht länger mehr metaphysisch rückzubindenden Philosophie, gleichermaßen der für alle Lebensbereiche maßgebenden Evolutionslehre, vor allem aber der szientifischen Ausrichtung, wie sie an den neuen Entwicklungen der Naturwissenschaften vorbildlich abgelesen werden konnte. Als weiteres und gewichtigstes Argument wider eine im Gegensatz zum Sturm und Drang nicht mehr irrationalistische, aber doch "unpolitische" Bewertung der naturalistischen Literaturbewegung muß die oft sogar überdeutlich proklamierte und sicherlich nicht immer in den literarischen Werken eingelöste Wirkungsintention der Naturalisten genannt werden, die bisweilen wie eine Reprise der deutschen Aufklärung erscheint, häufig freilich versetzt mit ganz und gar nicht nüchterner Pathetik und einer des baldigen Erfolgs allzu gewissen Überheblichkeit.

Themenwahl und zugrundeliegendes Kontemporaneitäts-Postulat, Gleichziehenwollen des verspäteten literarischen Sektors mit den anderen Bereichen der Moderne – auch der wiederum verspätete Anschluß an den internationalen Standard, wie ihn die französische und skandinavische Literatur repräsentierten – und schließlich der erklärte Wille, bewußtseinsverändernd "der resolut realistischen Weltauffassung" vorzuarbeiten (18,55): all das verbietet, den Naturalismus als unpolitisch zu betrachten. Michael Georg Conrads "Zur Einführung" in "Die Gesellschaft. Realistische Wochenschrift für Litteratur, Kunst und öffentliches Leben", Wilhelm Bölsches im Untertitel "Prolegomena einer realistischen Ästhetik" genanntes Buch "Die naturwissenschaftlichen Grundlagen der Poesie" oder Conrad Albertis "Die zwölf Artikel des Realismus. Ein litterarisches Glaubensbekenntnis" sind drei Zeugnisse aus vielen, die als Beleg für das eben Dargelegte dienen können.

Die um 1885 vorgenommene Selbstprojektion auf die literarische Rebellengeneration der Lenz und Klinger blieb vornehmlich intentional, blieb beim Wiedererkennen vergleichbarer Stoßrichtungen, bei einer analogen und jeweils gleichermaßen scharfen Abgrenzung 'nach hinten', welcher – zumindest bei den Naturalisten – keine klare Absichtserklärung 'nach vorne' folgte.

An diesem Punkt wurde nun die Rückbesinnung auf das Junge Deutschland hilfreich, dessen Verwandtschaft mit dem Sturm und Drang wiederum im Intentionalen gesehen werden konnte, das darüberhinaus aber sehr dezidierte Konzepte einer 'politischen' Literatur zu bieten hatte, das vor allem auch bereits den Aktualitätsanspruch aufstellte und einlöste, wie er im Naturalismus neben dem Wahrheitspostulat die theoretische Begründung für den veristisch attackierenden Zeitbezug liefern sollte.

Das Jüngste hat mit dem Jungen Deutschland, vor allem in der frühnaturalistisch-"turbulenten" Phase, die Vorrangstellung des Inhaltlich-Stofflichen vor dem Gestalthaft-Formalen gemeinsam; ebenso die aktivistische Komponente, das erklärte Hineinwirkenwollen in die eigene Zeit, das Hineintragen des "Zeitgeists" in die Poesie; damit in Zusammenhang stehend die Betonung der "Begeisterung", das energische Neuererpathos, wie es etwa Karl Bleibtreu in seiner "Revolution der Literatur" analog zu Ludwig Wienbarg proklamierte (vgl. 105,92); weiterhin die Bevorzugung der Prosa (und auch, später, des Dramas) gegenüber der Lyrik; die Ablehnung des geschriebenen "Papierdeutschs" zugunsten der tatsächlich gesprochenen Sprache. (Vgl. 355,450–54)

Heftigkeit und Verkrampftheit im Bemühen, einen 'Nachholprozeß' all jener Themen in Gang zu setzen, die der Literatur der letzten Jahrzehnte obsolet gewesen waren, hängen eng mit der Traditionslosigkeit sozial engagierter Dichtung in Deutschland zusammen: was im Jungen Deutschland und besonders im Vormärz – auch damals als Anti-Bewegung – an außerästhetischer Brisanz literarisch geleistet worden war, erfuhr 1848/49 ein jähes Ende. Und was nach dem Scheitern der 48er -Revolution an liberalen Energien noch weiterbestehen mochte, kam 1870/71 endgültig zum Erliegen: Einheit rangierte nun in der Skala der Ideale vor der Freiheit; durch Macht – nämlich: die erste 'Regierungspartei' Bismarcks zu sein – schnell korrumpiert, ereignete sich in der Tat eine schmähliche "Tragödie des deutschen Liberalismus". (Vgl. 301)

Was als Preisgabe progressiver und emanzipativer Demokratisierungspotenzen im Bereich der politischen Ideengeschichte schon häufig beschrieben und oft beklagt wurde, gilt in gleichem und womöglich noch höherem Maß für die kaum erfolgte Aufnahme naturwissenschaftlicher und "materialistischer" Erkenntnisse. Wenn nämlich Pius IX. in seinem am 8. Dezember 1864 veröffentlichten Syllabus ("Syllabus complectens praecipuos nostrae aetatis errores qui notantur in allocutionibus consistorialibus, in encyclicis aliisque apostolicis litteris sanctissimi domini nostri Pii papae IX.") 80 sogenannte Zeitirrtümer verurteilte, so hatte er auch viele Nichtkatholiken des Zweiten Deutschen Reiches hinter sich: während die gründerzeitliche Bourgeoisie daran ging, sich "Aus Aktien eine Bürgerkrone" zu flechten (335,226), verketzerte sie gleichzeitig mit dem konservativen appeal der beati possidentes alles "Materialistische", alles Sozialistische und Kommunistische – Abwehrreaktionen, die schon 1864 in der an alle Bischöfe versandten Zusammenstellung des nach 1870 als "ultramontan" keineswegs geschätzten Oberhaupts der katholischen Kirche verzeichnet waren.[51]

Ein Kontinuitätsproblem besonders heikler Art stellt die Frage dar, ob der Naturalismus eine – wie auch immer organologisch formulierte – 'Steigerung', 'Weiterentwicklung', 'Verschärfung' des Realismus darstellt oder aber eine – wie immer auch abrupt kategorisierende – Opposition wider denselben. (Vgl. 33;79) – Daß die Jüngstdeutschen selbst eine 'organische' Kontinuität strikt leugneten (wie betont: oft schon aus Unkenntnis; oder, wie bei Conrad Albertis Ausfällen gegen Gottfried Keller, aus unverblümter Arroganz – wie es Bleibtreu nannte, aus "Größenwahn"[52]), ist bekannt genug; doch sind Selbstzeugnisse von Autoren immer mit Vorsicht zu bewerten, und Selbstzeugnisse einer sich martialisch gerierenden Oppositionsbewegung natürlich umso mehr! Allerdings haben sich dem Naturalismus-Argument eines schroffen Bruchs mit der gesamten Vergangenheit, der Behauptung eines gänzlichen Neu-

---

[51] Text und weitere Literatur zum Syllabus in: 355,450–54.

[52] Vgl. Bleibtreus "Pathologischen Roman" "Größenwahn" (Leipzig 1888), der äußerst kritisch über das hypertrophierte Selbstwertgefühl der frühnaturalistischen Mitstreiter handelt.

beginns, auch heutige Literaturhistoriker angeschlossen. Jost Hermand beispielsweise hat den naturalistischen Protest kategorial zu scheiden versucht von einem Realismus, der sich keinesfalls prinzipiell als Oppositionsbewegung wider klassische und romantische Muster verstand. (Vgl. 76)

Deutlich wird aus Hermands Anmerkungen, daß eine Auseinandersetzung des deutschen Naturalismus mit dem deutschen Realismus allenfalls auf dem Umweg über die formalisiert-epigonale Literatur der Gründerzeit stattfand; daß also eine direkte Konfrontation ausblieb (in Klammern eine sicher nicht überflüssige, wenn auch 'nur' hypothetische was-wäre-wenn-Überlegung: hätten sich die Harts in den "Kritischen Waffengängen" statt mit dem Dramatikerchen Heinrich Kruse mit Friedrich Hebbel befaßt, wäre dann nicht auf dem Gebiet des Dramas eine sehr viel energischere und auch ausländischer Vorbilder weitgehend unbedürftige Entwicklung erfolgt?).

So mußten auch – wiederum kategorial formulierte – Gesetzmäßigkeiten aus dem Blick bleiben, die, salopp gesagt, einen 'Drall' des Realismus zum Naturalismus hin feststellen, also eine kontinuierliche Verschärfungstendenz innerhalb realistischer Darstellungsweise behaupten. Bruno Markwardt schreibt:

> Es ist überhaupt im Einzelfall gar nicht leicht, verläßlich zu unterscheiden und säuberlich abzugrenzen, wo denn nun der Realismus aufhört und der Naturalismus anfängt, weist doch selbst schon der poetische Realismus, ganz abgesehen von der mundartlichen Regionalpoesie, mannigfache konsequent realistische Einschläge auf. Es kommt immer darauf an, ob man nur die Darstellungsweise und Motivwahl meint oder ob zugleich das betont Soziologische und Biologische in der ganzen Problemstellung. Erst diese Verbindung ist für den Naturalismus als Epochenstil entscheidend, während die Darstellungsweise allein kein verbindliches Kriterium abgibt. (105,40 f.)

Markwardt hat diese Ausführungen im Zusammenhang mit Tolstoi gemacht. Wenn er – das eben Zitierte vorwegnehmend – festhält: "unbestechliche Aufrichtigkeit ist noch kein Naturalismus", dann wird daraus insgesamt deutlich, daß nicht nur ein Autor wie Tolstoi oder Dostojewskij nicht vorschnell für den Naturalismus vereinnahmt werden kann, sondern daß auch Autoren wie Anzengruber und Fontane – die man zuweilen für den Naturalismus reklamieren wollte – durch die nur partielle Übereinstimmung mit den soziologischen und biologischen (das wäre zu ergänzen: mit den deterministischen, antimetaphysischen usw.) Postulaten der Jüngstdeutschen sich einer Rubrizierung als Naturalisten entziehen. – Unbestritten bleibt dabei, daß Tolstoi und Dostojewskij Wegbereiter des Naturalismus genannt, ebenso, daß in Anzengrubers wie in Fontanes Werken einzelne naturalistische Züge entdeckt werden können.

Das notorische 'Nachhinken' des deutschen Realismus hinter dem westeuropäischen, auch dem russischen (vgl. 80), und die industriell wie ökonomisch belegte Phasenverschiebung Deutschlands gegenüber seinen westlichen Nachbarn erklären zu einem guten Teil den eruptiven Charakter und die martialische Pose der radikalen Bilderstürmerei während der naturalistischen Literaturrevolution. In Frankreich zumindest konnte vom Realismus zum Naturalismus ein – cum grano salis – "organischer" Übergang stattfinden, eine freilich radikalisierende, aber doch nur längst angelegte Tendenzen verstärkende Weiterentwicklung; in Deutschland aber hatte es einen Radikales enthaltenden Realismus kaum gegeben – gängige Registrierungsetikette der Literaturgeschichte wie "Verklärung" oder "Humor als dichterische Einbildungskraft" zeigen dies, auch etwa Benns spöttische und für Fontane noch am wenigsten reklamierbare Formel vom "Pläsierlichen" (327,104). Ganz abgesehen davon, daß die Jüngstdeutschen vor lauter gründerzeitlichen Modepoeten – *sie* waren das Ziel ihrer wütenden Attacken – die wenigen ernstzunehmenden Realisten gar nicht sahen (sie auch kaum kannten), mußten stoffliche Innovationen um 1885 hierzulande als spektakuläre Eroberungen erscheinen, die jenseits des Rheins längst das Signum und (von der bürgerlich-konservativen Ecke aus betrachtet) das Odium des "Modernen" eingebüßt hatten.

Kein Wunder, daß man – bis auf wenige Ausnahmen (112;347) – das Auftreten der neuen Themen und der sie verwendenden Autoren als Bruch in der deutschen Literaturgeschichte empfand, als einen Aufstand der Jungen gegen die Alten, der über die Generationsproblematik hinaus den Anbruch der "Moderne", des "20. Jahrhunderts" signalisierte. Denn in der Tat wurde hier etwas Neues propagiert, das sich kategorisch vom Realismus deutscher Prägung unterschied, propagiert freilich oft in jugendlich-übertriebener Selbsteinschätzung und mit dem Gestus ihrerseits unverwundbarer Drachentöter – letzteres ein (begreiflicher) Irrtum, wie der weitere Gang der nationalen Literaturgeschichte zeigen sollte.

An der Unkenntnis der deutschen Realisten – darauf hat Karl Storck in seiner "Deutschen Literaturgeschichte" zurecht aufmerksam gemacht – trug die 'amtliche' Germanistik ein gerütteltes Maß an Schuld: "Ihre Pflicht wäre es gegenüber dem Zeitungsfeuilletonismus gewesen, auf die deutschen Meister des Realismus, auf Hebbel, Ludwig, auf Gottfried Keller, Gotthelf und Anzengruber" – die Reihe der Namen wäre freilich zu ergänzen! – "hinzuweisen. Diese alle waren um diese Zeit so gut wie unbekannt, waren vollständig von der Modeliteratur in den Hintergrund gedrängt." (359,473) Hier zeigte und rächte sich die Gepflogenheit einer Disziplin, die sich von ihren Anfängen (den Brüdern Schlegel nämlich, nicht den Brüdern Grimm, wie es oft gesehen wird) längst getrennt: es aufgegeben hatte, zur Literatur der jeweiligen Zeit kritisch Stellung zu nehmen. Vielmehr war – um es knapp zu sagen – in der Regel nur das 'wissenschaftswürdig', was etliche Jahre oder besser noch Jahrzehnte zurücklag; einen Autor zu behandeln, der noch am Leben war, galt als obsolet – das langsame 'Nachhinken' wurde somit institutionalisiert. Wilhelm Scherers "Geschichte der deutschen Literatur" schloß ja, bezeichnenderweise, mit Goethes Tod. – Was Wunder, daß die eben der Schule entsprungenen "Jüngstdeutschen" nur jene Autoren kannten, nur jene Autoren kennen konnten, die laut und sich gegenseitig protegierend den Markt beherrschten, die Literaturlieferanten für den Weihnachtsgabentisch und für die Einsegnung der Höheren Töchter, die geschickten "Opportunisten" (23,401), welche die Ware Poesie an den Mann oder öfters noch an die Frau zu bringen verstanden – die frühnaturalistischen Attacken gegen derartige Verweiblichung der Literatur und deren Herunterkommen zur leicht konsumierbaren Höhere-Töchter-Poesie sind Legion.

Wenn Formeln wie "heiteres Darüberstehen" zwar gerade für Fontane fehl am Platze waren, diesen Autor also in illegitimer Übertreibung zum "abgeklärt"-weisen Alten harmonisierten – ähnlich pauschal und ungerecht war Benns Reklamation des "Pläsierlichen" –, so brachten sie doch zum Ausdruck, daß dem bürgerlich-poetischen Realismus in Deutschland Distanziertheit gegenüber tagespolitisch-gesellschaftlichen Themen und Festhalten an die Realität "verklärenden" Tendenzen eigen waren; Distanziertheit vor allem jenem "Stand" gegenüber, der als vierter bezeichnet wurde und der sich selbst als "Klasse" der Zukunft verstand: das Proletariat blieb meist gänzlich aus dem Blick oder "im toten Winkel" (340,34). Wenn es überhaupt einmal in Erscheinung trat, geschah dies gleichsam teichoskopisch, über eine unsichtbare Mauer hinweg, die dennoch trennte – die auch von Demetz herangezogene Szene in Fontanes "Irrungen Wirrungen" illustriert dies in Nomenklatur wie emotionalem Ergebnis:

> Während er noch so sann, warf er sein Pferd herum und ritt querfeldein auf ein großes Etablissement, ein Walzwerk oder eine Maschinenwerkstatt, zu, draus aus zahlreichen Essen Qualm und Feuersäulen in die Luft stiegen. Es war Mittag, und ein Teil der Arbeiter saß draußen im Schatten, um die Mahlzeit einzunehmen. Die Frauen, die das Essen gebracht hatten, standen plaudernd daneben, einige mit einem Säugling auf dem Arm, und lachten sich untereinander an, wenn ein schelmisches oder anzügliches Wort gesprochen wurde. Rienäcker, der sich den Sinn für das Natürliche mit nur zu gutem Rechte zugeschrieben, war entzückt von dem Bilde, das sich ihm bot, und mit einem Anfluge von Neid sah er auf die Gruppe glücklicher Menschen. (331,I,406 f.)

Der räumliche Abstand zwischen dem berittenen Beobachter und der proletarischen Mittagspausen-Bukolik kann für die Entfernung zwischen poetischem Realismus und der Welt des "vierten Standes" als symbolisch betrachtet werden, gleichfalls die quasi-rousseauistische Idyllisierung der Arbeitswelt in ein Gartenlauben-Tableau: der poetische Realist geht nicht in die Fabrik hinein wie der milieuexplorierende Zola für seinen Roman "Germinal"; er bleibt draußen, in einem Maß, daß ihn Neidgefühle gegenüber einem substituierten Glück ergreifen.

Auch der deutsche Realismus hatte zuweilen das Detail ausführlich beschrieben, das Kleine und Bescheidene; Fontane etwa bekannte:

> Ich behandle das Kleine mit derselben Liebe wie das Große, weil ich den Unterschied zwischen Klein und Groß nicht recht gelten lasse....
> Herwegh schließt eins seiner Sonette ("An den Dichter") mit der Wendung:
>
> "Und wenn einmal ein *Löwe* vor Euch steht,
> Sollt Ihr nicht das *Insekt* auf ihm besingen".
>
> Gut. Ich bin danach Lausedichter, zum Teil sogar aus Passion [...]
> (343,59)

Dagegen tendierte vor allem die gründerzeitliche Epik zum Überlebensgroßen: zum Heroisch-Riesigen, zum Statuarisch-Unnahbaren, zu einem über dem Monumentalen und Monumenthaften das Kleine vernachlässigenden Stil.

Die naturalistische Detailgenauigkeit ist jedoch zu unterscheiden sowohl vom Gründerzeitlichen – das liegt auf der Hand und fügt sich ein in die insgesamt feststellbare Abwendung jener Literaturphase – wie auch vom Realistischen: wenn es dort die 'Liebe zum Detail' war, die auch das Unscheinbare und Nebensächliche poetischer Darstellung für wert erachtete, so war es im Naturalismus die virtuell jedenfalls emotionsfreie wissenschaftsentlehnte Analytik, die induktive Methodik kleinster Schritte, die minuziöse und auf Vollständigkeit der nur immer möglichen Beobachtungen bedachte Präzision des "objektiven" Forschers.

Alles in allem: der Naturalismus ist nur partiell mit einigen Epochen der deutschen Literaturgeschichte und nur lose mit der Tradition des bürgerlichen Trauerspiels verbunden – im Intentionalen, im Stofflichen oder in der Zuwendung zu den Dingen 'dieser Welt'. Völlig traditionslos steht er – entgegen vereinzelten Pauschalerklärungen – keineswegs da; ebensowenig ist aber ein kontinuierliches Anknüpfen an bereitstehende Traditionen zu verzeichnen. Einerseits aus Unkenntnis, andererseits infolge des rundum destruktiven tabula-rasa-Gestus wird die Gelegenheit versäumt, Autoren wie Büchner oder Hebbel von Anfang an zum Vorbild zu nehmen – stattdessen sucht man bald seine Vorbilder im 'fortschrittlichen' Ausland; und erst von dort wird man dann wieder auf die möglichen Vorbilder 'zuhause' verwiesen.

II.5 Literarische Technik

II.5.1 Gattungen

Ernst Alker und Jost Hermand sprachen mit einigem Recht davon, daß die Lyrik im Naturalismus nicht eben eine favorisierte Rolle spielen konnte (vgl. 23,861; 70,313). Oft genug gerieten denn auch naturalistische Problemkreise zu lediglich gereimten Leitartikeln, von denen sich etwa Franz Mehring entschieden distanzierte (109,132): auf knappem Raum mit seiner Präformierung in Metrum, Rhythmus und Reim wurde allzu leicht zum Klischee, was größerer Ausführlichkeit und erklärender Herleitung bedurft hätte. Der lyrisch angesprochene Arm-Reich-Gegensatz etwa brachte die soziale Frage zwar in den Blick, kam jedoch über das bloße Aufzeigen schlechter Realität nicht hinaus. Lösungsvorschläge waren lyrisch kaum zu formulieren; allenfalls Bekenntnisse oder Utopien wurden auf den Reim gebracht: die Bekenntnisse etwa, resignativ dem Phänomen sozialer Ungerechtigkeit gegenüberzustehen, eine arme Näherin zu bedauern, Mitleid mit dem zur monotonen Sklaverei verdammten Arbeiter zu haben. – Naturalistische Lyrik brach zwar mit dem 'positiven', dem rekreativen Stimmungswert konventioneller Poesie (den die Jüngstdeutschen in der Gründerzeitlyrik heftig bekämpften), kam jedoch über die Verwandlung in einen negativ-düsteren Stimmungsgehalt selten hinaus: lyrische tristesse herrschte vor, nicht einem allgemeinen Weltschmerz, sondern einem sehr konkreten Schmerz hingegeben – aber eben doch statisch, deskriptiv, das Schlimme konstatierend und nur das Mitgefühl mit allen Benachteiligten betonend. So gerannen zu emotional-engagierten Bildchen die Darstellung von Bettlern, Selbstmördern oder Dirnen, Votivtafeln gleich, die den Vorbeigehenden um Mitgefühl baten.

Die Prosa des Naturalismus hatte schon sehr viel breitere Möglichkeiten, das Darzustellende mit Psychographie, Soziologie oder Physiologie zu unterfüttern, also zu explizieren, auf welche Weise, durch welche Faktoren das Geschick einzelner oder mehrerer zu dem geworden war, wie es sich dann darstellte. Selten wurde linear erzählt, stationenweise, durchgängig (dies leisteten allerdings vorbildlich und unter penibler Einhaltung der Deckung von Erzählzeit und erzählter Zeit die zum Dramatischen hin tendierenden "Studien" vor allem von Holz/Schlaf) – sehr viel häufiger sprengten lange Exkurse, Rückblicke, biographische oder historische Rekapitulationen den Erzählfluß, in solcher Zahl und Eigenständigkeit, daß der Weg der Zentralfiguren – in aller Regel Nicht-Helden, Anti-Helden – als sekundär zu wertender Kontext erschien für transpersonale Zusammenhänge, auf die es dem Autor sehr viel mehr ankam. Insbesondere dem von Hippolyte Taine so nachdrücklich als prägend hervorgehobenen Milieu (vgl. Kap. II.4.1) galt das erzählerische Interesse, jenem Milieu, das nicht auf die Herkunft des Elternhauses beschränkt, sondern auch im voranschreitenden Alter der beschriebenen Figuren bestimmend blieb: etwa das Berlin der Kaschemmen und Nachtcafés, der "Kinder der Sünde"[53] – wie die Dirnen in immer noch moralisierender Nomenklatur genannt wurden – und der gründerzeitlichen "Geldsackmentalität" (Raabe) – hier bot sich immer wieder Gelegenheit, Einzelstudien einzuschieben, Zeit und Ort genau zu porträtieren, Milieu-Skizzen zu zeichnen. – Die Zentralfiguren der Erzählungen und Romane waren meist äußerst labile Charaktere, prinzipiell allen Einflüssen zugänglich, oft jedoch nur den schlechten konfrontiert und diesen bald erlegen: selbst unschlüssig, lebensuntüchtig, auf materiellen Vorteil bedacht, keiner Versuchung widerstehend. So mußte ihre biographische Bahn meist ein Abgleiten bedeuten in widerlichen Zynismus und Egoismus, eine Bahn, die sie selbst mit monomanischer Selbstzergliederung begleiteten, schwankend zwischen grenzenloser Selbstverachtung und dem hybriden Wunsch, alles dominieren und kalkulieren zu können – Hermann Conradis "Adam Mensch", wie viele andere Zentralfiguren naturalistischer Epik ein typischer "Übergangsmensch", gibt hierfür das Paradebeispiel ab. Der "Held" naturalistischer Prosa kannte weder Autonomie noch Ziel, war weder einheitlich in seinem Charakter noch konturenscharf beschreibbar: determiniert und präformiert, zerrissen und oft leidenschaftlich egoistisch, bildete er eine Vorstufe zum Nervenmenschen der décadence, zum Hypersensiblen des fin de siècle. Dialogisch konfrontiert mit Mit- und Gegenspielern, halfen seine Äußerungen den Dialog des naturalistischen Dramas vorbereiten: ganze Romanausschnitte waren auf die Bühne transponierbar; das Bemühen um exakte Reproduktion sprachlicher Äußerungen bereitete die 'abgehackte' Mimetik der konsequent-naturalistischen Dramensprache vor – so etwa in Conradis Roman die Lallrede des angetrunkenen Oettinger:

> 'Feudales Weib, diese Lydia, nicht, Doctor –?' phantasirte Herr Oettinger, 'Göttergestalt – fescher Corpus – und dieser Busen – möchte wohl 'mal – nur 'mal küssen diese L . . . l . . . ippen – – Ah! . . . ah! . . . entzückend! . . . Uebrigens, Doctor – – sind doch 'n famoser Kerl – – gehen so ein-ein-trächtig Arm in Arm – wollen uns nur wieder ver-vertragen – ha . . . ha . . . Wollen nächstens 'mal Sect kneipen zusammen – ja – ? gloriose Idee – – bringen kleine Hedwig mit – na? . . . na? . . . Verhältniß anbändeln – – auch nicht übel – – auf Ehre! werde das reizende Scheusal gelegentlich 'mal pou-pou-ssiren – – –' (183,81 f.)

Tendierte so schon die Prosa des Naturalismus – besonders in ihren Kleinformen, der "Skizze", der "Studie", dem "Sittenbild"[54] – auf szenisch zu nennende Präsentation von meist alltäglicher zeitgenössi-

---

[53] Vgl. etwa Paul Ernst, "Zum ersten Mal". In: 20,171–180.

[54] Vgl. etwa Max Kretzers "Berliner Sittenbild" "Die Engelmacherin". In: 20,55–63.

scher Realität und aktueller Problematik, so war die Gattung des Dramas ganz besonders geeignet, ein 'Stück' Wirklichkeit im sehr konkreten Verstand vorzustellen: einen aus dem 'normalen' Kontinuum heraus-'sezierten' Abschnitt zwischenmenschlichen Verhaltens, exakt reproduzierter Kommunikation, wirklichkeitsgetreu auch im oft verwendeten Dialekt. Einführende Exposition und ein Ende mit abschließender "Lösung" oder "Katastrophe" konnte in einer Dramatik keinen Platz haben, der es nicht mehr um 'Ideen' ging oder um eine antagonistische 'Handlung' im konventionellen Sinn, sondern vor allem um die veristische Dokumentation von 'Charakteren', Charakteren allerdings nicht mehr von bedeutender "Fall"-Höhe, sondern von bewußter Durchschnittlichkeit: soziologisch rangieren die dramatis personae des Naturalismus zumeist im unteren Bereich der gesellschaftlichen Pyramide; die Kleinbürger dominieren; proletarische Gestalten kommen weit seltener vor als in den Momentaufnahmen der Lyrik oder in den milieubestimmten Erzählungen. – Im Bemühen um die Vorführung authentischer Realität fallen Dramenzeit und dramatisierte Zeit – um Parallelbegriffe zu den eingeführten Termini der Erzählforschung zu gebrauchen – zusammen: dem Zuschauer wird keine auktoriale Auswahl präsentiert, sondern er wird zum während des 'nach hinten' und 'nach vorne' offenen Abschnitts vorgeführter Wirklichkeit stets gegenwärtigen Zeugen des Geschehens; er erlebt eine ununterbrochene Abfolge keineswegs 'dramatisch' geschürzter Vorgänge, eine kontinuierliche Stationenreihe, wie sie herkömmlicherweise der Epik eignet.

'Episch' breit sind die Bühnenanweisungen, die Personenbeschreibungen und die Inszenierungsvorschriften; 'undramatisch' im bisher üblichen Sinn die Formen außersprachlicher Kommunikation, Mimik, Gestik und Pantomimik – sie alle genau vorgeschrieben von einem Autor, der sonst nicht mehr in Erscheinung tritt, also keine Figur mehr zu seinem Sprachrohr, zu seinem Ideenträger macht: die Figuren auf der Bühne spielen *ihr* Spiel – oder genauer: sie leben *ihr* Leben.

> Vollendete, unentrinnliche Illusion [...], das ist das Ideal! (11,273) –

so drückt es, stellvertretend für andere Dramatiker des Naturalismus, Max Halbe aus: auf die Spitze getriebene Alltags-Mimesis soll den Zuschauer zur Auseinandersetzung mit *seinen* Problemen zwingen. Denn nicht mehr die "Illusion" einer 'anderen Welt' ist angestrebt, kein Ausweichen in 'schöne Idealität' mehr möglich: das Leben der 'Leute von nebenan' wird gezeigt und nicht mehr das Leben von Großen der Geschichte oder von Größen, die Geschichten machen – das war das von den Naturalisten verachtete Sujet gründerzeitlicher Dramatik, von dem man sich abwandte zugunsten "menschlicher Dokumente" (18,108) von hier und jetzt.

Determinierung und (vor allem erbliche) Präformierung herrschen auch im naturalistischen Drama vor und begünstigen die oft gewählte analytische Form: weil in der mit der dramatisierten Zeit deckungsgleichen Dramenzeit kaum etwas 'Dramatisches' passieren, weil allenfalls ein 'fruchtbarer Augenblick' – im ganz und gar wertneutralen Verstand – vorgeführt werden kann, wird das der Dramenzeit Vorausliegende von Belang, die Geschichte eines einzelnen, einer Familie oder einer Gruppe. Geschichte, Vergangenheit reicht prägend ins Hier und Heute hinein, als unabgetane Hypothek, als nicht beglichene Rechnung (vgl. 130) – für Menschen, die mit ihrer Biographie, mit ihrem Milieu zu leben haben, die keineswegs 'nach vorne' frei, sondern stets 'von hinten' fixiert sind: eine Autonomie der naturalistischen Dramenfigur kann es nicht geben, da jeder Mensch von der Taineschen Trias Rasse, Moment und Milieu bestimmt ist. An die Stelle des konventionellen Tragik-Begriffs rückt die szientifische Tatsache der Determination (vgl. 146,405;38); die Dramenwirklichkeit leistet – für die dramatis personae wie für den Zuschauer – eine Analyse der das 'Individuum' determinierenden Faktoren. So ist das Drama "vom ersten bis zum letzten Wort Exposition" (194,VI,1037), "Gerichtstag" (Ibsen), "Durchsickern" der "Vorgeschichte".[55] Tendenziell nähert sich das naturalistische Drama "ohne den betäubenden Tamtam der Aktschlüsse, der 'dramatischen' Zuspitzung, der 'Peripetie'" (11,271) dem Einakter, den Strindberg als *die* Form moderner Dramatik bezeichnen kann. (Vgl. 306)

Eine solche Dramatik außerhalb der Freytagschen Regeldetri von Exposition, steigender Handlung, Höhepunkt, fallender Handlung und Katastrophe bzw. Lösung verlangt einerseits vom Schauspieler den Verzicht auf alles 'Theatralische' und die penible Befolgung der auktorialen ('episch' angelegten) Spielanweisungen, vom Zuschauer andrerseits ein kritisches und selbstkritisches Mitverfolgen des ganz und gar unprätentiösen Bühnengeschehens – in der Tat: "Brechts Zuschaukunst hat hier ihre Vorläufer." (146,423)

II.5.2 Sprache

Der erste Eindruck naturalistischer Sprache (vgl. 30) ist für den Zuschauer Schwerverständlichkeit, für den Leser optische Verwirrung: der Stil von Pünktchen, Gedankenstrichen, Ausrufezeichen und eingeschobenen Autorenanweisungen macht ein kontinuierliches Nachvollziehen unmöglich, zwingt den Leser (und auf der Bühne den Schauspieler) zum Entziffern des auktorial Vorgegebenen, zu einem zähen Prozeß, der oft durch Dialektverwendung noch erschwert wird. Um nur ein bekanntes Beispiel zu erwähnen: Hauptmanns "Waber" sind für den Nicht-Schlesier schlichtweg unlesbar, und selbst die dem Hochdeutschen angenäherte

---

[55] So Alfred Kerr in seiner "Technik des Dramas". Zit. in: 146,420.

-Fassung bringt noch genügend Schwierigkeiten des Verstehens

...kommt die häufige Herkunft des Spielpersonals aus der Unterschicht, deren Sprechweise der naturalistische Autor dem Objektivitätspostulat entsprechend mit allen Verstößen gegen eine 'normale' Redeform abbildet. Ein Beispiel aus Johannes Schlafs "Meister Oelze" mag für viele stehen:

> *(hastig).* Ja! – Ja! . . . H!! – Luft!! – Luft!! – Ganz – dichte – ran . . . So! – Soo! – Pauline! – Ich – muß dir was – sagen . . . *(Fiebernd.)* He! – He! – Tu mir nischt! – Geh mal weg, du da driww'n! – Ich . . . Ich muß das doch – erscht – los – wer'n – die – S c h t e e n e . . . Ich muß doch . . . hähä! – Hähä! – M! – N i c h – p h a n – t a - s i e r n ! ! . . . *(Hastig.)* Pauline!! – Pauline!! – Rasch! – Fix! – Ich . . . Ich – ha – be . . . – *(Beobachtet sie scharf und mißtrauisch.)* Was . . . Was machst 'enn fer – Oogen?!! (219,69)

Man könnte noch sehr viel extremere Beispiele auswählen;[56] doch macht das gegebene bereits den Unterschied zur herkömmlichen Dramen- und Literatursprache deutlich.

Die mimetische Reproduktion der Alltagssprache, welche die Naturalisten als Novum in die deutsche Literatur einführen, stellt einen radikalen Bruch mit der bisherigen Dichtungssprache dar: angestrebt ist eine Form der Redeweise, die sich alles Poetischen, alles Fiktionalen im herkömmlichen Sinn enthält – so sehr, daß man geradezu von einer *Expositorik* der naturalistischen Literatursprache reden könnte. – Wenn eine heute geläufige Grobeinteilung der Textsorten in fiktionale und expositorische auch nur mit gewissen Einschränkungen Unterscheidungsmerkmale zwischen 'dichterischem' und 'normal-alltäglichem' Ausdruck erbringt, so hilft diese Differenzierung doch zu trennen, was einmal als – 'poetisch' – gefilterte Aussage und zum andern als unverstellte Weise des Gesprächs oder der (beispielsweise politischen) Rede erscheint.

Die so verstandene Expositorik naturalistischer Diktion erstreckt sich – ganz abgesehen vom Gebrauch des Dialekts und Soziolekts – bis in Bereiche des Jargons, des Slangs und sogar der Fäkalsprache, dann etwa, wenn Säufer oder Dirnen zu Wort kommen: auch hier zeigt sich, wie schon im Stofflichen, ein gewolltes und zuweilen sehr forciertes Aufbrechen von Tabus; und ebenso wiederholen sich die affektgeladenen Abwehrreaktionen, welche die Kritiker der Jüngstdeutschen bereits bei den 'krassen' Stoffen gezeigt hatten: 'so eine' Sprache der 'Gosse', so eine 'Bordelldiktion' war bisher undenkbar gewesen und sollte nach Meinung der Naturalismus-Gegner auch künftig obsolet bleiben.

---

[56] Um nur ein Beispiel zu nennen: die Lall-Reden des betrunkenen Bauern Krause in Hauptmanns "Vor Sonnenaufgang": 194,I,39 f.

Derlei Abneigung wurde schließlich sogar aktenkundig, als im Leipziger Realistenprozeß von 1890 einzelne "Stellen" aus den Romanen Wilhelm Walloths, Hermann Conradis und Conrad Albertis inkriminiert wurden. Den Autoren wurde dabei ein wiederholtes Vergehen gegen den Unzuchtsparagraphen 184 zur Last gelegt, was schließlich zur Verurteilung führen sollte – Albertis Apologie seines Romans stieß auf taube Ohren:

> Ich behaupte vielmehr, daß seine Tendenz eine vollständig moralische und sittliche ist, daß es vor allen Dingen auf die *gesamte Tendenz* eines Buches ankommt und nicht auf einzelne Stellen aus demselben. (3,1890,1151)

Selbst auf der Literaturdebatte des SPD-Parteitags in Gotha 1896 wurde das doch eher 'bürgerliche' Argument geltend gemacht, eine Lektüre mit solchen "Stellen" dürfe man Frauen und Töchtern des klassenbewußten Proletariats nicht in die Hand geben.

Die durch Dialektverwendung und oft aposiopetische Sprechakte minuziös im "Sekundenstil" (72,159) reproduzierte Sprache des "konsequenten Naturalismus" ist ohne Zweifel prätheoretische, darum aber nicht weniger aussagekräftige, aufgrund genauester Beobachtungen protokollartig mimetisierte, also empirie-orientierte Sozio- und Psycholinguistik – in der Versuchsanlage exakt dem von Labov erkannten Dilemma entsprechend:

> So bleibt uns denn das *Beobachter-Paradoxon:* das Ziel der sprachwissenschaftlichen Erforschung der Gemeinschaft muß sein, herauszufinden, wie Menschen sprechen, wenn sie nicht systematisch beobachtet werden; wir können die notwendigen Daten jedoch nur durch systematische Beobachtung erhalten. (357,104)

Vor allem die von Bernstein in mehreren Publikationen verwendeten und 1973 von Hager/Haberland/Paris zusammengestellten Merkmale des Unterschicht-Sprachgebrauchs – des "restringierten" Code [hier ist freilich nicht der Ort, in die in der BRD heftig geführte Diskussion über Bernsteins Versuchsanordnung und die Aussagekraft seiner Ergebnisse einzugreifen] – lassen sich mühelos etwa auf die Figuren-Äußerungen der "Familie Selicke" applizieren, umgekehrt: eine linguistische Untersuchung dieses Stückes käme zu mit Bernsteins Merkmal-Katalog identischen Feststellungen, vor allem wohl deshalb, als es um 1890 die heute eingetretene Einebnung der sprachlichen Unterschiede aus mannigfachen Gründen noch nicht geben konnte, die Diskrepanzen zwischen Unter- und Oberschicht also sprachlich noch eklatant waren (wobei die Frage geklärt werden müßte, ob nicht schon die naturalistische Verwendung des "restringierten" Code den Erfolgsradius beim bürgerlichen Publikum aufs empfindlichste einschränkte: es ist anzunehmen, daß über das Medium sprachlicher Diskrepanz ein ganzes Syndrom mentaler und gesellschaftlich handfester Abwehrhaltungen beim 'guten' Bürgertum der 'besseren' Gesellschaft auftrat – auch die letztgenannten Wortbildungen machen sprachpsychologisch die kategoriale Distanzierung zwischen Ober- und Untersicht deutlich!). – Wenn Ulrich Oevermann in seinem 1970 publizierten Buch "Sprache und soziale Herkunft" schreibt:

> Die den 'elaborierten Kode' kennzeichnende Einstellung zum Sprachgebrauch ist zugleich Voraussetzung für das Zustandekommen rationalen Diskurses und für den Aufbau der Ich-Identität eines autonomen Individuums. (357,62)

– so erbringt dieser soziolinguistische Befund vice versa für die mehr getriebenen als agierenden Spielfiguren der "Familie Selicke", ablesbar am nicht-elaborierten Code, die Tatsache ihrer (sogar ganz bewußten) Determiniertheit und ihrer so verminderten Ich-Identitäts-Findung, in der Tat schon erkennbar am nicht zustandekommenden rationalen Diskurs.

Ellipse, Aposiopese, Anakoluth, Katachrese – solche syntaktischen 'Betriebsunfälle' sind im mehrfach restringierten Code naturalistischer Sprachführung die Regel: der Individuen Eingebundensein in vielfältige Zwänge und Determinanten verengt ihren Bewegungsspielraum derart, daß sie gleichsam mit dem Rücken an der Wand stehen müssen, um noch Halt zu finden, unfähig, aus eigener Kraft eigene Schritte zu tun. Die Deformation ihrer nur noch illusionären Autonomie und deren Umkehrung in fremdgesteuerte Heteronomie findet ihr sprachliches Pendant in Gestammel und verbalem Versagen; ihre mentale Dumpfheit und Resignation reproduziert sich in einer Diktion, die nicht mehr über Wort- und Satzmaterial verfügen, sondern nur noch einige einzelne Partikel vorweisen kann, so sporadisch freilich, daß echte Kommunikationsleistung nicht mehr gelingt und mißratendes Miteinandersprechenwollen in Hilflosigkeit endet.

Derlei Sprachführung – in Dialogen, die oft zur Aneinanderreihung von Monologen tendieren – wirkt leicht manieristisch, entspricht aber nichtsdestoweniger dem angestrebt veristischen Abbildungskriterium exakter Beobachtung und mithin wissenschaftlichen Ergebnissen, wie sie später Basil Bernstein in seinen linguistischen Forschungen ermittelt hat.

Bei der Analyse der "konsequent naturalistischen" Sprache sind die bisher immer wieder herangezogenen Begriffe des Dialekts und Soziolekts, also lokale und schichten- oder klassenspezifische Ausprägungen der Sprechakte, nur grobe Raster, die erheblicher Differenzierung bedürfen. Sie sind allzu pauschale Beschreibungsinstrumente, als daß nicht situative und emotionale Kriterien im sprachlichen Vollzug mitbeachtet werden und begrifflich enger eingegrenzt werden müßten. Zunächst einmal sollte – ausgehend von einer genauen Untersuchung der kleinbürgerlichen und proletarischen Bewußtseinssyndrome (Existenzangst aufgrund materieller Not; meist nicht in Aktion transponierbares, weil Autoritäten-Rache fürchtendes oder vom Herr-und-Knecht-Schema als unumstößlicher Dauereinrichtung überzeugtes oder von vornherein resigniert-dumpfes Bewußtsein; selbstmißtrauender Fatalismus und Defätismus u.s.f.) – diese Sprache als spezifische Ausformung der Unterschichtsprache in einer historisch ganz präzisen (also nicht schematisch-überzeitlichen) Synchronie der späten Bismarckzeit und des beginnenden Wilhelminismus beschrieben werden: die sprachlichen "Restriktionen" also als psychisch internalisierende und internalisierte Vermittlungsinstanzen ökonomischer, soziologischer, hierarchischer, familiärer und Milieu-Bedingungen. Sodann aber muß ein Schritt darüber hinaus folgen, welcher darauf abhebt, daß im Sprechakt eines jeden Menschen – sofern er nicht durch metrische Korsettage abgestützt oder durch Autorenharmonisierungen gereinigt erscheint – "Mimik der Rede"[57] auftaucht: daß sich im Sprechakt eines jeden Menschen jeweils situativ widerspiegelt, wie es um seinen derzeitigen Affekthaushalt bestellt ist.

Ich möchte für die Beschreibung solcher 'gestörter' Sprechakte – wie sie im Naturalismus (auch schon in der Prosa) häufig verwandt werden – einen neuen Terminus vorschlagen, der über den Bereich des Naturalismus hinaus für jede Art zu schreiben oder zu sprechen tragfähig sein dürfte, die sich der Stilisierung enthält: den Begriff des Psycholekts.

Dieser Terminus "Psycholekt" bedarf der Erläuterung, schon deshalb, weil "-lekt" in gängigen Begriffen wie Dialekt, Soziolekt oder Idiolekt auftaucht und in den genannten Begriffen zur Beschreibung einer Konstante dient: einer sprachgeographischen, schichtspezifischen oder personenbezogenen Ausdrucksweise. – Der Begriff des Psycholekts hingegen soll in sehr viel dynamischerer Weise die Unterschiedlichkeit individueller Sprechakte beschreiben, wobei deren Unterschiedlichkeit in Kongruenz gesehen wird zum ruhigen, beunruhigten oder gar – hier, 'vom Rand her', läßt es sich am leichtesten zeigen – verworrenen Affekthaushalt. Psycholekt zielt also begrifflich auf die situationsbedingte Realisierung jeweiliger Sprachkompetenz. – Nebenbei sei eingeräumt, daß die 'Kurvenschwankungen' des individuellen Psycholekts präformiert sind durch die vorrangig zu betrachtende Typenzuordnung des betreffenden Individuums: die 'Ausschläge' werden beim Choleriker natürlich enor-

---

[57] Der Terminus stammt von Franz Servaes: "Nicht nur, daß sie alles Mundartliche weit nüanzierter aufnahmen als bisher, sie beobachteten und reproduzierten auch in der treuesten Weise, was man die 'Mimik der Rede' nennen kann: jene kleinen Freiheiten und Verschämtheiten jenseits aller Syntax, Logik und Grammatik, in denen sich das Werden und Sichformen eines Gedankens, das unbewußte Reagieren auf Meinungen und Gebärden des Mitunterredners, Vorwegnahme von Einwänden, Captatio benevolentiae und all' jene leisen Regungen der Seele ausdrücken, über die die Widerspiegler des Lebens sonst als 'unwichtig' hinwegzugleiten strebten, die aber gerade meist das 'Eigentliche' enthalten und verraten." In: 212,84 f.

mer sein als etwa beim Melancholiker, beim Leptosomen gleichfalls stärker als beim 'ruhigen' Pykniker. – Trotz dieser Einschränkung erscheint mir der Psycholekt-Begriff von weiterreichender Tragfähigkeit in der genauen Deskription von Sprechakten als die nur sehr vage Bestimmung durch die Konstitutionslehre oder die Viersäftetheorie.

Unter *Psycholekt* verstehe ich – neben dem mundartbezogenen Dialekt und dem 'ständische' Herkunft abbildenden Soziolekt – ein Sprachverhalten, welches, und zwar über-'ständisch', das emotionale Gleichgewicht, das gestörte oder mangelnde und gar fehlende Gleichgewicht des Sprechers in seinen Äußerungen reproduziert. Es entspricht einer Binsenweisheit, daß jeder Mensch in seinem Sprachduktus Schwankungen der Phonzahl, der Worthäufigkeit und der geregelten Syntax unterliegt; daß also im Zustand ruhigen Geplauders ein anderes Sprechverhalten zutage tritt als im Zustand der (hochgradigen) Erregung; anders, daß der mehr oder weniger harmonische Affekthaushalt ein mehr oder weniger ruhiges oder unruhiges Sprechen bedingt. In der Situation der Affekthaushaltstörung aber spricht auch der Kerr'sche "Oberlehrer" (12,9) abgehackt, katachretisch, anaphorisch, stammelnd, kurzum "erregt", wie es im normalen Sprachgebrauch treffend bezeichnet wird – im Gegensatz zu einer "angeregten" Unterhaltung; spricht also selbst der sonst so syntaxmeisternde "Oberlehrer" in Richtung dessen, was Naturalismus-Kritiker bissig als "Tierlautkomödie" registrierten.

Das induktiv-analytische Verfahren physiologisch-naturwissenschaftlichen Vorgehens findet seinen Eingang bis in die Regiebemerkungen der naturalistischen Dramatiker. – So nimmt Winter, die männliche Hauptfigur in Max Halbes "Freie Liebe", die Worte seiner Geliebten "*kalt sezierend*" nochmals auf: "Nimm sie doch, schön gesagt!" (14,166) Und auch die anderen Autorenprogrammierungen der jeweils zu benützenden Sprachlage verlangen vom Darsteller dieser Stücke das perfekte Beherrschen einer umfassenden Skala emotionaler Registrierung bis hin zu sprachmimisch dargebotener Pathographie: "weich ... belustigt ... mit leichtem Vorwurf ... gepreßt ... ärgerlich ... unwillig ... schwermütig ... trübe ... melancholisch ... mit plötzlichem Ausbruch ... sehr weich ... nervös ... immer nervöser ... in zitternder Erregung ... mit verzerrtem Gesicht ... verzweifelt ... erschüttert ... in mütterlicher Angst ... lächelnd ... ruhiger ... tief herauf" (ebd.).

Eine solche Reihe, beliebig herausgegriffen aus nicht einmal zwei Seiten Dialog, macht gleicherweise deutlich, wie energisch der Autor steuert und den Regisseur wie den Schauspieler zum puren Richtlinienempfänger 'degradiert', und auch, wie nuancenreich die so verlangte Darstellungsart zu sein hat: was der Verfasser vorschreibt, niederschreibt aufgrund genauer Beobachtungen, will seinerseits exakt 'beobachtet', reproduziert sein.

Konventionelles Schiller-Pathos – wie es noch der stellungslose Theaterdirektor Hassenreuther in Hauptmanns "Ratten" seinen Schülern als ewig gültiges Gesetz der hohen Deklamierschule einzutrichtern versucht – ist nicht mehr möglich: anstelle monoton gewichtiger, bedeutungsträchtiger Fanfarenstöße ist die differenzierte wie diffizile Feinabstimmung eines stimmlich-mimetischen Klangkörpers gerückt, anstelle der "Oberlehrer"-Diktion der oft – dialektisch, elliptisch, bloß-interjektional – restringierte Code, den neben "Arbeitsmännern" und "armen Näherinnen" auch Oberlehrer sprechen, wenn sie nicht gerade vom Katheder herab dozieren.

Auf eine – kaum zu pauschale – Formel gebracht: sprachen die Bühnengestalten des Blankverstheaters allesamt die poetische Sprache ihres Autors, so verteilt nun der Autor aufgrund genau beobachteter Individualsprachen, Dialekte und Soziolekte samt deren jeweils mutierenden Tonlagen die Sprach-Rollen; statt eines durchgängigen metrischen Schemas, dem der Kronprätendent ebenso entspricht wie der reitende Bote, die Mätresse wie die Kammerzofe, wird nun Durchgängigkeit, Konsistenz nur noch für die einzelne Person sprachlich realisiert, etwa mit redensartlichen Stereotypen wie dem "nu ja" des ollen Kopelke in Holz/Schlafs "Familie Selicke", dem "hähähä" des alten Schniermann in Rosenows "Die im Schatten leben" oder dem "ja – ja" der Sophie in Hartlebens "Hanna Jagert", mit syntaktisch charakteristischen Mustern wie Inversion oder Ellipse.

Szenen hochgradiger Erregung oder Episoden von Affektstaus mit deutlicher Explosionslatenz hatte auch das konventionelle Drama zur Genüge gekannt – doch waren auch in solchen Situationen die Blankverse oder andere Metren nicht verlassen worden, waren sie weitergesprudelt und allenfalls in der Wortwahl bombastischer, pathetischer geworden: sprachliches Zögern oder gar Versagen war zumeist obsolet; wo die real gedachten Bühnenfiguren von ihrer Zunge im Stich gelassen worden wären, half der Autor mit Eloquenz und metrischer Sicherheit nach.

Dem Naturalismus schien solche Nivellierung (die sich ja auch über alle soziale Schichten erstreckte, so daß der Diener die gesattelten Pferde mit gleichem Pondus zu vermelden hatte wie der Feldherr seine Soldaten instruierte) als unwahr, verlogen, wirklichkeitsfremd. Er ersetzte das Über-alles-hinweg-reden-Können durch ein differenziertes Instrumentarium der weitgehenden Sprachverlassenheit oder der vollkommenen Sprechunmöglichkeit: durch Mimik, Pantomimik und Gestik. Lange theoretische Erörterungen ersetzt die genaue Lektüre der berühmten Versöhnungsszene zwischen den beiden Heimgekehrten im Hauptmannschen "Friedensfest":

Wilhelm. Ich weiß nicht mehr ... Ich weiß nur ... Es steckt etwas in uns Menschen ... der Wille ist ein Strohhalm ... Man muß so etwas durchmachen ... Es war wie ein Einsturz ... Ein Zustand wie ... und in diesem Zustand befand ich mich plötzlich in Vaters

Zimmer. – Ich sah ihn. – Er hatte irgend etwas vor – ich kann mich nicht mehr besinnen, was. – Und da – hab' ich ihn – buchstäblich – mit – diesen – bei-den – Händen – ab-ge-straft. *Er hat Mühe, sich aufrecht zu erhalten.*

Ida; *ihre Augen stehen voll Tränen, die sie trocknet; bleich und erschüttert starrt sie einige Augenblicke auf Wilhelm hin, dann küßt sie still weinend seine Stirn.*

Wilhelm. Du – Barmherzige. *Man hört die Stimme des Doktors von der Treppe her.* Und nun – wenn je! *Er rafft sich auf, Ida küßt ihn nochmals. Er hat krampfhaft ihre Hand gefaßt. Wie die Stimme des Doktors schweigt, hört man fröhliches Gelächter aus dem Nebenzimmer. – Wilhelm, mit Bezug auf das Lachen, wie auch auf das Kommen des Doktors, den man die Treppe heruntersteigen hört.* Ihr habt eine wunderbare Macht! *Ein Händedruck beiderseitiger Ermutigung, dann trennt sich Ida von Wilhelm. Bevor sie abgeht, kehrt sie noch einmal um, faßt Wilhelms Hand und sagt* Sei tapfer! *Ab.*

Dr. Scholz, *noch auf der Treppe.* Äh! großer Unsinn!... rechts, Friebe! – äh! Ellbogen... nicht halten, nicht halten! Donnerwetter!

Wilhelm; *je weiter der Doktor herunterkommt, um so aufgeregter erscheint Wilhelm. Seine Farbe wechselt oft, er fährt sich durch die Haare, atmet tief, macht die Bewegungen des Klavierspielens mit der Rechten usw. Hierauf ist deutlich wahrzunehmen, wie Strömungen für und wider in ihm kämpfen, – wie er in seinem Entschluß wankend wird. Er scheint fliehen zu wollen, da bannt ihn das Hervortreten des Doktors. Er hat eine Stuhllehne gefaßt, um sich zu stützen, und steht zitternd und bleich da. Der Doktor ist ebenfalls, zu seiner vollen, imponierenden Größe aufgerichtet, stehengeblieben und mißt seinen Sohn mit einem Blick, der nacheinander Schreck, Haß und Verachtung ausdrückt. Es herrscht Stille; Friebe, der, den Doktor stützend und ihm vorleuchtend, ebenfalls eingetreten ist, benützt dieselbe, um sich davonzuschleichen, ab in die Küche. Wilhelm scheint einen Seelenkampf physisch durchzuringen. Er will reden, die Kehle scheint ihm zu versagen, es kommt nur zu lautlosen Bewegungen der Lippen. Er nimmt die Hand von der Stuhllehne und schreitet auf den Alten zu. Er geht unsicher, er taumelt, er kommt ins Wanken, steht, will aufs neue reden, vermag es aber nicht, schleppt sich weiter und bricht, die Hände gefaltet, zu des Alten Füßen nieder. In des Doktors Gesicht hat der Ausdruck gewechselt: Haß, Staunen, erwachendes Mitgefühl, Bestürzung.*

Dr. Scholz. Junge... mein lieber Junge! mein... *Er sucht ihn bei den Händen zu erheben.* Steh doch nur – auf!... *Er faßt Wilhelms Kopf, der schlaff hängt, zwischen beide Hände und kehrt ihn sich zu.* Sieh mich... Junge... sieh mich doch mal – an. Ach, was ist denn – mit...?

Wilhelm *bewegt die Lippen.*

Dr. Scholz, *mit bebender Stimme.* Was ... was ... sagst du zu mir? Ich ...
Wilhelm. V.... Vater – ich ...
Dr. Scholz. Wie – meinst du –?
Wilhelm. Ich – habe dich ... habe dich ... h ... h ...
Dr. Scholz. Unsinn, Unsinn! jetzt nicht von solchen ...
Wilhelm. Ich bin – an dir – zum Verbrecher ...
Dr. Scholz. Unsinn, Unsinn! Ich weiß gar nicht, was du willst? Alte Sachen sind alte Sachen. Tu mir die einzige Liebe, Junge! ...
Wilhelm. Nun – nimm's von mir! nimm – die Last von mir!
Dr. Scholz. Vergeben und vergessen, Junge! vergeben und vergessen ...
Wilhelm. Dank ... *Er atmet tief auf, das Bewußtsein verläßt ihn.* (194,I,133 ff.)

Über weite Strecken hin – vergäße man einen Augenblick lang einmal die vorangestellten Personenangaben – befindet man sich innerhalb einer literarischen Ausdrucksform, die eher der Epik als der Dramatik zuzuordnen wäre: denn ein allwissender Autor tritt – für den *Leser* dieser Szene – hier als scharfer, alle kleinsten Veränderungen und jede physiognomische oder gestische Nuance penibel registrierender Beobachter auf, erscheint als zuverlässiger Berichterstatter eines Vorgangs von höchster Differenziertheit.

Und immer wieder – vor allem Bertolt Brecht ist zu nennen – hat man in der Tat die naturalistischen Dramen als dialogisch versetzte Partien aus ursprünglichen Romanen gesehen und so – freilich nicht im Brechtschen Sinn – von Episierungstendenzen des naturalistischen Dramas gesprochen (vgl. 65); denn auch die 'irgendwann', ohne jede Exposition also einsetzenden Anfänge wie auch die gleichfalls 'irgendwann' abbrechenden Schlüsse – jene in einem spezifisch epischen Verstand 'offenen Schlüsse' – konnten betrachtet werden als nur auktorial, nicht aber binnendramatisch begründete, als vom Autor gesetzte Schnitte, welche ein "Stück" aus einem Kontinuum heraus-'präparierten'.

Verstärken mußten sich diese Befunde über Dramenanfang und -ausgang durch die im Naturalismus – ähnlich wie etwa in Erzähleingängen Spielhagens oder Fontanes – ungewohnt ausführlichen Ortsangaben, welche der Phantasie des Bühnenbildners keinen Platz mehr ließen: jenen panoramatisch umfassenden 'Milieu-Studien' im kleinen, die mit den Vogelaugen eines pfändungsbeauftragten Gerichtsvollziehers jedes noch so winzige Detail des Mobiliars 'erfaßten' – und doch noch mehr leisteten als nur Tabelle und Topographie: Atmosphäre nämlich im ganz wertneutralen, keinesfalls heimeligen Verstand: Aussage also über die, welche hier lebten. Ich will eine solche Ortsbeschreibung wiedergeben, eine vergleichsweise kurze sogar, die aber das Gemeinte deutlich genug macht: "Das Wohnzimmer der Familie Selicke".

Es ist mäßig groß und sehr bescheiden eingerichtet. Im Vordergrunde rechts führt eine Tür in den Korridor, im Vordergrunde links eine in das Zimmer Wendts (NB: das weiß an dieser Stelle, als noch keine Person aufgetreten ist, nur der *Leser). Etwas weiter hinter dieser eine Küchentür mit Glasfenstern und Zwirngardinen. Die Rückwand nimmt ein altes, schwerfälliges, großgeblumtes Sofa ein, über welchem zwischen zwei kleinen, vergilbten Gipsstatuetten "Schiller und Goethe" der bekannte Kaulbachsche Stahlstich "Lotte, Brot schneidend" hängt. Darunter, im Halbkranze, symmetrisch angeordnet, ein Anzahl photographischer Familienporträts. Vor dem Sofa ein ovaler Tisch, auf welchem zwischen allerhand Kaffeegeschirr eine brennende weiße Glaslampe mit grünem Schirm steht. Rechts von ihm ein Fenster, links von ihm eine kleine Tapetentür, die in eine Kammer führt. Außerdem noch, zwischen den beiden Türen an der linken Seitenwand, ein Tischchen mit einem Kanarienvogel, über welchem ein Regulator tickt, und, hinten an der rechten Seitenwand, ein Bett, dessen Kopfende, dem Zuschauerraum zunächst, durch einen Wandschirm verdeckt wird. Über ihm zwei große, alte Lithographien in fingerdünnem Goldrahmen, der alte Kaiser und Bismarck. Am Fußende des Bettes, neben dem Fenster, schließlich noch ein kleines Nachttischchen mit Medizinflaschen. Zwischen Kammer- und Küchentür ein Ofen; Stühle.* (214,5)

Auch hier ist die Episierungstendenz offenbar – und man braucht nicht einmal unbedingt die Entstehungsgeschichte der "Familie Selicke" zu kennen, die zunächst epische Phase also der Zusammenarbeit von Holz und Schlaf, die ihre "Studien", etwa die "Papierne Passion" (vgl. Kap. III.2), als Vorarbeiten für ihr Drama betrachteten.

Doch wieder zurück zur Hauptmannschen Versöhnungsszene zwischen Doktor Scholz und seinem Sohn Wilhelm. Es handelt sich um die Kernszene des gesamten Stücks: hier entscheidet sich gegenwärtig die weitere Zukunft vor *dem* Familienproblem der Vergangenheit: am Weihnachtsabend kehren Vater und Sohn nach sechs Jahren nach Hause zurück – sie waren beide außer Haus gegangen, als Wilhelm mit dem Gerechtigkeitsempfinden des Jugendlichen seinen die Mutter seelisch mißhandelnden Vater geschlagen hatte. Doch das unerwartet zustandegekommene "Friedensfest" erlaubt eine nur kurze Harmonisierung dessen, was von der Vergangenheit her – "Gespenster"-gleich: diese Ibsen-Analogie wurde zurecht immer wieder genannt – auf Konflikt, Haß, Zerwürfnis hin angelegt ist. Innerhalb dieses unaufhaltsamen Prozesses – die Zola'schen Experimentalbedingungen schaffen eine irreversible Eigengesetzlichkeit – bildet die Versöhnungsszene einen Ruhepunkt, der – freilich nur für Minuten – die Chance einer Peripetie aufscheinen läßt. Doch: wenn ich 'Ruhepunkt' sage, und das in einem Drama, dessen reine Zustandsschilderung man oft hervorgehoben hat, dann bedarf das der weiteren Präzisierung: was – verbal, akustisch – ruhig abläuft, fast ohne

Worte, ist gleichzeitig *die* Szene der "Familienkatastrophe" (wie der Untertitel unheilsschwanger benannt ist), in welcher 'sich am meisten tut', in welcher sich jahrelang gestaute Affekte noch einmal *ver-* und dann wider alles Erwarten *ent*krampfen, in welcher der Friede des Hauses Scholz als Realität greifbar wird. Die Klimax des kaum noch Darstellbaren (welche Schauspieler, so muß man fragen, leisten das?) und sekundenschnell (panto-)mimisch und gestisch Abverlangten:

> [Der Doktor] mißt seinen Sohn mit einem Blick, der nacheinander Schreck, Haß und Verachtung ausdrückt.
> Er geht unsicher, er taumelt, er kommt ins Wanken, steht...
> In des Doktors Gesicht hat der Ausdruck gewechselt: Haß, Staunen, Mitgefühl, Bestürzung. (194,I,134)

beschreibt psychische Prozesse von innerer Stimmigkeit und Wirklichkeitsnähe zugleich. Jede nur denkbare Nuance optischer Übersetzung psychischer Abläufe ist in den umfangreichen Spielanweisungen vom Autor programmiert – oder eher re-programmiert: was heißen soll, daß nur ein subtil geschulter Beobachter von Phänomenen zwischenmenschlicher nicht-verbaler Kommunikation solche Anweisungen formulieren konnte, eine derartige Palette von gestischem und mimischem Filigran, ein so reich registriertes Manuale parzellierter wie ineinanderfließender Momentaufnahmen. Bis heute unübertroffen an veristischer Plausibilität ist das Hauptmannsche stumme Bewegungsspiel, das man derzeit modisch *body language* nennen würde. In den Veröffentlichungen zu diesem im Naturalismus inszenatorisch vorweggenommenen Phänomen ist denn auch – abgesehen von läppischen Lebenshilfen à la 'wie bringe in meinen Körper durch Biegen in eine den Partner erotisierende Position?' – immer wieder darüber berichtet, daß gerade in Situationen emotional bedingten Sprachversagens körperliche, gestische und physiognomische Verständigung (oder aber die Abwehr derselben) eintritt. Und selbst die aus der Psychoanalyse bekannte "Übersprungshandlung" als spontan-hilflose Variante der body language finden sich in Hauptmanns Kursivtext berücksichtigt, etwa, wenn Wilhelm "die Bewegungen des Klavierspielens mit der Rechten" macht. Kurzum: Hauptmann nimmt hier später erst auf den Begriff gebrachte Phänomene vorweg, kann das nur leisten aufgrund sorgfältig registrierender Empirie, welche die darstellungstechnische Programmierung erst begründet.

Sprachliche Mittel – samt Dialekt, Soziolekt und Psycholekt – wie außersprachliche Mittel dienen dem naturalistischen Autor zu einem nicht mehr überbietbaren Verismus in der Abbildung verbalen und nichtverbalen Alltagsverhaltens. Er läßt seine Gestalten in der Tat ihre eigene Sprache reden oder in Sprachnot kommen, ohne harmonisierend und nivellierend einzugreifen; er referiert lediglich, was zuvor genau beobachtet und der Wirklichkeit entnommen wurde: Menschen mit sprachlichen Nachlässigkeiten, Eigenheiten, Schwierigkeiten. Wie die vorangeschickten Szenenanweisungen den Bühnenraum bis ins letzte 'programmieren', so konzentriert die Sprache der Gestalten ihren ökonomischen und mentalen Standard: sie 'verrät' vor allen inhaltlichen Aussagen ihren jeweiligen Träger. In Verbindung mit dem "Sekundenstil" räumt sie alle herkömmlichen Vorstellungen von Dichtungssprache beiseite und wiederholt in der Diktion, was bei der naturalistischen Stoffwahl bereits als Bruch mit Tabus und als Einsatz des Häßlichen gezeigt wurde.

II.5.3 Darstellung

Mit "Florian Geyer" unternahm Hauptmann 1896 den Versuch, mit den Mitteln des Naturalismus ein historisches Drama zu schaffen. Daß dieser Versuch scheiterte, daß das Stück des damals berühmtesten Bühnenautors glatt durchfiel, ist oft festgestellt, doch noch kaum hinreichend begründet worden. – Der tiefste Grund des Mißerfolgs liegt zweifellos darin, daß die milieubestimmte Darstellungsweise des Naturalismus auf den *Zeitgenossen* angewiesen ist, der beim Aufgehen des Vorhangs sofort im (Bühnen-)Bild ist, dem die peinlich vom Autor fixierte Bühnenausstattung eine komplette und sogleich exakte Einordnung erlaubende Information vermittelt über das soziologische, pekuniäre und mentale Umfeld der agierenden Personen. Zeitgenössische Mitwisserschaft, direkte Kenntnis des optisch Vorgegebenen ist also unverzichtbare Voraussetzung für den Naturalismus; sofort mögliche Konnotationen gewährleisten das 'Funktionieren' von Stücken, denen das optische Ambiente eine langatmige Exposition ersetzt (wobei natürlich – das wurde in anderem Zusammenhang bereits ausgeführt (vgl. Kap. II.5.1) – die Exposition auch aus Gründen naturalistischer Dramaturgie entfällt).

Doch nicht allein auf die Ebene der funktionierenden Sofortinformation war das naturalistische Drama ausgerichtet, sondern gleicherweise – und in der Wirkungsintention an erster Stelle – darauf, dem Zuschauer ein Exempel zu statuieren, das für ihn den Schluß unumgänglich machte: "tua res agitur".

Das eine wie das andere konnte nicht der Fall sein, wenn aus der nationalen Geschichte eine Figur herausgegriffen wurde, deren Leben gut dreihundert Jahre zurücklag, eine Figur zudem, die im Geschichtswissen des ausgehenden 19. Jahrhunderts keineswegs so präsent war, als daß der Name des Schwarzen Ritters sogleich die historische Distanz aufschüttende Informationen ermöglicht hätte.

Das zahlreiche Spielpersonal im "Florian Geyer", die rasch wechselnden Parteiungen in der Endphase des Bauernkriegs, der ganze Kontext jener Auseinandersetzung in der "Frühbürgerlichen Revolution" – all das war eine Überforderung des Publikums, wenn es naturalistisch dargeboten wurde: also ohne Exposition, mit dem sofortigen Sprung mitten ins Geschehen, ohne Informationshilfen über das – gewiß meiningerisch-historiengetreu fixierte – optische Ambiente hinaus, jenes Bühnenbild des 16. Jahrhunderts, das für die Theaterbesucher des 19. exotisch wirken mußte.

Das Mißglücken von Hauptmanns Versuch einer Applizierung naturalistischer Dramentechnik auf einen historischen Stoff ist lehrreich genug: wenn auch heute naturalistische Stücke wiederaufgeführt werden können und als historische Dokumente wirken, so scheiterte Hauptmann 1896 an der Mißachtung des Regelkreises, für den ein zeitgenössisches Publikum konstituierend war.

Die naturalistische Dramen-Gegenwart stellt sich dar als komprimierte Vergangenheit, als Summe des Gewesenen, das nicht abgetan werden kann, sondern fortwirkt und bestimmend bleibt. Der Mensch erscheint als Gefangener seiner Biographie, als einer, der nicht weiter kann, weil er zuviel 'hinter' sich hat – doch bedeutet das 'Hinter'-Sich keinen Abschluß, keine Erledigung, sondern ein ständig waches Erbe, eine stets bedrängende Hypothek, die allenfalls prolongiert, nicht aber gelöscht werden kann.

Daß die Weichen – streng kausalistisch, deterministisch – längst gestellt sind, läßt sich zwar, sogar über Jahre, verdrängen, doch die 'Stunde der Wahrheit' bleibt nur aufgeschoben, schlägt dann, wenn 'das volle Faß' durch 'einen' hinzukommenden 'Tropfen' zum 'Überlaufen' gebracht: wenn die vergangenheitsgefüllte Situation der Gegenwart zur Auseinandersetzung mit ihren Determinanten gezwungen wird.

Sobald durch das Hinzutreten lange abwesender Familienmitglieder oder eines in der Forschung so genannten "Boten aus der Fremde" (vgl. 35) die Notwendigkeit gegeben ist, sich – im strikten Wortverstand – zu erklären, das bislang Verdrängte beim Namen zu nennen, 'Vergangenheitsbewältigung' zu versuchen, wird die vorherige Statik aufgehoben und entsteht eine Dramatik, die sich nicht so sehr antagonistisch, also zwischen konfrontierten Partnern, als vielmehr biographisch konstituiert, auch biologistisch zuweilen: der Mensch der Gegenwart findet sich mit sich selbst in Disput und Konflikt, mit einer Stufe seiner selbst, die weit zurückliegt, sogar die Stunde seiner Geburt mit einbezieht, somit auch seine Elterngeneration ins Spiel bringt.

Erich Herbert Bleich hat vom naturalistischen "Drama des reifen Zustands" (35,58) gesprochen, eine Formulierung, die richtig, aber erläuterungsbedürftig ist. Daß es im naturalistischen Drama um – oft 'episch' genannte – Zuständlichkeit geht und nicht mehr um eine aktionenreiche Abfolge von Taten oder gar Kämpfen, jedenfalls von sogleich sichtbaren Taten und Kämpfen, liegt auf der Hand. Unsichtbare Kämpfe allerdings, Auseinandersetzungen im Psychischen, Mentalen und Emotionalen, werden vorgeführt, äußern sich in der Sprachführung – in Dialekt, Soziolekt und Psycholekt – und im stummen Spiel, in Mimik und Gestik. Bei aller Nuancierung freilich *scheint* das naturalistische Drama auf der Stelle zu treten, statisch zu werden, alle Dramatik im herkömmlichen Verstand einzubüßen – wenn nicht der vom Autor gewählte Zeitabschnitt eine Zuständlichkeit besonderer Art enthielte, eine längst angelegte Spannungsmomente freisetzende 'Statik' jenes Genres, das der Volksmund als 'reife Situation' bezeichnet.

Dem vom Autor gewählten Zeitabschnitt des dann präsentierten Dramas kommt also immense Bedeutung zu: hier, wo er autoritativ die 'Experimentalanordnung' bestimmen kann, schafft er eine zeitliche Konstellation, die den "reifen Zustand" demonstrieren und analysieren läßt. So liegt das exzeptionelle Datum Weihnachtsabend sowohl der "Familie Selicke" von Arno Holz und Johannes Schlaf wie auch Gerhart Hauptmanns "Friedensfest" zugrunde, der Einweihungstag eines dem längst verstorbenen Vater gewidmeten Asyls Ibsens "Gespenstern", die Zeit der Mittsommernacht Strindbergs "Fräulein Julie" – alles Termine des Außerordentlichen, mithin eine Temporalstrukturierung des arrangierenden Autors, die es ihm neben seinen Orts- und Personenanweisungen ermöglicht, das Bühnengeschehen nach der einmal getroffenen Anordnung 'sich selbst' zu überlassen; anders, die vorgeführten Personen zum fixierten Zeitpunkt an dem gleichfalls fixierten Ort mit 'ihrer' Vergangenheit allein zu lassen.

"Handlungsstarke Geschichten"[58] waren die meisten naturalistischen Dramen keineswegs, wollten es auch nicht sein. Die Kritik nahm daran Anstoß, gewohnt an intrigenreiche "Staatsaktionen" in der Art Scribe'scher Kulissenspektakel. Sie vergaß oder wollte vergessen, daß es den neuen Autoren viel mehr auf akribisch beobachtete Momentaufnahmen ankam, auf lückenlose Dichte faktentreuer Wirklichkeit, auf eine Handlungsfortschritt geringschätzende 'Statik' der Analyse. Statt des 'Was dann' das 'Wie jetzt' – dies wurde angestrebt; statt der großen Linien also das Netzwerk des scheinbar bloß Nebensächlichen.

Die Konsequenzen für Regie, Schauspieler und Zuschauer liegen auf der Hand: kein großes Ensemblespiel mehr mit sich jagenden Auftritten und Abgängen, kein Chargieren mehr auf der einen, Rollenglänzen auf der anderen Seite, kein rascher Wechsel mehr für die Augen – sondern ein forschend-ruhiges Zusehen und Zu*hören* vor allem: die Modellsituation demnach des Experiments, ein um Präzision, Detailgenauigkeit und "Wahrheit" bemühter "Gerichtstag" für die oben auf der Bühne und die drunten im Parkett.

Wider die konventionelle Ubiquität, die minimalistische Zurückhaltung der Autoren, das von der individuellen Phantasie des Regisseurs zu füllende Nur-Skizzierte

---

[58] Heinrich Böll nennt seine Satire "Dr. Murkes gesammeltes Schweigen" im Untertitel "Eine handlungsstarke Geschichte".

Die Szene ist abwechselnd in dem Saale *eines* Wirtshauses und einem daran anstoßenden Zimmer. (Lessing, Minna von Barnhelm)
Der Schauplatz ist auf Belriguardo, *einem* Lustschlosse. (Goethe, Torquato Tasso)
Die Handlung spielt in *einem* niederländischen Dorfe bei Utrecht. (Kleist, Der zerbrochene Krug)
[Hervorhebungen von mir]

trat im Naturalismus der perfektionistische Dirigismus einer noch jede Kleinigkeit fixierenden Bühnentopographie – allerdings: in den Augen der naturalistischen Autoren gab es keine 'Kleinigkeiten' mehr; vielmehr steckte für sie im geringsten Detail eine mehr Rückschlüsse erlaubende Aussagekraft als im gesamten Landschaftsprospekt eines traditionellen Bühnenbilds. Denn der Raum, in dem ihre Figuren agierten, war mehr als bloße Staffage, als *die* gute Stube, *der* Thronsaal, *das* Zimmer der Prinzessin – er war von den Personen geprägter und sie wiederum prägender Raum,[59] Zeugnis ihrer ökonomischen Macht oder öfter noch Ohnmacht; Aufweis ihres geistigen, kulturellen Selbstverständnisses oder auch des Mangels davon; Abbild ihrer individuellen Lage, die freilich häufig einer Klassenlage entsprach. Kurz: das nun vom Autor kleinkrämerisch scheinend bis ins Einzelne vorgeschriebene Bühnenbild war ein Raum gewordener Registerauszug der hier angesiedelten Personen, mehrsagend als langatmige Expositionen, den Zuschauer sofort 'ins Bild' setzend, ihm genaueste Informationen liefernd über Wohl oder Wehe derer, die hier lebten.[60]

Hier sah der Zuschauer – wie es Dieter Bänsch formulierte – durch die "Scheibe eines Aquariums" (28,141): die "vierte Wand", deren Wegfall Brecht theoretisch fordern und in seine Bühnenpraxis umsetzen sollte, wurde hier optisch transparent gemacht, und der Zuschauer konnte so – allerdings ohne brückenschlagende Finessen wie den Monolog "ad spectatores" oder das augenzwinkernde Informieren eines Räsonneurs – in eine wirkliche Schankstube sehen, einen wirklichen Fabrikanten-Salon, ein wirkliches chambre garnie; ihm wurde, wie es Dehmel kritisch vermerkte, die "heimliche Belauschung durch ein Schlüsselloch" ermöglicht (65,24), also die Rolle eines Voyeurs zugeteilt – selbst auf die Gefahr hin, daß derartiger Voyeurismus sich auf pikant-frivole Schlüssellochguckerei beschränkte: so faßten's Teile des gutbürgerlichen Publikums auf. Der mittels Bühnenanweisungen angestrebte Eindruck von "abgehobenen Dächern" (65,23) – wie es schon Spielhagen feststellte und

---

[59] Vgl. 88,220: "Der bestimmte Raum aber ist zugleich bestimmend: er ist nicht mehr als Schauplatz auf die Begebenheiten, sondern als Milieu auf den Menschen bezogen. Von ihm bestimmt und ihn bestimmend."

[60] Vgl. etwa die Bühnenanweisungen in Johannes Schlafs "Meister Oelze": 219,5 f.

Kerr wieder betonte – gab dem Mann im Parkett intimsten Einblick in meist sehr familiäre Situationen, welche ihm der optische Rahmen ebenso erklären half wie der einsetzende Dialog.

Wenn manche zeitgenössischen Kritiker des naturalistischen Dramas – und ihre späteren Interpretenkollegen – eine "Entwickelung der Charektere" vermißten,[61] so enthüllten sie ihr Unverständnis des neu Gewollten, genauer: des nun wieder neu Gewollten (denn bereits im Sturm und Drang hatte ein theoretisierender Dramatiker – der jetzt hochverehrte Jakob Michael Reinhold Lenz – den Charakteren vor der Handlung den Primat eingeräumt). Genau so wenig wie um konventionelle Handlungsfülle konnte es den naturalistischen Stückeschreibern um Aufbau, Entfaltung, "Entwickelung der Charaktere" zu tun sein, sondern nur um deren in einem besonderen Sinn 'genetische' Darstellung: der analytischen Anlage gemäß – und zwar im doppelten Sinn: à la "Ödipus" und im minuziös-sezierenden Verfahren – waren die Charaktere des naturalistischen Theaters 'fertig', wenn sie die Bühne betraten; was allein folgen konnte, war ihre Zergliederung, Herleitung, das Aufdröseln ihrer Determiniertheit: eine Konstituierung also nach rückwärts, ein sorgfältiges Aufspüren der Determinanten, ein anamnetisches Belegen von Taines Trias "race, temps et milieu" – kurzum, der Blick zurück, erklärende Geschichtlichkeit anstelle momentaner Deklarationen.

Das Theater aus dem Theater zu verdrängen bei gleichzeitig auf die Spitze getriebenem Illusionismus – das erscheint als Widerspruch; freilich als ein Widerspruch, der zumindest theatergeschichtlich lösbar ist:

In der Theater-Illusion alten Stils hatte es dazugehört, daß – keineswegs das Illusionäre unterbrechend, sondern es vielmehr als Bühnen-Wirklichkeit bestätigend – immer wieder Publikums-Kontakte geknüpft wurden: die Wendung "ad spectatores", das Deklamieren über die Rampe hinweg, das monologisierende Einweihen der Leute im Parkett, und, als schauspieltechnisches Pendant, das Verbot, mit dem Rücken zu den Theatergästen zu agieren.

All das wurde nun obsolet: die Personen auf der Bühne blieben unter sich, bewegten sich allein nach den Erfordernissen *ihres* Raums – ein geschlossener Regelkreis von eigener Gesetzlichkeit, nicht mehr der dem Publikum zu geöffnete Halbkreis. Und von hier aus löst sich das angesprochene Paradoxon auch strukturell: die naturalistisch perfektionierte Bühnenillusion verhindert durch die Betonung der Rampe die rasch identifikationsgeneigte "Einfühlung" der Zuschauer; die oben auf den Brettern, welche mit betonter Ausschließlichkeit nur *ihre* Welt bedeuten, nicht *die* Welt schlechthin, agieren gleichzeitig für sich und für die unten im Parkett – aber für diese nur par distance, eine Distanz, die ununterbrochen bleibt, eine Distanz, die separiert.

---

[61] So Berthold Litzmann. Zit. in: 14,27.

Alfred Kerr hat in seiner "Technik des realistischen Dramas" eine ganze Reihe bis heute gültiger Kennzeichnungen des naturalistischen Theaters geliefert: er hat den Wegfall des Monologs und des à-part-Sprechens betont und als *"indirekte Charakteristik"* beschrieben, was die neue Technik nicht mehr expositorisch-berichtend, sondern gestisch-mimisch und szenisch vergegenwärtigend leistete – auch, so muß ergänzt werden, durch den minuziösen Dirigismus von Bühnenanweisungen und Regiebemerkungen; er hat erkannt, daß es den oft am Historischen, Vergangenen interessierten, also meist "analytisch-regressiv" (35,12) vorgehenden Naturalisten darum zu tun war, die das Heute beherrschende Vorgeschichte nicht diskursiv wiederzugeben, sondern "sie im Verlaufe der Handlung allmählich durchsickern zu lassen"; er hat weiter zur Sprache und zum offenen Schluß der naturalistischen Dramen treffende Bemerkungen gemacht.

In einem jedoch urteilte er – und mit ihm viele Kritiker und Literaturhistoriker – falsch, zu kategorial, seinerseits zu oberflächlich: Hebbel, so Kerr, wie sein jüngerer Bruder Ibsen seien beide "Ethiker. Ein Naturalist ist kein Ethiker. Ein Abzeichner gibt, was ist; nicht, was sein soll." (12,6 f.)

Was sein soll: das war in der Tat eine nicht nur in idealistischen Konzepten verbindliche Maxime einer auf den produktiven Umweg der Kunst gegründeten Pädagogik und Lebenslehre – oft freilich auch nur die euphemisch verbrämte Flucht ins Surrogat eines schönen Vor-Scheins, dem die Realität stets nachhinkte. Derlei idealistisch-hoffnungsschwangeren Wunschvorstellungen oder auch kunsttheoretisch zurechtformulierten Postulaten, darin hatte Kerr recht, hingen die Naturalisten nicht an – solche Kunstversprechungen mußten sie, von ihrem materialistisch-naturwissenschaftlich fundierten Weltbild her, als verblasen und verlogen ablehnen. Doch: ging es ihnen ums bloße Konterfei, das sie nicht "aufheben" wollten in die Illusion tröstender Idealität? Waren sie tatsächlich nur hinter der fixen Idee her – einer nur binnenästhetisch vielleicht belangvollen Idee –, die raffiniertesten Kopisten der Wirklichkeit zu werden? Waren sie nur darauf aus, im Zeitalter der immer mehr perfektionierten Photographie das dichterische Material gleicherweise dokumentarisch zu perfektionieren?

Die Fragen stellen, heißt sie verneinen. Und dem wertenden Verständnis mag es nützlich sein, auch mit aktuellsten Exempeln aus dem Analogiebereich Photographie zu überprüfen, ob nicht auch in diesem kaum mehr als Nicht-Kunst diskreditierten Genre über die Dimension des 'was ist' hinaus mehr gesagt werden kann und soll, in der Tat in Richtung darauf, 'was sein soll': eine sogenannte Dokumentaraufnahme aus Süd-Vietnam zum Beispiel oder aus äquatorialafrikanischen Hungergebieten – schreibt sie nur Realität fest oder eignet ihr nicht vielmehr eine ans 'Weltgewissen' verweisende Appellfunktion: was so ist, darf, soll so nicht sein?

Auf Kerrs Aporie zurückzukommen: naturalistische Deskription und ethischer Anspruch sind keineswegs kontradiktorische Bereiche, sondern vielmehr ästhetisch-ethische Korrelate, Korrelate, die den Autoren um 1890 als selbstverständlich galten – viele Selbstzeugnisse belegen dies.

Von der zeitgenössischen Kritik (etwa der Spielhagens an den Dramen Ibsens) über Äußerungen Brechts[62] bis heute ist immer wieder der Vorwurf zu hören, die naturalistischen Dramen seien nicht mehr als auf die Bühne versetzte, also in Dialog gebrachte Romane – wovon die ausführlichen Bühnenanweisungen, Personenbeschreibungen und Regiebemerkungen noch 'echt' episches Zeugnis ablegten. Dieser Vorwurf ist richtig und falsch zugleich.

In der Tat nämlich entsprechen die außerdialogischen Autoreneinschübe Gepflogenheiten des epischen Autors: kommentierend, beschreibend, Imaginationshilfen gebend schaltet sich hier der Autor ein. Und 'episch' zu nennen ist auch meist die Handlung, die auf 'Dramatisches' im herkömmlichen Verstand weitgehend verzichtet. Aber: auf eben dieses konventionell Dramatische kommt es den naturalistischen Autoren nicht mehr an! Die bereits zitierte Briefäußerung Ibsens an Laube erhellt, daß mit Ibsen die jüngstdeutschen Autoren die Zwangsjacke des Freytagschen Aufbauschemas verlassen und überhaupt alle Regelhaftigkeit binnenästhetischer Art über Bord werfen wollen – zugunsten einer 'experimentellen' Wiedergabe von Realität, einer Realität, die sich nicht ins Korsett steigender und fallender Handlung, Exposition, Peripetie und Katastrophe zwängen läßt, sondern ihr Kontinuum bezieht von den Gesetzmäßigkeiten der Alltagskommunikation: zäh fortschreitend, auf der Stelle tretend, sich im Gespräch verfangend u.s.f.

Wenn Otto von Leixner auch die "Episierung" im naturalistischen Drama richtig erkennt, so zeigt doch seine Bewertung dieser Innovation die – auch bei den meisten anderen Kritikern vorherrschende – Gebundenheit an kanonische Theaterregeln, wie sie etwa Gustav Freytag in seiner "Technik des Dramas" (1863), jener perfektesten Theorie der "geschlossenen" Dramen-Form, aufgestellt hatte:

> Die Menge der Vorschriften für die Darsteller und die Ausstattung wirkt durchweg als Beschreibung, wie sie in der Novelle oder dem Roman *berechtigt* ist. Und *in Wahrheit* sind fast alle diese Bühnenstücke im tiefsten Wesen *undramatisch.* (95,1044)

Ich habe durch Kursivierung hervorgehoben, wie hier mit der Gebärde des Zensors kritisiert wird: was "berechtigt" und was "in Wahrheit" "undramatisch" ist, das leitet sich von "Wesens"-Vorstellungen her, die als unumstößlich gelten. Eine sakrosankte Dramen-Ästhetik wird ins

---

[62] Brechts Äußerungen zu diesem Komplex sind sehr zahlreich; vgl. beispielsweise 329,V,214 ff.

Feld geführt, um durch eine scheinbar nur formale Kritik dem Leser das suspekt zu machen, was er vielleicht vom Inhalt her zumindest diskussionswürdig finden könnte. – So leicht es dem heutigen Beurteiler fällt, das Festhalten Leixners und anderer Kritiker an überkommenen Dramentheorien als zeitbedingte Fehlleistung einzuordnen, so gewichtig war doch in den 90er Jahren des 19. Jahrhunderts auch *diese* Seite des auf verschiedenen Ebenen geführten Kampfs gegen den Naturalismus.

Französlertum, Amoralitätsvorwurf und formale Kritik wirkten einträchtig zusammen, um die "Literaturrevolution" als eine Verirrung auf der ganzen Linie zu diskreditieren. Hinweise auf vorgeblich ewig goldene Regeln, Brandmarkung als undeutsche Literatur und das Vokabular moralisierender Weismacher (vgl. 346) zielten gemeinsam darauf ab, die naturalistischen Ungewohnheiten als themata non grata in die Ecke des Absonderlichen und Widerlichen zu stellen.

Am Ende dieser Dramen immer wieder: tragédie humaine – doch nicht mit Theaterdonner, nicht aufgrund des in der Tradition (eine exakte Entsprechung "herrschender" Ideologie, die von oben her zu denken gewohnt ist) verlangten Fallhöhen-Effekts, wo ein Großer klein, ein Mächtiger zerschmettert wird; vielmehr die Resignation stillen Vorzeigens (doch in der Hoffnung, deiktisch ein Signal zu setzen): ecce homo![63]

Und dies, im Grunde, nicht erst am Ende, sondern von Anfang an, weil ja Entwicklung – allein möglich unter der Voraussetzung zumindest relativer Autonomie – nicht stattfinden kann, weil lediglich längst Feststehendes aus-gewickelt, in seine genetischen Bestandteile zerlegt, eben analysiert wird. Weil es, zuerst und zuletzt, um Vergangenheit geht, um Geschichtlichkeit (auch im wenig pompösen Umfang einer meist kleinbürgerlichen Individualbiographie), um Gewordenheit, um Unkorrigierbares, das zurückliegt, um etwas, das man allenfalls kurz- oder langfristig (wo es zur "Lebenslüge" wird) beschönigen, nicht aber wegdiskutieren oder dem erinnernden Bewußtsein oder gar dem konservierenden Unterbewußtsein entfernen kann; um den "Gerichtstag" also, um den Schlußstrich unter Faktoren, die keine Revision mehr zulassen.

Die Konsequenz aus alledem ist klar: die Dialoge auf der Bühne werden zu Zeugen-Aussagen vor dem Tribunal im Parkett; der Zuschauer wird zum Geschworenen, zum Laienrichter, der seine Urteilskompetenz davon ableiten darf, daß er vergleichbaren Situationen anfällig ist.

Zudem: Der aufrüttelnde Hinweis auf das "soziale Problem" war nicht deklamatorisch zu führen – ein proletarischer Shylock wäre vom Parterre bürgerlicher Stadttheater mit Hohn überschüttet worden! –, sondern nur über den Weg einer Sprödigkeit und Monotonie gezielt in Kauf nehmenden Deskription. Der Appell, sollte und konnte er über-

---

[63] Vgl. Arno Holz' Gedicht "Ecce Homo!". In 207,V,67 ff.

haupt erfolgen, Erfolg haben, war nur möglich über das Unbehagen, das am Schluß der naturalistischen Stücke blieb: "alle Fragen offen", oder eher: *die* Frage, die soziale Frage nämlich mit all ihren Filiationen – Familie, Ehe, Generationen, Frauenemanzipation, freie Liebe – erst einmal klar gestellt, zur Stellungnahme herausfordernd, Entscheidungen abverlangend, Entscheidungen, die keine ästhetischen waren – in die rettete man sich gern, wie die "Schmutz"-Kritiken zeigten (vgl. Kap. II.9.1) –, sondern tatsächlich ethische, gesellschaftliche, existentielle.

Julius Hillebrand, der neben Georg Brandes den nachhaltigsten Hinweis auf Hebbel gegeben hat, kommt am Schluß seines Aufsatzes "Naturalismus schlechtweg!" auf den Ausgang von Ibsens "Nora" zu sprechen:

> Aber daß z. B. Nora ihre lieben Kinderchen verläßt, ist doch zu "peinlich", zu herzlos; wie schön wäre es, wenn sie diesen zu Liebe das "Opfer" brächte, sich wieder mit ihrem Manne auszusöhnen! Ibsen verzichtet auf solche Taschentüchereffekte, er schließt disharmonisch ab, gerade so disharmonisch, wie die Wirklichkeit. (18,69)

Was Hillebrand anspricht, habe ich an anderer Stelle den "offenen Schluß" genannt, der vielen naturalistischen Dramen eignet: Statt der "Taschentüchereffekte", die erzielt werden durch die schließliche Harmonisierung des vorher Gefährdeten, statt kulinarischer Dramenschlüsse, welche das Zusammenkommen zweier Liebender ermöglichen, statt des Tods des Bösewichts und des Siegs des edlen Helden brechen die naturalistischen Dramen oft unvermittelt ab – statt des auf der Bühne vorgeführten "glücklichen Endes" fällt der Vorhang an einer Stelle, die nicht Schluß genannt werden kann; in der Tat ist hier schon, und nicht erst beim epischen Theater Bertolt Brechts, der Zuschauer genötigt, sich selbst seinen Schluß zu suchen, zu machen. Anstelle eines 'gerundeten' Theatererlebnisses tritt die Irritation eines ungelösten, offenen Problems, dessen Lösung der Theaterbesucher als "juge d'instruction" erst finden muß.

In der Naturalismus-Forschungsliteratur hat man sich daran gewöhnt, Spielfiguren, die von auswärts in einen feststehenden (familiären, lokalen, sozialen) Zirkel kommen, als "Boten aus der Fremde" zu bezeichnen. 1936 hat Erich Herbert Bleich seine Greifswalder Dissertation unter dem Titel "Der Bote aus der Fremde als formbedingender Kompositionsfaktor im Drama des deutschen Naturalismus" veröffentlicht. Der Terminus ist jedoch – trotz der geleisteten Verständigungsfunktion über das Gemeinte – irreführend: denn "aus der Fremde" wird in aller Regel keine "Botschaft" überbracht, wie es dieser Forschungs-Topos nahelegen könnte – vielmehr *wird* der in einen festen Kreis von außen Kommende erst zum Boten, eher noch zum Zeugen: ihm erschließt sich das Gefüge einer vorgegebenen Ordnung, die meist eine Un-Ordnung darstellt, etwa die Lügenhaftigkeit familiären Zusammenlebens, die Brüchigkeit einer nur scheinbar sicheren Existenz, das Festgefahrensein in unnachgiebig behaupteten Frontstellungen.

Er wird zum (oft ungewollten) Augenzeugen katastrophaler Konstellationen, die zumeist ihren Beginn in langer Vergangenheit haben. Sein Anteil am Geschehen ist ein prinzipiell katalysatorischer, längst schwelende Fehlentwicklungen aufdeckender und zu entscheidender Auseinandersetzung vorantreibender. Er bringt die analytische Initialzündung; sein Eintreffen gibt das Signal zum "Gerichtstag" über Historisches, also über Zurückliegendes, das die Gegenwart prägt.

Auch der so genannte "Bote aus der Fremde" fügt sich in das Gesamtkonzept naturalistischer (Dramen-)Darstellung: zeitgenössisch-engagierende Konfrontation zu leisten anstelle historischer Exkursion – daran scheitert Hauptmann mit seinem "Florian Geyer" – oder einem Ausflug in ein Land von Dichters Gnaden. Diesem Ziel werden die Mittel der bis ins Letzte planenden Bühnenanweisungen, der Inszenierungsvorschriften, der mimischen und gestischen Präsentation und der Sprachführung untergeordnet, so strikt und so komplett, daß eine "unentrinnliche Illusion" (Halbe) eines 'Stücks Leben' zum für Autor, Schauspieler und Publikum gemeinsamen analytischen Akt wird. Die so betriebene Aufhellung des Gewordenen enthält über das streng Empirische hinaus einen ethischen Appell: es nämlich nicht (wieder) so werden zu lassen, wie es durch "Lebenslüge" und soziale Mißstände werden kann. Hinter der szientifisch-nüchternen Autorenarbeit – der objektiven Reproduktion alltäglicher Realität – bleibt die Darstellung gerichtet auf ein "Theater als moralische Anstalt"; das realitätsbezogene Produzieren von Literatur will über das Medium un-'dichterischer' Darstellung der Konsumenten beleuchten, aufklären – und auch verwandeln helfen.

II.6 Stoffe

II.6.1 Stoffe

Wie sehr auch die bürgerliche Kritik an der Tatsache Anstoß nahm, daß im Bannkreis der Taineschen Trias von race, temps et milieu, auch der oft mißverstandenen Gedanken Darwins vom struggle for life, daß also in der Übernahme der deterministischen Lehren von starren Erb- und erbarmungslosen Überlebensgesetzen der naturalistische Themenkreis mit manischer Ausschließlichkeit auf Bereiche tristester Art beschränkt blieb (vgl. 36) – so einleuchtend stellt sich doch dem heutigen Betrachter die Dominanz des distanzierend "häßlich" Genannten dar: im Kontext von Formeln wie der vom "vivisecteur" oder jener vom "Gerichtstag" wäre es sachfremd gewesen, Menschen und Verhältnisse akribisch darzustellen, die völlig 'in Ordnung' waren, die 'heile Welt' konstituierten – das Ergebnis wäre allenfalls ein stillebenartiges Tableau geworden anstelle der angestrebten sezierenden Analyse.

Was nämlich auf der Grundlage der naturwissenschaftlich-materialistischen Umwälzung des 19. Jahrhunderts programmatisch gemacht wurde, hatte nichts mehr mit der "Objektivität" jenes 'echten' Realismus gemein, den Fontane – als der Verständnisvollste und Vorurteilsloseste unter den zeitgenössischen Nicht-Naturalisten – vom 'konsequenten' Realismus unterschied (vgl. 101): hier handelte es sich um einen dezidierten Objektivismus, der sich prinzipiell kritisch-aggressiv verstand und der sein Anschauungsmaterial ganz bewußt von den kranken Rändern, von den sozialen Übelständen der Gegenwartsgesellschaft her bezog, Anschauungsmaterial einer Art, das keine Versöhnung und Verklärung dulden konnte; Wilhelm Bölsche hat – nicht ohne Distanz – die Genese dieser einseitigen Ausrichtung auf die 'Nachtseiten des Lebens' beschrieben:

> Die wissenschaftliche Psychologie und Physiologie sind durch Gründe, die Jedermann kennt, gezwungen, ihre Studien überwiegend am erkrankten Organismus zu machen, sie decken sich fast durchweg mit Psychiatrie und Pathologie. Der Dichter nun, der sich in berechtigtem Wissensdrange bei ihnen direct unterrichten will, sieht sich ohne sein Zuthun in die Atmosphäre der Clinic hineingezogen, er beginnt sein Augenmerk mehr und mehr von seinem eigentlichen Gegenstande, dem Gesunden, allgemein Menschlichen hinweg dem Abnormen zuzuwenden, und unversehens füllt er im Bestreben, die Prämissen seiner realistischen Kunst zu beachten, die Seiten seiner Werke mit den Prämissen dieser Prämissen, mit dem Beobachtungsmateriale selbst, aus dem er Schlüsse ziehen sollte, – es entsteht jene Literatur des kranken Menschen, der Geistesstörungen, der schwierigen Entbindungen, der Gichtkranken [...] (18,89)

Prinzipieller Objektivismus als übernommenes Erbe der modernen Wissenschaftsmethodik einerseits, soziales Engagement als direkte Antwort auf *die* Frage der Zeit andererseits erzeugten die "negativen Idyllen" (106,174) des Naturalismus, welche dem "Gesunden" herkömmlicher Literatur so konträr gegenüberstanden, rückten Themenkreise in den Mittelpunkt, welche "Naturalismus" zum literarhistorischen Synonym für Vererbung und Degeneration, für Alkoholismus und 'gefallene Mädchen' machen sollten.

In der zeitgenössischen Diskussion war der Naturalismus fast nur unter stofflichem Aspekt rezipiert und attackiert worden, kaum jedoch – außerhalb literaturwissenschaftlich-avantgardistischer Zirkel – unter theoretischem und formalem Aspekt. Die neuen Stoffe sprangen natürlich zuallererst ins Auge: sie wirkten als gezielte Provokationen, als gewollte Obszönitäten, als planmäßiger Bürgerschreck. Und in der Tat waren sie zum Teil zumindest auch so intendiert: das arcanum konventionell "schöner" Literatur sollte zerschlagen werden; Literatur sollte statt nur "schön" nur "wahr" sein (vgl. 133). Und Wahrheit (vgl. Kap. II.8) war in diesem Kontext der exakte Gegenbegriff zur Schönheit: das Häßliche – bisher meist von der künstlerischen Darstellung ausgeschlossen oder lediglich kontrastweise benützt – wurde nun zum bevorzugten Stoffsyndrom naturalistischer Themenwahl. Von den jüngstdeutschen Autoren aus gesehen, lag in dieser Bevorzugung Provokation und 'Methode' zugleich – in den Augen der bürgerlich-konservativen Kritiker allerdings erschien als pure Provokation, was als Aufbrechen überlebter Erwartungsmuster intendiert war. Sie sahen Kneipe und Bordell – in der Tat häufig verwendete Topoi des Naturalismus – nicht wie Samuel Lublinski als "Riesensymbole" (98,16) einer depravierten Gesellschaftsordnung, sondern nur als Kneipe und Bordell: als Lasterstätten, über die "man" nicht sprach, schon im familiären Kreise nicht; und über die eine Literatur nicht zu sprechen hatte, von der man sich nicht ausreden zu lassen bereit war, daß sie auch künftighin "schön" zu sein habe, feierabendgemäß, rekreativ also und kulinarisch.

Vor diesem Hintergrund wird die Schärfe der Auseinandersetzung verständlich, mit welcher die jüngstdeutsche Literatur 'aufgenommen' wurde: Aufnahme hieß zumeist Ablehnung; Auseinandersetzung hieß in aller Regel strikte Aversion seitens derer, die am Feierabend nun mit der eigenen Alltagswelt konfrontiert wurden und mit den gern verschwiegenen oder an Staat und Kirche, an philanthropische Institutionen und ans Jenseits verwiesenen "Nachtseiten des Lebens", Nachtseiten, die weniger von generell-anthropologischer Façon waren als vielmehr sehr konkret die Nachtseiten des expansiven Industrialismus und erbarmungslosen Kapitalismus des Bismarckreichs und des beginnenden Wilhelminismus; Nachtseiten vor allem des hektisch aufschwellenden Stadtbereichs Groß-Berlin: seine Hinterhöfe also und seine Fabrikmonotonie, seine Näherinnenmansarden und Studikerbuden, seine Dirnen und Bettler, seine Krüppel und Selbstmörder: die düstere Kehrseite der öffentlich zur Schau gestellten Medaille mit den pompösen Staatsbauten und Siegesalleen, den Denkmälern und Großbürgerhäusern. Das Leben hinter den glänzenden Fassaden, *das* zeigten die Naturalisten, jenes Leben, von dem man sehr wohl wußte, das man aber nicht kennen(lernen) wollte.

Oppositionell waren schon viele Titel naturalistischer Literatur formuliert, oppositionell zum "Normalen", "Guten", "Maßvollen" – so beispielsweise Karl Bleibtreus "Schlechte Gesellschaft" (1885) oder Hermann Conradis "Brutalitäten" (1886), Conrad Albertis "Plebs" (1887) oder Hermann Conradis "Lieder eines Sünders" (1887), Hermann Bahrs "Die große Sünde" (1888) oder Max Halbes "Ein Emporkömmling" (1889), Hans Lands "Stiefkinder der Gesellschaft" (1889) oder Max Halbes "Freie Liebe" (1890), John Henry Mackays "Die Anarchisten" (1891) oder Ernst von Wolzogens "Das Lumpengesindel" (1892) oder Josef Ruederers "Ein Verrückter" (1894). Die Reihe wäre fast beliebig zu erweitern: festzustellen ist das bereits im Titel erkennbare Abweichen von der (gutbürgerlich-geschmacksbestimmenden und regelsetzenden) Norm, vom angeblich gesunden Mittelmaß; deutlich ist der Mangel an soziologischer, charakterologischer oder moralischer Wohltemperiertheit. In diesen oppositionell formulierten Titeln steckt Programm und Provokation zugleich, Deiktisches und Demonstratives: Anklage und Reklame verschlungen ineinander, artikulierte Attacke und gewollte Sensation.

Weniger plakativ als instruktiv erscheinen die häufig verwendeten Untertitel – sie schon eher bezogen auf die inhaltliche und auch stilistisch programmatische Füllung des im Titel oft anreißerisch Marktbedachten, des gezielt Schreierischen. – Max Kretzers "Die beiden Genossen" (1880) werden "Sozialer Roman" genannt (ein später sehr häufiger Untertitel), und Michael Georg Conrad bezeichnet seine 1881 publizierten "Französischen Charakterköpfe" als "Studien nach der Natur" (auch der Terminus "Studie" wird später oft wiederkehren). Desselben Autors "Flammen!" von 1882 werden "Für freie Geister" bestimmt. Max Kretzers "Die Betrogenen" sind ein "Berliner Sittenroman" (1882); aus demselben Jahr stammen seine Erzählungen "Schwarzkittel oder die Geheimnisse des Lichthofes", die – etwas peinlich in der Goethe-Allusion – im Untertitel als "Wahrheit und Dichtung aus den Arbeitsstätten einer großstädtischen Fabrik" firmieren (Berlin und Großstadt – fast Synonyme im Naturalismus – werden gleichfalls in späteren Untertiteln mehrfach vertreten sein). "Realistische Novellen" heißen Karl Bleibtreus 1885 publizierte Sammlungen "Schlechte Gesellschaft" und "Kraftkuren". Hermann Conradis 1886 veröffentlichte "Brutalitäten" heißen – aufs Artistische abhebend – "Skizzen und Studien"; Max Dreyer nennt "Ein Liebestraum und eine Ehegeschichte" (1891) "Zwei Skizzen", Wilhelm von Polenz seine im selben Jahr erschienene "Die Versuchung" "Eine Studie", Anna Croissant-Rust ihre "Lebensstücke" (auch das ein bezeichnender Titel in seiner anatomischen Formulierung) "Novellen- und Skizzenbuch" (1893) – an ebenso untertitelte Erzählungen von Hauptmann oder Holz/Schlaf ist lediglich zu erinnern. – 1886 publiziert Arno Holz sein "Buch der Zeit" als "Lieder eines Modernen". Conrad Albertis "Plebs" von 1887 heißen "Novellen aus dem Volke". John Henry Mackays "Arma parata fero" (1887) stellt "Ein soziales Gedicht" dar. Conrad Albertis "Wer ist der Stärkere" – der 1888 erschienene erste Band aus der Darwinisch titulierten "Romanreihe" "Der Kampf ums Dasein" – ist "Ein sozialer Roman aus dem modernen Berlin" genannt. Max Kretzers "Meister Timpe" von 1888 nennt sich "Sozialer Roman". Denselben Untertitel tragen Conrad Albertis 1889 publizierte "Die Alten und die Jungen". Maurice von Stern veröffentlicht seine "Stimmen im Sturm" gleichfalls 1888 als "Gesammelte Dichtungen, dem arbeitenden Volk gewidmet". Ein "Soziales Schauspiel" ist

Karl Bleibtreus "Der Erbe" (1889), ein "Sociales Trauerspiel" Max Halbes "Ein Emporkömmling" (1889), ein "Soziales Drama" Gerhart Hauptmanns "Vor Sonnenaufgang" (1889), eine "Soziale Tragödie" Friedrich Lienhards "Weltrevolution" (1889), ein "Sozialer Roman" Karl Bleibtreus "Die Propaganda der That" (1890). Otto Erich Hartlebens unter dem Pseudonym Henrik Ipse publizierte Ibsen-Parodie "Der Frosch" ist ein "Familiendrama in einem Act" (1889), Gerhart Hauptmanns "Das Friedensfest" "Eine Familienkatastrophe" (1890). – Auch hier sollen einige wenige Beispiele genügen. Deutlich machen können sie bereits, daß zu verschiedenen Jahren Konzentrierungen bestimmter Untertitel festzustellen sind; daß in den Untertiteln Gruppen- und Kontinuitätsbewußtsein bemerkbar ist – jenseits aller individuellen Verschiedenheiten der einzelnen Autoren; daß es sich nicht mehr um Dichtungen handelt, deren Absicht erst nach vollständiger Lektüre ermittelt werden kann, sondern um Dichtungen, die ihre Intention klar beim Namen nennen, mithin ihre Wirkungsabsicht oder ihre 'naturwissenschaftliche' Beschränkung offenlegen; daß es in diesen Dichtungen um einen klaren Bezug zur eigenen Zeit geht, um die Ansprache von miterlebenden und deshalb zum Urteil gezwungenen Zeitgenossen; daß es nicht mehr um anthropologische Grundphänomene oder 'dichterische' Exotismen und Fluchträume zu tun ist, sondern um die konkrete Alltagswelt des bismarckschen und kaiserlichen Deutschland um 1890. Deutlich wird vor allem die Politizität dieser neuen, modernen Dichtung, die sich nicht mehr um Fragen aktuellen Interesses drückt, sondern – etwa in der heftig diskutierten sozialen Frage – Diskussionsanstöße vermitteln, Diskussionsbeiträge liefern will – und seien diese Anstöße und Beiträge noch so 'unwissenschaftlich', noch so emotional und noch so 'poetisch' im Sinn des trotz allen Zeitbezugs Fiktionalen. Identifizierung mit provokanten Positionen ist verlangt, rein belletristische Rezeption ausgeschlossen. Literatur erscheint auf der aktuellen Rostra, nicht mehr als "schöne Literatur" für das wattierte Stühlchen im Boudoir. Titel wie Untertitel machen – jeweils auf ihre Art – ernst mit dem Zielbereich naturalistischer Literaturintention: der Änderung des Bewußtseins, der Aufstörung liebgewordener Verdrängungsmuster, der Aufklärung all jener, die sich bislang um die Phänomene sozialer Ungerechtigkeit, kapitalistischer Gesellschaftsverkrustung oder familiärer Atavismen drücken konnten, weil man darüber öffentlich zu sprechen nicht gewohnt oder gar gehalten war. Die Naturalisten brachten diese Themen zur Debatte, stellten sie in den Mittelpunkt ihrer Produktionen, wollten die Auseinandersetzung darüber, verlangten dezidierte Stellungnahme. – Daß die Auseinandersetzung meist in bloßer Aversion stattfand, daß die Stellungnahme in aller Regel nur angewidert ausfiel, ist bekannt und bezeichnend zugleich, spiegelt das verkrampfte Festhaltenwollen der Aufklärungsunwilligen sowohl im öffentlichen wie im literarischen Sektor wider: Literatur sollte schön sein, und die Lösung der gesellschaftlichen Probleme war eine Sache, die man gern dem Sankt Nimmerleinstag überantwortete ...

Der *Stoff* des Naturalismus ist, so betonen es die theoretisch-programmatischen Äußerungen unaufhörlich, prinzipiell unbegrenzt. Die ganze menschliche wie dingliche Realität soll zum Vorwurf dienen; nichts soll von der künstlerischen Darstellung ausgeschlossen bleiben. Alles, was beobachtet werden kann, soll seinen Eingang in Literatur finden, seelische Regungen ebenso wie das von einem Perpendikel reflektierte Licht der Abendsonne; das Sterben eines Kindes genauso wie der eklige Ruß eines Fabrikschlots.

Besonders die terrae incognitae der konventionellen Literatur sollen nun erschlossen werden, anders: es soll kein Darstellungstabu mehr geben – Karl Rosenkranz hatte über diese Frage schon 1853 in seiner "Aesthetik des Häßlichen" gehandelt. Wie schwer dieser Prozeß vielerorts unwillkommener Enttabuisierung war (denn damit mußte ein genereller Funktionswandel der bisher in der Tat nur 'schönen Literatur' eintreten), belegt eine noch sehr metaphorisch-verhalten formulierte Passage aus Ludwig Fuldas 1890 publiziertem Aufsatz "Moral und Kunst":

> Sie haben sich im Leben ein sicheres Gärtchen abgegrenzt, wo Alles beisammen ist, was sie brauchen: Blumen, Gemüse und verschwiegene Lauben; und um dieses Gärtchen haben sie eine hohe Mauer gezogen, einen künstlichen Horizont, über den hinaus sie nicht sehen und nicht sehen wollen. Daß es jenseits dieser Mauer noch eine weite Erde giebt mit Berg und Thal, mit dunklen Wäldern und brausenden Meeren, davon wollen sie nichts wissen. Wehe dem Künstler, der zu ihnen eindringt und ihnen mit mahnender Stimme von Berg und Thal, von Wäldern und Meeren erzählt, statt ihnen vorzulügen, daß die Welt ein Gärtchen sei. Sie werden ihm ihr Ohr verschließen und ihm nicht glauben, so lange, bis eines Tages der Wald heranrückt, bis die Meere schwellen und schwellen und ihre Mauer, ihr Gärtchen und sie selbst überfluten. (18,161)

Die dunklen Wälder und brausenden Meere außerhalb des poetischen arcanums, des mauerumzäunten hortus conclusus konventioneller Literatur – sie wurden in den Notaten anderer Autoren weniger bildlich beim Namen genannt, so etwa, wenn Conrad Alberti in provokanter Überspitzung sagte:

> Das Wesen des künstlerischen Realismus ist Pantheismus auf der Grundlage induktiver Erkenntnis. Daher sind vor dem Naturgesetz und vor der Aesthetik alle Wesen und Dinge einander gleich, es gibt keine künstlerischen Stoffe zweiten und dritten Ranges, sondern *als Stoff steht der Tod des größten Helden nicht höher als die Geburts-*

wehen einer Kuh, denn dasselbe einheitliche und allgewaltige Naturgesetz verkörpert sich in diesem wie in jenem. Es gibt nichts Höheres als das Naturgesetz und darum nichts Wahreres und nichts Schöneres. (Hervorhebungen von mir, G. M. – 46,35)

Heiberg, so resümiert Karl Bleibtreu in seiner "Revolution der Litteratur" von 1886, "setzt sich in steten Contact zum realen Leben: ein Caviarbrödchen und die Venus von Medicis werden von ihm mit gleich liebevoller Sorgfalt genossen." (174,30) Bleibtreu selbst betonte, weniger grell als Alberti und weniger antithesenhungrig als Hermann Heiberg, dafür zeitgemäß-technizistisch:

> in erotischer Lyrik sollte man sich nicht von den Sternen Wolkenkukuksheims, sondern von den elektrischen Laternen der Leipziger Straße beleuchten lassen. (18,53)

Daß die "Poesie der Postkutsche" durch die "Poesie der Bahnfahrt" ersetzt worden sei, stellte Richard Dehmel in einem Brief an Paula Oppenheimer vom 10. 5. 1887 fest. (330,15)

Und für Arno Holz waren nun statt "Gelbveiglein" "Kartoffeln" auf den Plan getreten (206,X,487). – Der Conradischen Kuh Geburtswehen, Heibergs liebevoll genossenes "Caviarbrödchen", Bleibtreus elektrische Straßenlaternen oder Holz' Kartoffeln – sie wurden nun zum Programm: keineswegs kamen alle Bereiche menschlichen Daseins und außermenschlicher Realität im Naturalismus zur Sprache, sondern bevorzugt und oft sogar ausschließlich all das, was mit einer alten Metapher unter die "Nachtseiten des Lebens" rubriziert wurde: Not, Elend, Haß, Verkümmerung, Zerwürfnis, Verrohung, Vegetieren.

Fontane etwa sah das sehr genau, wenn er über Hauptmanns "Friedensfest" Bemerkungen machte, die den ganzen Naturalismus betrafen:

> Es fehlen die künstlerischen Gegensätze; neben dem, was niederdrückt, fehlt das, was erhebt, neben dem Schatten das Licht, und statt, wenigstens dann und wann einmal, eine Forelle springen oder Gold- und Silberfische hin und her huschen zu sehen, sehen wir nur unausgesetzt in ein schwarzes Gekrabble, das mit seinen wenig beweglichen Scheren sich untereinander kneipt und sticht. Luft, Licht und Freude fehlen; die Unken klagen in einem fort und verkünden schlecht Wetter, und das Wasser unten ist schwarz und der Himmel oben ist grau. Auch *das* hat seinen Reiz, aber es darf nicht zu lange dauern. (332,XXII/2,741 f.)

Vor dieser "Muse in Sack und Asche, Apollo mit Zahnweh" (333,II,46) wandte er sich ab. "Ich seh das Gute, aber auch das Nicht-Gute und drücke mich in die Sofaecke. Mit 71 darf man das." (333,II,287; vgl. 64)

1868 schon hatte Wilhelm Scherer in seiner berühmten Widmung an seinen Lehrer und Ko-Editor Müllenhoff geschrieben:

> wir glauben mit Buckle, daß der Determinismus, das demokratische Dogma vom unfreien Willen, diese Zentrallehre des Protestantismus, der Eckstein aller wahren Erfassung der Geschichte sei. (298,223)

Von dieserart Demokratie und Protestantismus war der Naturalismus dann in der Tat erfüllt: der Umwälzung des 19. Jahrhunderts verdankte er die 'demokratische' Gleichstellung alles Beobachtbaren wie auch das Weltbild, welches *Evolution* aufgrund von Milieupräformierung, von Vererbung und Determinismus stets in *Pervertierung* münden ließ: ein 'Fortschritt' nach unten, ins Düstre, Irreparable, eine 'Entwicklung', welche *Aus*wicklung des zum Degenerierenden hin Angelegten bedeutete.

Die meisten Themen des Naturalismus sind vor diesem grundsätzlichen Hintergrund zu sehen und aus ihm als konkretisierte Filiationen abgeleitet, besonders dann, wenn man als weitere wichtige Voraussetzung den Bezug zur eigenen Zeit nennt, die stets verfolgte Absicht, Kontemporanes zu thematisieren und jedermann Nachprüfbares, das hic et nunc also anstelle bislang üblicher poetischer Exkursionen ins Ferne und nur Imaginierbare.

Innerhalb dieses Bezugs zur eigenen Zeit und zur eigenen Realität wird die *soziale Frage* (ein Bündel von Fragen!) zu *dem* Thema des Naturalismus, welches ein starkes Jahrfünft lang das Schreiben der Jüngstdeutschen beherrscht und das gemäß dem Wahrheitspostulat um schonungsloses Aufdecken jener schlechten Realität bemüht ist, die nicht länger – 'lügnerisch' – durch schönere Idealität abgeblendet werden soll und kann.

Der "vierte Stand" vor allem wird beschrieben, am Arbeitsplatz sowohl wie in seiner dürftigen Häuslichkeit, die zumeist aus einem einzigen Allzweckzimmer besteht. Arme, Ausgebeutete stehen in scharfer und oft ins Extrem gesteigerter Diametrie den reichen Ausbeutern gegenüber, viele Arme den wenigen Reichen – doch in aller Regel *stehen* sie tatsächlich: daß es einmal nicht die 'immer so gewesene', empirische Zweiteilung der Menschheit in 'bessere' und 'schlechtere' Gesellschaft geben könne, wird kaum als Chance erwogen.[64]

---

[64] Wilhelm Heinrich Riehl hat in seinem erstmals 1851 und 1866 in sechster Auflage erschienenen Buch "Die bürgerliche Gesellschaft" ausführlich und symptomatisch für das Bürgertum den 'vierten Stand' beschrieben. – Hermann Bausinger hat nach einem Vergleich der verschiedenen Auflagen mit einem eingestandenen Kalauer die von Riehl in den späteren Auflagen vorgenommenen Änderungen auf die Formel gebracht: "Der Proletarier, das unbekannte Wesen, wird [. . .] zum bekannten Unwesen stilisiert." (240,26) – Um Bausingers saloppe Kolle-Adaption fortzuführen: der Naturalismus war bei aller Bürgerschreck-Attitüde um den bewußtseinsverändernden Aufweis bemüht, daß die "bekannten Unwesen" *ver*kannt und *auch* Menschen seien.

Neben dem 'vierten Stand', der sich bald – doch erst nach 1891, als in der Sozialistischen Arbeiterpartei Deutschlands Marx'sche Theorie energisch, weil nachholbedürftig rezipiert wird (vgl. 300) – als Klasse der Zukunft verstehen sollte, ist ein Gutteil naturalistischer Themenbereiche unter das zu subsumieren, was ich an anderer Stelle schon einmal als "fünften Stand" bezeichnet habe (102,28); subproletarische Existenzen werden zu Lieblingsfiguren: der Bettler, die Dirne, der Verbrecher, der Selbstmörder, der Trottel – kurzum: ein Arsenal von outcasts. Ihr Außenseiterdasein hat allen Reiz des Pittoresken verloren, wie ihn besonders die Malerei der Vergangenheit, aber auch noch die Gedichte der Gründerzeit hervorgehoben hatten. Diese Figuren sind vielmehr 'am Ende' – am Ende jedoch eines Wegs, den sie nicht freiwillig gegangen, sondern auf den sie gestoßen worden sind; Ausgestoßene werden vorgeführt, deren Geschick jenes der sie verstoßenden Gesellschaft ist. Der Befund kann nicht mehr so bequem wie früher lauten, als habe da ein Einzelner versagt, sei ein Einzelner aus eigenen Stücken, aus eigenem Verschulden auf die schiefe Bahn geraten; vielmehr lautet der Befund nun, die 'gute' Gesellschaft unerbittlich anklagend, so, daß öffentlich zur Schau gestellte Honorigkeit jene Vertreter des fünften Standes auf dem sozialen Gewissen hat; genauso, wie sie auch das quantitativ viel größere Elend des 'vierten Standes' produziert, historisch verschuldet hat. Allerdings: bis zur Prägnanz einer marxistischen Analyse des Zusammenhangs von Expropriateuren und Expropiierten gelangt der veristische Befund naturalistischer Beschreibung der Arm-Reich-Diskrepanz kaum einmal; vielmehr überwiegt die – emotional vorgetragene – statische Sicht eines zwar nicht länger als 'gottgewollt' deklarierten, nichtsdestoweniger aber oft als unveränderlich fatalistisch betrachteten Zustands. "An das 20. Jahrhundert" werden nur vage Hoffnungen gestellt und utopistische Harmonisierungswünsche laut:

> Liebend reichen sich die Hände
> Stark und Krank und Reich und Arm (1,183)

– wenn nicht gelegentlich das drohende Bild einer roten Revolution auftaucht:

> Dann gilt nichts Heiliges mehr auf der Welt,
> Es stürzen Kirch' und Kapellen.
> Die Liebe verroht und der Glaube zerschellt,
> Das Mitleid begraben die Wellen.
> Die Massen nur raufen sich um das Gold,
> Das über die dampfenden Trümmer rollt. (1,167)

Die soziale Frage führt zwar einige Naturalisten in die Nähe, einige wenige auch in die Parteiorganisation der Sozialdemokratie; doch herrscht in der Regel mehr emotionale Solidarität bei gleichzeitig betonter Distanz zu allem, was Partei heißt. Die Zeugnisse dafür sind zu zahlreich, als daß sie übersehen oder unterbewertet werden dürften. – Stellvertretend für andere Äußerungen sei ein Bekenntnis Gerhart Hauptmanns aus dem Jahr 1912 zitiert:

> Der Dichter kann sich unmöglich auf die Paragraphen einer Partei, also auf sein nicht individuelles Glaubensbekenntnis verpflichten. Ein solches Bekenntnis ist zum öffentlichen Gebrauch und zu taktischen Zwecken ersonnen. Es kann weder eingehend sein noch tief noch reich noch an innerer Wahrheit befriedigend. Zwar nicht ganz so lapidar wie ein Feldgeschrei, ist es im allgemeinen doch nicht viel mehr. Aber der Dichter braucht kein Feldgeschrei. (194,XI,835 f.)

Und der Schluß aus alledem muß heißen, daß trotz aller Sozial-Engagiertheit im Naturalismus Autoren am Werk sind, denen der nur phasenweise weniger betonte Individualismus den Schritt in die organisatorische Ein- und Unterordnung verbietet. Von dieser Phasenhaftigkeit her erklärt sich auch, wie stark Emotionen die Darstellung der sozialen Frage prägten: zu einer ernsthaften, auf die sozio-ökonomischen Quellen des sozialen Unheils rekurrierenden Beschäftigung fanden die Naturalisten weder Zeit noch Vorbilder in der Sozialistischen Arbeiterpartei Deutschlands, die bis 1891 "theoretisch einfach in den Tag hinein" lebte (300,59).

Das hatte Konsequenzen für jene Themen, die keine 'literarischen' allein mehr sein wollten, es aber doch nicht zur oft programmatisch vorgenommenen Wissenschaftlichkeit brachten: anstelle von Differenziertheit findet sich häufig Schwarz-Weiß-Malerei: der Reiche ist qua Reicher ein Prasser und Wollüstling und ein Charakterlump – und der Arme ist qua Armer edelmütig und ideal; böser Herr und guter Knecht, schwarzer Teufel und weißer Engel stehen sich gegenüber:

> Das ist ein rauhes Weltgebot,
> Auf ewig Herr und Knecht (1,281)

Solches Schablonendenken – auch wenn es noch so sehr und noch so oft bestätigt werden konnte durch die Realität des Deutschland im Übergang von den Gründerjahren zum wilhelminischen Imperialismus – hatte freilich Auswirkungen auf sozialengagierte Einzelthemen, die ihrerseits wiederum zu Schablonen und Klischees wurden: so ging der Proletarier nicht in die Schnapskneipe, um einen über *seinen* Durst zu trinken, sondern *allein*, um seine harte Arbeitsfron zu vergessen; so prostituierten sich junge Mädchen vor allem deswegen, weil sie ein schurkischer Unternehmerssohn defloriert und auf den Strich gestoßen hatte; so wurden bei einem Verbrecher kaum kriminelle Energien frei, wie sie zur selben Zeit etwa Cesare Lombroso als angeboren bezeichnete (vgl. 275) –

sondern sein sozietätsschädigendes Verhalten war durch eben diese Sozietät voll und ganz verschuldet; so bedeutete der Suizid nicht den schrecklichen Endpunkt einer Kette individuellen Versagens, sondern den einzigen Akt noch möglicher Selbstbestimmung in einem sonst total fremdbestimmten Dasein.

Die Beispiele ließen sich mehren; doch genügt es in unserem Zusammenhang festzuhalten, daß bei der Beschreibung des vierten wie des fünften "Standes" das Pendel der Betrachtungsweise ins Extrem ausschwang: bisher war – auf der Grundlage des Autonomiedenkens und der Selbstverantwortlichkeit jedes Einzelnen vor Gott oder vor den Menschen – die Individualerklärung dominant gewesen, und das hieß, daß alle soziologischen, hierarchischen, ökonomischen oder spezifisch-historischen Gesichtspunkte bei der Beurteilung kaum eine Rolle gespielt hatten. Nun aber wurde die gegenteilige Beurteilungsweise dominant: der Einzelne – demokratisch-protestantisch dem Determinismus unterworfen; in Georg Büchners berühmter Formulierung dem "gräßlichen Fatalismus der Geschichte" – war prinzipiell unschuldig; alle Schuld lag jetzt bei der Gesellschaft, bei jenen, deren Ideen herrschten, bei jenen also, die 'es' hatten.

Daß eine oft ins Monotone oder gar Monomanische übertriebene Zuwendung zum kleinbürgerlichen Milieu stattfand, hat verschiedenartige Gründe. Zum einen war jene aufstiegsorientierte, aber abstiegsbedrohte Schicht bislang von literarischer Gestaltung weitgehend ausgeschlossen geblieben; eine nicht aufs Drama beschränkte "Fallhöhe" hatte Vertreter dieser Schicht allenfalls als Domestiken, Randfiguren, folkloristische Kuriositäten oder schlicht komische Gestalten auf die Marginalzonen der Dichtung verwiesen (Ausnahmen: Hebbel, Anzengruber); sie nun zum Mittelpunkt und zur tragenden Schicht naturalistischer Literatur zu machen, bedeutete zunächst einen Vorgang der Enttabuisierung und der 'Demokratisierung'. Andrerseits sollte nicht übersehen werden, daß – entsprechend der insgesamt sichtbaren Opposition gegen die Väter der "höheren Töchter", gegen die herrschende Trias also von Staat, Militär und Kirche – mit der Zentrierung der bisher literarisch Zukurzgekommenen gezielter Bürgerschreck intendiert war, eine veristische Dokumentation der Zu-kurz-Gekommenen ad oculos possidentium. Schließlich – und das war im Kontext der theoretischen Maximen des Naturalismus wohl der entscheidende Gesichtspunkt – war das kleinbürgerliche Milieu den Jüngstdeutschen von Herkunft und späterer Lebenshaltung her vertraut; auch das erfolgsbestrebte, aber oft nur zu kümmerlichem Vegetieren ausreichende Künstlerdasein einer häufig äußerst unromantischen Demi-Bohème brachte die Naturalisten ökonomisch wie mental in die Nähe kleinbürgerlich-gefährdeter Lebenshaltung.

Weniger metaphorisch als vielmehr ganz konkret lagen die Themen der Naturalisten zu einem Gutteil 'auf der Straße' – holten sie die Naturalisten 'aus der Gosse', wie die Gralshüter der "schönen Literatur" despektierlich sagen sollten: Gegenstände sozialer Atrophien, wie man es später ausdrückte.

Bei der Wahl dieser Stoffe – Dirne, Bettler, Alkoholiker, Brutalität, Familienzerrüttung, Verbrechertum, Suizid – spielte sowohl das zeitweise für dominierend erklärte Sozialengagement seine Rolle wie auch das Moment entschiedener Opposition wider konventionell-arkanische Literaturkonzepte: aus diesem zwiefachen Anstoß heraus wird erst die monomanische Behandlung einiger weniger Themenkreise verständlich, positiv nämlich ein 'modernes' Feld zu bestellen, negativ das Grün und Himmelblau nur-dekorativer Dichtung abzulösen mit einem Grau in Grau des Ärgernisses. Keine 'vom Himmel gefallenen' oder mit jenem Himmel verquickten Themen sollten künftig behandelt werden: mit der Entscheidung für Straße und Gosse wurden 'dichterische' Phantasie und 'inspirierte' Spekulation verabschiedet zugunsten streng empirisch erhobener Befunde, zugunsten subtil eruierter Kausalketten, zugunsten einer 'irdischen' Faktizität, die für sich selber sprechen sollte. Themen jener Art bildeten also den neuen, den 'modernen' Kanon, die kein Sich-Erheben mehr zuließen, die vielmehr jedermann bekannt und bewußt waren, freilich nicht jedermann als drängende Probleme und als *seine* Probleme galten.

Im ersten Drama des deutschen Naturalismus, welches im exakten Wortsinn Furore machte, in Gerhart Hauptmanns am 20. Oktober 1889 uraufgeführtem "Sozialen Drama" "Vor Sonnenaufgang" spielt ein Zentralmotiv des Naturalismus – des gesamten Naturalismus, wie es Zolas "L'Assomoir" oder Tolstois "Macht der Finsternis" zeigen – die alles entscheidende Rolle: das Motiv der *Vererbung*. Helene Krause, in die sich der 'Bote aus der Fremde' verliebt – Alfred Loth ist ins Bergwerksmilieu gekommen, um über die Lage der Arbeiter Recherchen anzustellen –, gehört zu einer Familie, die zum größten Teil bereits von Degenerationserscheinungen gezeichnet ist; Loth, über die Familienverhältnisse von Doktor Schimmelpfennig drastisch aufgeklärt – es handelt sich um eine "Potatorenfamilie" (194,I,94) –, entscheidet sich wider seine erklärte Liebe und für sein Prinzip privater Eugenik: ein Doktrinär der wissenschaftlichen Erkenntnisse des 19. Jahrhunderts in solchem Maß, daß alles Persönlich-Emotionale dem Szientifisch-Allgemeingültigen geopfert wird. Sklavische Gläubigkeit einer wissenschaftlichen Entdeckung gegenüber macht für ihn "Unübersteiglich!", was als zartes Liebesverhältnis sich angesponnen hatte, bringt sein schroffes "Niemals wieder!" (194,I,97), das Helene in den Tod treibt – ihr eben noch zu glücken scheinender Ausbruch aus ihrem Milieu findet ebensowenig statt wie jener der Toni Selicke: das Milieu behält und verschlingt seine Kinder...

Was sich bei Alfred Loth am fiktionalen Einzelfall zeigt, läßt sich für die jüngstdeutschen Autoren verallgemeinern: das geradezu religiös zu nennende Aufgreifen und Festhalten an den zum Glaubensersatz arrivierten Naturwissenschaften und dem Positivismus der Zeit. Waren in der Literatur bislang die Prämissen der Entwicklung eines Roman- oder Dramenhelden in seiner Autonomie und im Optimismus fortschreitender Selbstverwirklichung gelegen, im Zutrauen, sich Welt aneignen und Welt bewältigen zu können, so hießen die Prämissen naturalistischer Literatur Vererbung und Milieu; folgerichtigem Ausfalten des Angelegten galt nunmehr das Interesse einer Literatengeneration, die auch noch den letzten Rest freier Selbstbestimmung leugnete und pessimistisch den Niedergang einzelner oder mehrerer Individuen protokollierte. Milieuschädigung, Alkoholismus und Vererbung bildeten die Leitlinien des Lebenslaufes von Anti-Helden, von Getriebenen, von Menschen, denen die Verhältnisse zum Verhängnis wurden. Die sture und unbeeinflußbare Mechanik von Determination, die irreversible Kausalkette von Faktoren, die zum Schlechten führen mußten, erzeugten eine Fatalität neuer, terrestrisch-animalischer Art. Der Niedergang von Menschen, Ehen, Familien, soziologischen Gruppen – er wurde zum Leitmodell einer Evolution, die Depravierung hieß: Herunterkommen des Menschen zum Tier, zur Bestie, zum Schwein, unaufhaltsam abschnurrend wie ein Uhrwerk, eingleisig und ohne mögliche Weichenstellung mündend in Idiotie, Verbrechertum und Tod. – Die Vererbungsproblematik wurde in diesem Kontext zum Zeitmesser des Niedergangs, zum chemischen Prozeß, welcher der Auflösung von Humanität und Leben entgegeneilte.

Gleichsam die 'Gegenprobe' auf das bereits mehrmals skizzierte Eingebundensein in erbbiologische, soziologische oder berufsspezifische Determinanten und Zwänge gestatten die in naturalistischer Literatur häufig thematisierten *Selbstmorde:* sie erscheinen oft als einzige Form der Realisierung noch verbliebener Autonomie, als schreckliche Antwort auf ein Bündel unlösbarer Fragen und Konflikte, als letzte Konsequenz eines unaufhaltsamen Niedergangs. Nur durch den Suizid kann der Ausbruch aus einem 'verpfuschten' Leben gelingen, als grausiger Schlußstrich unter eine angesammelte Kolumne nicht wieder gut zu machender Negativposten. Doch was als autonomer Akt erscheint, ist in Wirklichkeit fremdbestimmt und ferngesteuert von außerpersonalen Faktoren, von gesellschaftlicher Ächtung, genetischer Depravation, dem Schicksal der Arbeitslosigkeit oder dem Versagen zwischenmenschlicher Bindung. – Auch beim Selbstmord-Thema also kommt es dem naturalistischen Autor darauf an, durch das genaue Aufzeigen des dann katastrophal endenden Wegs eines Menschen das factum brutum in seiner verzweifelten Folgerichtigkeit darzustellen und mithin die gern auf den Einzelnen hin eingeengte Schuldfrage zu einem Teil der sozialen Frage zu machen, also Verantwortungsbewußtsein bei Leserschaft und Bühnenpublikum zu evozieren, statt des Wegschauens von fremdem Leid oder gar statt des Hohns über die Selbstmörder das Schlagen an die eigene Brust zu erzwingen. Das selbstgerecht-redensartliche "so mußte es ja kommen" wird aus der bequemen Beschneidung auf den individuellen Fall gelöst und erscheint als Abfolge von Faktoren, die 'von außen' her das Individuum immer mehr bedrängen und ruinieren; konsequenterweise ist am Ende die Umwelt der Angeklagte, sind Partner, Familie, Gruppe oder Gesellschaft die wahren Schuldigen, die Mörder in einem Kontext inhumaner Selektion, welcher die Verwundbarsten am ehesten eliminiert; im "Kampf ums Dasein" – auch beim Selbstmord-Thema meist der ungenannte Bezugsrahmen – unterliegen die sozial, mental und in ihrer Selbstentfaltung Benachteiligten, werden zum Opfer der Stärkeren, oft auch nur der Gerisseneren und Skrupelloseren; der Suizid ist vor diesem Hintergrund nicht so sehr eine nur-personale Bankrotterklärung als vielmehr der selbstzerstörerische Abschluß dessen, was andere längst zugrundegerichtet haben.

Das Selbstmord-Thema – ob vom Autor mitleidspathetisch oder kaltanalytisch verwendet – wird zum Prüfstein sozialen Gewissens und mitmenschlicher Verantwortlichkeit; es wird überdies zum Prüfstein eines in seiner Selbstdarstellung intakt scheinenden Gesellschaftssystems, weil es in aller Regel Vertreter des vierten und des fünften Standes sind, die umkommen 'müssen' – die selbstgefällige Kalokagathie der 'besseren Kreise' erscheint so als blutig erkauftes Wohlleben, denn die Herrschaften in 'geordneten Verhältnissen' verdanken die Beständigkeit solcher Ordnung ebendem materiellen Vorsprung, dessen Mangel einer der wichtigsten Gründe für den schönrednerisch so genannten 'Freitod' jener ist, welche ökonomische Not und in ihrem Gefolge der Ausschluß menschlicher Selbstverwirklichung zu jenem letzten Schritt treibt.

Von Kirchenheim betonte im Vorwort zur 1887 erschienenen deutschen Ausgabe von Cesare Lombrosos "Der Verbrecher", es sei dem italienischen Kriminalpathologen um "eine *Embryologie* des Verbrechens" zu tun: "Ziel aller seiner Studien ist die Erkenntniss der Eigenart des Menschen, welcher Strafthaten begeht, die Erforschung der Ursachen, welche ihn treiben, die Aufsuchung der Mittel, ihn zu zügeln." (275,VII) Empirisches Aufsuchen der Wurzeln, genetische Erklärung, Mikroanalyse anstelle 'ewig' feststehender Postulatorik – 'ein Verbrecher ist schlecht, gehört hart bestraft' – wollte Lombroso. – Den Naturalisten um 1890 war es in gleicher Weise um eine "Embryologie" zu tun, um die Embryologie menschlichen Fehlverhaltens (z. B. Wilhelm Walloth, Der Dämon des Neides), wirtschaftlicher Ungerechtigkeit (z. B. Max Kretzer, Meister Timpe), die Embryologie des Zerbrechens einer Ehe (z. B. Henrik Ibsen, Nora; Gerhart Hauptmann, Einsame Menschen), des Generationenkonflikts (z. B. Conrad Alberti, Die Alten und die Jungen), soziologischen Außenseitertums (z. B. Hans Land, Stiefkinder der Gesellschaft) u.s.f.

Stets geht es um die möglichst genaue Aufdeckung des Punktes, wo der Konflikt auftrat, auftreten mußte; um jenen Punkt also, der die Faktoren (von Herkunft, Charakter, Bildung, Temperament, ökonomischer Situation, Prestige, Rolle usw.) so kombinierte, daß die zustandegekommene Konstellation mit Eigengesetzlichkeit Folgen unausweichlicher Art nach sich zog. Es ging um die Embryologie und um die Analyse gleichzeitig – das eine war lediglich das Synonym des anderen. – Das eine wurde eher von der Epik behandelt, also im Erzählkontinuum eine Genealogie des fortschreitenden Niedergangs gezeigt (vgl. 97); das andere diente jener Dramenart, die vor allem Ibsen vorbildlich gestaltet hatte: der stufenweisen, schichtweisen Enthüllung zurückliegender Initiationspunkte und -felder. Diskursive wie rekursive Analyse hatten zum gemeinsamen Ziel, den Autor nicht mehr über die Dinge, sondern die Dinge für und aus sich selbst sprechen zu lassen, die 'Dinge' im sehr handfesten Sinn äußerer Gegebenheiten, im Sinn der Taineschen trois forces primordiales, der Zeit, der Rasse und des Milieus: diese Kräfte waren dem Menschen in einem Maße 'vorgeordnet', daß sie seine in früheren Dichtungen stipulierte Autonomie einengen, verdrängen oder gar völlig ausschließen. Wie der individuelle Embryo heranwächst in einem ganz bestimmten Mutterleib, zu konkreter Zeit, zu einer spezifischen 'Rasse' gehörig und einem fixen Milieu eingebunden, so wird in der Literatur des Naturalismus das Geflecht von Bezügen und Bedingungen, von situativen, emotionalen und charakterologischen Ausgangslagen und Begleitumständen im Bestreben um Perfektionierung und Exaktheit wiedergegeben, welches in seiner Gesamtheit den oder die 'Helden' prägt, mehr noch: stempelt und dirigistisch präformiert.

Eine längere Passage aus Hermann Conradis Roman "Adam Mensch" kann dies illustrieren:

> Adam war in engen, drückenden, rohen Verhältnissen aufgewachsen. Sein Vater, Gottfried Mensch, hatte einen Bäckermeister vorgestellt. Ein Mann, verschwommen an Leib und Geist, eigenwillig, aufbrausend, unstät in Stimmungs- und Willensgegensätzen lebend, von schnurrigen Einfällen behaftet, nicht ohne eine gewisse Eigenart und Kraft, aber ohne die Sicherheit, ohne die Lebensgarantie der Beschränktheit. Er hatte sich in seiner Natur ausgelebt – das heißt: er hatte nach Welt und Menschen nicht viel gefragt und nur dem bunten Bündel seiner Neigungsströme gefröhnt. Dabei war das Geschäft natürlich heruntergekommen – und unbewußt, naturgemäßig-nothwendig, im Besitze des Muthes, Alles gehen zu lassen, wie es geht, und dem ökonomischen Verderbensmoloch ruhig seine Giftzähne zu lassen, hatte sich Meister Gottfried Mensch immermehr an den Alkohol angeschlossen, welcher ihm allerdings weniger Tröster war, als ein guter Kamerad, der Feuer in die Seele goß und wirbelnde Phantasie'n gebar. Und eines Tages war dann das Delirium gekommen. Die Krämpfe und Wuthausbrüche wuchsen an Oftheit und Stärke, aber es trat auch nicht allzuspät der Gehirnschlag ein, der den Rasenden eines Abends ausblies. Adams Mutter hatte sich die Kehlkopfschwindsucht anschaffen müssen. Vier Kinder waren da: zwei Knaben und zwei Mädchen. Die Brut war nicht gesund. Adam mußte sich in späteren Jahren noch öfter

> sattsam wundern, daß er alle die Plackereien und Quälereien, die er hatte auf sich nehmen müssen, ausgehalten, wenigstens einigermaßen ausgehalten. Nun ja doch! Brüchig und in sich mannigfach auseinandergekeilt war er schon längst. Das Leben hatte ihm kein Stück gesunder Krafterde hingeschoben, auf daß er fest in sie hineinwurzele und aus ihr heraus drangvoll und säftereich treibe. Das war sein ganzes Leben lang nur ein loses Wurzelhängen gewesen. Von seinem achten, neunten, zehnten Jahre bis zu dem neunundzwanzigsten, in dem er nun stand [...] und das vielleicht noch nicht das letzte war, dessen Ring er sich eingrub. (183,11 f.)

Einer von den exakten Naturwissenschaften stofflich und methodisch nahezu völlig beeinflußten Literatur wie der naturalistischen konnte es nicht um eine Art von Dichtung zu tun sein, die sich – metaphorisch etwa oder symbolisch oder allegorisch – verklausulierte, um dann der interpretatorischen Aufschlüsselung zu bedürfen, der differenzierten Deutung, der subtilen Überwindung von Verstehensschwierigkeiten. Hier präsentierte sich vielmehr eine Literatur, die jedermann transparente Versuchsanordnungen bereitstellte, die beispielsweise auf dem Sektor der Personencharakterisierung jeden Rest von ineffabler Dunkelheit zu beseitigen trachtete, indem das einzelne Individuum als Ergebnis genetisch exakt zu eruierender Faktoren vorgestellt wurde, eine Literatur also, die alles Subjektive zu objektivieren versuchte, um 'wissenschaftliche' Einsicht zu ermöglichen und fern allem kulinarischen *delectare* ein *prodesse* in Gang zu setzen, das fast ausschließlich über den kritischen Intellekt erfolgte.

Diese Literatur war bewußt direkt, thesenartig, plakativ, wenn man so will: anti-'dichterisch', univalent, ein szientifischer Diskussionsbeitrag demnach, dessen fiktionale Verkleidung nicht mehr sein wollte als eine popularisierende Präsentationsform, deshalb gewählt, um im bisher reichlich preziös und prätentiös besetzten Raum von Dichtung den Kunstkonsumenten mit all jenem zu konfrontieren und zu irritieren, wovor er bis zu diesem Zeitpunkt die Flucht in die schöne Sublimation erfolgreich hatte antreten können – mit Alfred Döblins Worten (aus der 1924 entstandenen Arbeit "Der Geist des naturalistischen Zeitalters"):

> Man sah sich um, nunmehr. Vorher hatte man streng darauf geachtet, sich nicht umzusehen. Wenigstens die Blindheit hatten die Dichter von Homer geerbt. Das Poetische einer ganzen Periode bestand darin, daß man schön malte und schön schrieb; aber man vergeistigte damit nichts. Man bewahrte nur auf und nannte sich gebildet. Man war, da man leblos war im Geistigen, roh. (14,36)

Beim in naturalistischer Literatur vorgeführten Alltag sollte jedermann mitreden können, urteilsfähig sein, seine eigene Umwelt und sich selbst wiedererkennen, ohne den Ausweg freizuhaben in das Resümee, daß alles hier Vorgeführte 'nur' Literatur, 'nur' Dichtung sei, etwas also, das auf den Feierabend beschränkt bleiben könnte und anderntags allenfalls anekdotenhaft weiterbestünde oder gar nur als kulturelles Erlebnis, das man sich – zur gefühligen Auferbauung – von Zeit zu Zeit genehmigte.

Von ganz wenigen Ausnahmen abgesehen – etwa Hauptmanns fünfter "Weber"-Akt wäre hier zu nennen, vor allem der immer wieder anders bewertete Tod des alten Hilse – ist naturalistische Literatur prinzipiell interpretations-unbedürftig, im strengen literaturwissenschaftlichen Sinn jedenfalls, wo berufene Kritiker und Deuter dem 'normalen' Publikum erst hatten Hilfsdienste leisten müssen oder wo jedem Theaterbesucher die Möglichkeit individueller Rezeption gegeben war: der naturalistische Autor legt es in aller Regel auf homogene Rezeption an, die in der Initiierung eines zerebralen Prozesses besteht, im Bemühen, selbst erreichte Einsicht in Kausalabläufe und Determinationsketten, in gesellschaftliche, familiäre oder individuelle Grundstrukturen weiterzugeben, also Wissen – und nicht fiktionales Angebot weitgefächerter Deutbarkeit – zu vermitteln über Vererbungsmechanismen oder Milieupräformierung, über sprachlich registrierbare Unterschiede in Herkunft und Bildung, über psychische Hypotheken aus der Vergangenheit, über materiell ermöglichte Freiheiten bei den Reichen und ökonomisch bestimmte Mentalkonsequenzen bei den Armen, über die gesellschaftlich verschuldete Ausstoßung des fünften Standes der Verbrecher und Dirnen, Bettler und Selbstmörder, über alle Themen also, die um 1890 bevorzugt wurden und die lokaler Skandalberichterstattung so sehr viel ähnlicher schienen als einer Belletristik, die sich Freiheiten lokalen und temporalen Kosmopolitismus' leisten konnte.

II.6.2 Exkurs: Frauenfrage

Der Emanzipationsbewegung der 80er und 90er Jahre des 19. Jahrhunderts ging es noch um sehr viel bescheidenere Ziele, als sie heutige women-lib-Aktionismen – oft intellektualistisch überzogen und fatal maskulinisiert – anpeilen. – Um diese Zeit im richtigen Maßstab zu sehen, muß daran erinnert werden, daß das Frauenwahlrecht, also die bürgerliche Gleichstellung der Geschlechter bei der Parlamentswahl, erst nach dem Ersten Weltkrieg eingeführt wurde, in Deutschland sogar ein Jahr vor den USA (1919/1920) – und daß dies noch nicht so sehr viel für die Frauen selbst bedeutete, wie die bis heute verschwindend klein gebliebene Zahl weiblicher Abgeordneter drastisch belegt... Solche Forderungen waren im Jahrhundert der industriell-kapitalistischen Kinder- und Frauenausbeutung noch utopisch, zumindest außerhalb des als realisierbar Angesehenen (freilich hatte im revolutionären Frankreich Olympe de Gouges bereits 1789 – vergeblich – versucht, aktives wie passives Wahlrecht der Frau sowie deren Zugang zu öffentlichen Ämtern durch eine analog zur Erklärung der Menschenrechte formulierte "Erklärung der Frauenrechte" zu erreichen). Die deutsche Frauenbewegung war vor allem durch die Forderung nach Frauen*bildung* bestimmt – geistig immer noch, in Spuren sogar noch bei Bebel, grundiert vom Kultur- und Gesellschaftsbegriff der idealistischen Philosophie. So verlangte – im Dienst nationaler und sozialer Idealvorstellungen – Luise Otto-Peters die Erziehung der Frau zu selbständiger wirtschaftlicher und geistiger Arbeit, ein Programm, das vom 1865 in Leipzig gegründeten Allgemeinen Deutschen Frauenverein übernommen wurde. In den achtziger Jahren spezialisierten sich einzelne Gruppierungen, die sich für Berufs- und Sittlichkeitsfragen, für sozialpolitische Ansprüche und Mäßigkeitsbestrebungen (vor allem in der Alkoholismus-Bekämpfung) einsetzten – diese sehr heterogenen Gruppierungen vereinigten sich 1894 zum Bund Deutscher Frauenvereine.

Fünf Jahre zuvor, 1889, gründete Helene Lange in Berlin das erste deutsche Mädchengymnasium; die ersten weiblichen Studentinnen erregten um die Jahrhundertwende größtes Aufsehen – so auch Anna Mahr in Hauptmanns "Einsame Menschen" (die bezeichnenderweise in Zürich studiert: seit etwa 1840 konnten in der Schweiz Frauen an Universitäten studieren).

Kurzum: die Emanzipation um 1890 war ein Versuch kleinster Schritte in die bislang monopolisierte Männerwelt des sozial-, kultur- und realpolitischen Bereichs, ein Versuch, der immer wieder emotionalen Appellcharakter aufwies und wegen der mangelnden Solidarisierungsfreudigkeit des weiblichen Geschlechts darauf angewiesen war, von den Politik machenden Männern Verständnis und Unterstützung zu erhoffen.

Schützenhilfe leisteten bei diesem Versuch viele naturalistische Autoren, welche das durch Ibsen angefachte "Nora-Fieber" kräftig zu schüren unternahmen – und damit wiederum gegen Bastionen von Vorurteilen anzugehen hatten; die sich also bei den gutsituiert Honorigen, die in – so schön hieß das: – 'geordneten Familienverhältnissen' lebten, sogleich in Mißkredit bringen mußten.

Direkte "Nora"-Nachfolgen gab es kaum – kaum also den dramatisch vorgestellten Ent-puppungsprozeß einer in purer Häuslichkeit verkümmernden Frauenindividualität, den Prozeß der Erkenntnis inferioren Rollenzwangs und das Zersprengen der vermeintlichen Harmonie. Stattdessen wurde häufig die Institution Ehe als – beide Teile quälende – Zwangsanstalt gezeigt, als ein gebrochenes Nebeneinander, das lediglich noch juristisch und vor den Augen der Nachbarn aufrechterhalten wurde. Oft war freilich der Mann eindeutig schuld an der erkennbaren Zerrüttung, besonders dann, wenn sich mit dem Ehethema jenes des Alkoholismus verknüpfte.

Anna Mahr trat als bereits Emanzipierte auf, als Wesen von Selbständigkeit und Ungebundenheit, das "aus der Fremde" – sie ist in der Tat ein Bote – in eine Familie einbricht und diese vollends vernichtet. Ebenso emanzipiert, freilich gleichsam 'berufsbedingt', erschien Hartlebens "Hanna Jagert" oder seine "Angele". Strindbergs "Fräulein Julie" – 1899 mit einem bisher viel zu wenig beachteten Essay zusammen publiziert (vgl. Kap. II.4.2) – wies bereits in andere Richtung: im "Kampf der Geschlechter", geführt außerhalb der ständischen Unterschiede, nämlich auf dem Feld der Erotik, der Sexualität, unterlag die Frau – das war eine Thematik, wie sie immer wieder in Wedekinds Dramen auftauchen sollte: nicht mehr die weibliche Emanzipation bot den Fokus der Auseinandersetzung, sondern deren Dominanzbestreben auf sexueller Ebene.

Wenn die *Frau* im Naturalismus eine neue (wie auch immer neue: denn die einzelnen Ausprägungen differieren zu stark, als daß sich eine übergreifende Formel finden ließe!) Rolle zugewiesen bekommt – und mithin das Thema der bürgerlichen Ehe, das Thema der freien Liebe,[65] auch der Prostitution – und hier die ersten "Emanzipierten" der deutschen Literatur auftauchen, so hat das nicht allein mit der vorbildlich wirkenden Nora aus Ibsens "Ein Puppenheim" zu tun; vielmehr antwortet die naturalistische Literatur mit solchen Neuansätzen auf eine ganze Reihe von Entwicklungen publizistischer, frauenrechtlerischer, soziologischer und habitueller Art. Schon die jungdeutsche Literatur hatte mit ihren Schlagwörtern von der "Wiedereinsetzung des Fleisches" und der sechstausendjährigen "Alleinherrschaft" der Männer (334,182) anknüpfen können an Entwicklungen, wie sie vor allem außerhalb Deutschlands initiiert worden waren.

1792, drei Jahre nach dem Frauenrechte-Vorstoß von Olympe de Gouges, waren zwei Bücher erschienen, die noch keineswegs radikal die Rolle der Frau verändern, sondern nur schrittweise zum Überdenken festgefahrener Erwartungshaltungen anregen wollten: Mary Wollstonecraffts "Vindication of the rights of women" und Theodor von Hippels "Über die bürgerliche Verbesserung der Weiber". Ein Jahr später hatte jedoch die so publizistisch unterstützte Frauenrechtsbewegung einen entscheidenden Rückstoß erfahren: die neugegründeten Frauen-Clubs in Frankreich wurden wieder verboten.

Es dauerte fast zwei Generationen, ehe sich erneut eine breitere Gruppe von Autoren für die Frauen einsetzte: das Junge Deutschland forderte zum Abwerfen überfälligen Moral-Ballasts auf und zur Bejahung der Sexualität für Männer *und* Frauen; und Lucile Aurore Dupin trat unter ihrem Schriftstellernamen George Sand in mehreren Romanen für das Recht der Frau auf Charakter und Liebe ein.

Marx/Engels hatten im "Kommunistischen Manifest" lapidar festgehalten: "Der Bourgeois sieht in seiner Frau ein bloßes Produktionsinstrument." und: "Unsere Bourgeois, nicht zufrieden damit, daß ihnen die Weiber und Töchter ihrer Proletarier zur Verfügung stehen, von der

---

[65] Vgl. Max Halbes "Modernes Drama" "Freie Liebe" (1890).

offiziellen Prostitution gar nicht zu sprechen, finden ein Hauptvergnügen darin, ihre Ehefrauen wechselseitig zu verführen." (352,43) – Das liest sich wie die programmatische Äußerung eines Naturalisten!

1869 veröffentlicht John Stuart Mill – im Bereich der theoretischen Grundierung einer der ausländischen Hauptanreger des deutschen Naturalismus – sein Buch "The subjection of women": hier treffen zum ersten Mal dezidierter Positivismus und soziales Engagement in der Frauenfrage zusammen, wie es dann bei der Behandlung dieses Themas durch die Jüngstdeutschen durchgängig der Fall sein wird.

Mit dem fingierten Verlagsort Zürich erschien 1879, ein Jahr nach dem Sozialistengesetz, in Leipzig erstmals August Bebels "Die Frau und der Sozialismus", ein Buch, das es auf über sechzig Auflagen bringen sollte und bis 1895 bereits in dreizehn Sprachen übersetzt vorlag – zu einer Zeit also, als sich Physiologen wie Möbius anschickten, den 'anatomisch bedingten' "Schwachsinn des Weibes" 'wissenschaftlich' zu erhärten: eine – nicht allein stehende – Vorarbeit zu Otto Weiningers berühmt-berüchtigtem Werk "Geschlecht und Charakter", das 1903 publiziert wurde, sich vorgeblich der Lösung der Frauenfrage gewidmet hatte und dies dadurch zu erreichen suchte, daß der weibliche Faktor "W" als "nichts als Sexualität" beschrieben wurde und das weibliche Bewußtsein als ein lediglich vom Mann verliehenes – ganz abgesehen von den von einem Juden vorgetragenen gehässigen Antisemitismen! (Vgl. 356)

Wie schon die Jungdeutschen spricht auch Bebel von der jahrtausendelangen Unterdrückung der Frau (wie überhaupt sein Buch quellen- und zitatengespickt sondergleichen ist) und bestreitet deren "Natürlichkeit". "Frau und Arbeiter haben gemein, Unterdrückte zu sein" (231,35) – dieser erste Satz des Bebelschen Buchs macht die Stoßrichtung seines historisch fundierten, doch als Pamphlet intendierten "Evangeliums" (vgl. 232) deutlich; wie es auch der Schlußsatz nochmals wiederholt: "Dem Sozialismus gehört die Zukunft, das heißt in erster Linie dem Arbeiter und der Frau." (231,557) – Als Folge von Bebels Buch sind die bereits erwähnten Zirkel anzusehen, die um 1880 – also unter dem Sozialistengesetz – entstehen und auch die Frauen für die illegale Parteiarbeit werben wollen, neben diesem (uneingestandenen) Ziel aber wertvolle Vorstöße zu einer künftigen Sozialpolitik unternehmen.

Um dieselbe Zeit beginnen sich die Frauen in Deutschland selbst schriftstellerisch zu betätigen. Was in der Vergangenheit die Ausnahme darstellte oder sich oft auf den Hauskalenderbereich beschränkte – poetische Häkelarbeit von rührender Hilflosigkeit zumeist –, wird nun wenn schon nicht zur Regel, so doch derart verbreitet, daß einige Namen sich bemerkbar und zu Sachwaltern der eigenen – bisher vorwiegend von Männern getragenen – Bewegung machen.

Ein paar Namen genügen zur Illustration: Clara Viebig, Helene Böhlau, Marie von Ebner-Eschenbach, Elsa Bernstein (die bezeichnenderweise unter dem männlichen Pseudonym Ernst Rosmer publiziert: eine Parallele zum gleichermaßen eher Anerkennung versprechenden Pseudonym Bjarne P. Holmsen, das Arno Holz und Johannes Schlaf zunächst – zur Zeit der Skandinavien-'Mode', benützen); aus dem Kreis der naturalistischen Theoretikerinnen sind vor allem Irma von Troll-Borostyani und Franziska von Kapff-Essenther zu nennen.

Für all diese Autorinnen war der Naturalismus in der Tat "der Zungenlöser" (28,141), wie auch umgekehrt die schreibenden Kolleginnen den männlichen Autoren personaliter und in der Stoffwahl deutlich machten, daß im 'Thema Frau' ein bisher ebenso tabuiertes Gebiet sozial engagierter Literatur bereitstand wie im Thema des Alkoholismus oder des Proletariers: die Frauenfrage mit all ihren Filiationen ist Teil der sozialen Frage, mithin ein Bereich sozialpathologischer Verkrustung, den es ins Bewußtsein zu rücken gilt, der rückhaltlos, 'wahr' darzustellen ist, um auf dem Weg aufklärerischer Analyse einer Lösung nähergebracht zu werden.[66]

Umso leichter mußte den Naturalisten in der Solidaritätsphase mit der unterdrückten Sozialdemokratie das Aufgreifen des Frauenthemas fallen, als dieses Thema seit Bebels Buch ständiger Diskussionsgegenstand geblieben war, man sich also dem Bewußtseinsstandard der auf den Untergrund verwiesenen Opposition anschließen und darauf publizistisch weiter aufbauen konnte.

Vor diesem Hintergrund und in schneller Zuspitzung bereits geleisteter Kritik wird die Rolle der Frau in der Ehe, in ihrer privaten Liebesentscheidung und in ihrem berechtigten Selbständigkeitsanspruch für den Naturalismus zum Prüfstein der "Modernität" des Bewußtseins: dieses Thema, etwa auf der Bühne zur Sprache gebracht, provoziert Auseinandersetzung und verlangt Stellungnahme. Die Rolle der Frau in der Männerwelt zu revolutionieren, geht parallel zu der Absicht, die Rolle des Unterdrückten und Ausgebeuteten als aufgezwungen deutlich zu machen.

II.7. Sozialismus, Individualismus

Immer wieder ist in letzter Zeit in den Untersuchungen zum Naturalismus die Frage nach dem Verhältnis der Literaturrevolutionäre zu den bis 1890 aufgrund des Sozialistengesetzes staatlich unterdrückten Gesellschaftsrevolutionären gestellt worden, die Frage nach Naturalismus und Sozialdemokratie. Und es ist kaum erstaunlich, daß einem heutigen Ver-

---

[66] Vgl. 68; 81. Vgl. auch die Äußerungen von Doktor Schimmelpfennig in Hauptmanns "Vor Sonnenaufgang": 194,I,87.

ständnis von Germanistik, die ihren Elfenbeinturm verlassen hat, eine solche Frage vordringlich erscheint.

Andrerseits liegt in einer solchen Fragestellung die Gefahr vorschneller Analogisierung: so unerläßlich, vollends nach den Erfahrungen mit der "Literatur und Dichtung im Dritten Reich" (vgl. 361), die politische Positionsbestimmung von Literaturproduzenten geworden ist, so deutlich der Konnex von Politik und Kunst sich heute darstellt, wenn man an schreibende Zeitgenossen denkt wie Grass und Böll, Enzensberger oder Wallraff – so sehr ist doch Vorsicht geboten, einen nunmehr erreichten Grad an Einsicht in literar-politische Interdependenzen stillschweigend auf die Zeit um 1890 zu übertragen und die damals schreibenden Autoren zu messen an einem erst in jüngster Zeit fast allerseits als verbindlich anerkannten Maß.

Daß Naturalismus und Sozialismus (keineswegs jedoch ein Marxismus dezidiert-theoretischer Art! – das belegt die oft verwundernswerte Unbelecktheit der im Zweiten Reich aufgewachsenen Literaten) in vielen Bereichen konvergierten, in der Grundhaltung der Opposition zumindest wider einen bornierten Staatskapitalismus oder in einer Einzelfrage wie etwa der Frauenemanzipation, daß also partielle Übereinstimmungen zu konstatieren sind, sollte nicht darüber hinwegtäuschen, daß die jungen Naturalisten primär und oft ausschließlich als *Literatur*revolutionäre antraten, daß ihren sozialen Bemühungen häufig ein Ausflugscharakter anhaftete, daß bei ihnen mehr emotionale Solidarität mit den Armen selbst wie mit deren parteipolitischen Vertretern im Spiel war als etwa ein abgekläres Konzept von Dialektik und Klassenkampf.

Hinzu kam, auch das darf man nicht vergessen, ein gewisser Romantizismus, der im erzwungen Konspirativen lag. Solange nämlich die Sozialdemokratie auf den Untergrund verwiesen war, solange dem Druck der Mächtigen nur die Finessen der Ohnmächtigen antworten konnten und der Zusammenhalt der einzeln Machtlosen – so lange fühlten sich ihnen die Naturalisten verbrüdert, die ihrerseits stets mit einem Fuß im Gefängnis standen (die Erinnerung an den Leipziger "Realistenprozeß" oder an die gerichtlichen und sogar parlamentarischen Auseinandersetzungen um die Freigabe von Hauptmanns "Weber" genügt hier (vgl. 202); aktenkundig wurden indessen weit mehr Fälle). Als durch die Aufhebung des Sozialistengesetzes 1890 die Sozialdemokraten wieder 'hoffähig' wurden, zerbröckelte seitens der Naturalisten die von Anfang an mehr emotionelle Solidarität. Die von der Parteileitung bald verurteilte Parlamentarismus-Kritik des "Jungen" Bruno Wille unterstreicht das eben Gesagte: hier wehrte sich einer aus dem Naturalistenkreis, der gleichzeitig Sozialdemokrat war und es im vor-1890er-Stil bleiben wollte, gegen die – später so genannte – Revisionismus-Bereitschaft seiner Partei. (Vgl. 106;136)

Max Halbe berichtet in seinem Memoirenband "Scholle und Schicksal" (189,314 f.) von den Berliner Kellnerinnenkneipen in der ganz und gar unromantischen Tieck- und der Eichendorffstraße und von der Reaktion der jungen Naturalisten auf dieses Milieu: "Hier wurde Sozialismus weniger mit dem Verstande als mit dem Herzen getrieben." Dieses Eingeständnis könnte für das besonders neuerdings oft diskutierte Verhältnis von Naturalismus und Sozialismus das bündige Motto bilden. (Vgl. 28;119;138)

Für die antinaturalistischen Zeitgenossen war Gerhart Hauptmanns 1889 in der "Freien Bühne" uraufgeführtes Stück "Vor Sonnenaufgang" ein Paradebeispiel der Verquickung des Ekelhaften mit dem Sozialistischen; ersteres sah man in den viehischen Szenen alkoholischer und inzestuöser Art verwirklicht, letzteres in der Person Alfred Loths – beides zusammen ließ das bürgerliche Publikum angewidert reagieren auf einen solchen moralischen und politischen Sumpf, freilich als Konsequenz breiter Voreingenommenheiten, die sich gegen jede Revision sträubten. Innerhalb dieses "Sozialen Dramas" – welche Bezeichnung die Verwechslung mit dem "Sozialistischen" zumindest nicht ausschloß – kommt die Rede wiederholt auf Ästhetisches, so, wenn die neureiche Frau Krause über die beiden deutschen Klassiker im Schnellverfahren richtet:

> Oaber da Schillerich, oaber a Gethemoan, a sune tumm'n Scheißkarle, die de nischt kinn'n als lieja: vu dane läßt sie sich a Kupp verdrehn. Urnar zum Kränke krieja iis doas. (194,I,36)

Tritt hier ein genereller Affekt wider alle Literatur zutage – denn Goethe und Schiller sind keineswegs personal attackiert, sondern nur ihres Bekanntheitsgrades wegen herausgehoben, anders, aus Unkenntnis weiterer Autoren von Rang –, so ist eine spezifische antigoethische Aversion beim 'Sozialreformer' Loth unverkennbar, wenn er den "Werther" als "ein dummes Buch", "ein Buch für Schwächlinge" (194,I,46) abqualifiziert und stattdessen Helene die Lektüre von Dahns "Kampf um Rom" empfiehlt. (ebd.) Befragt, ob Zola und Ibsen "große Dichter" seien, erwidert er:

> Es sind gar keine Dichter, sondern notwendige Übel, Fräulein. Ich bin ehrlich durstig und verlange von der Dichtkunst einen klaren, erfrischenden Trunk. – Ich bin nicht krank. Was Zola und Ibsen bieten, ist Medizin. (ebd.)

Hält man zu Alfred Loths "klarem, erfrischenden Trunk" seines ideologischen und soziologischen Widerparts Hoffmann Bekenntnis

> Ich will von der Kunst erheitert sein (194,I,17),

so erkennt man aus dieser Übereinstimmung in ästhetischen Fragen nicht nur *die* zeitgenössische Erwartungshaltung an Kunst und Literatur – welcher Hauptmann mit seinem Stück diametral zuwiderlaufen mußte –, sondern es wird von diesen konventionellen Bekenntnissen im Mund Loths auch deutlich, wie partiell seine Progressivität in Wirklichkeit aussieht: wenn er nach Witzdorf ins Schlesische gekommen ist, um "Studien zu machen" (194,I,26), dann nicht als dezidierter Vertreter moderner Wissenschaft, sondern als doktrinärer Bekenner *einiger* neuer Wahrheiten, die bei ihm den Rang von unbezweifelbaren Glaubenssätzen angenommen haben: der Verbindung also hauptsächlich von Vererbungsmechanismus und Alkoholeinfluß auf fortschreitende Degeneration und Vertierung. Gegenüber entsprechend fortgeschrittenen Positionen jedoch der literarischen Entwicklung zeigt er krasses Unverständnis, verhält er sich ihnen gegenüber nicht nur reserviert, sondern aggressiv-ablehnend. Loths Weltbild, zusammengezimmert aus naturwissenschaftlichen Erkenntnissen – beispielsweise der seit 1885 in Basel lehrende Physiologe Gustav von Bunge wird genannt – und vor allem medizinisch konstituiert, sperrt sich gegen eine 'medizinische' Literatur: Literatur soll also – wie bei Loths Kontrahenten Hoffmann, an dessen antipathischer Präsentierung Loth somit partizipiert – weiterhin rekreativ bleiben, an den Nöten des Lebens, etwa am Alkoholismus-Vererbungs-Problem vorbei "einen klaren, erfrischenden Trunk" verabreichen; sie soll nicht Gegenmaßnahmen gegen erkennbare Zeit-Krankheiten propagieren, sondern sich allen wissenschaftlichen Zugriffs – wie ihn die deutschen Naturalisten im Anschluß an Zola forderten – enthalten: sie soll "schöne Literatur" bleiben, heller Kontrast zur realen Düsternis, fiktionaler Fluchtweg aus den 'Nachtseiten des Lebens'.

Seine literarisch-konventionelle Haltung entlarvt Alfred Loths vorgebliche Progressivität als ingrimmig Behauptetes und nur Übernommenes: er ist keineswegs der selbstsicher neue Wahrheiten verbreitende und exemplarisch vorlebende 'Sozialreformer', auf den er sich subjektiv ehrlich, objektiv aber keinesfalls mit Recht hinausspielt, sondern er zeigt lediglich den Furor des Konvertiten, welcher seinen neuen Glauben 'päpstlicher als der Papst' verficht, welcher den frisch übernommenen Geboten sogar persönliches Glück und personale Verantwortung hintanstellt und welcher verbissen um die formale Deckungsgleichheit von Glaubensnormen und eigenem Verhalten bemüht ist.

Für den Autor Gerhart Hauptmann – dessen persönliches Hervortreten nach der Uraufführung alle 'roten' Erwartungen Lügen strafte, wie es Fontane berichtete (331,III,968) – ist dieser Alfred Loth keinesfalls eine unbedenklich zum 'modernen' Sprachrohr geeignete Figur, wie es manche zeitgenössischen und auch späteren Kritiker sehen wollten. Er steht vielmehr diesem verkrampft Übermodernen skeptisch und zuweilen mißmutig gegenüber, karikiert in ihm ein Eifererturn, das ihn bei einigen seiner schreibenden Kollegen abstieß (und ihn in ihren Augen als nur halbherzigen Vertreter des sozialengagierten Naturalismus erscheinen ließ), verurteilt in Alfred Loth einen Fanatiker des angeblich Modernen, dessen erklärtes Sozialengagement aufs Wissenschaftlich-Deskriptive beschränkt bleibt und vor der von ihm als Mensch geforderten Entscheidung blamabel versagt. – Die Rückständigkeit literarästhetischer Maximen, das Beharren auf vor- und antinaturalistischen Standpunkten wird so zum Indikator für die insgesamt überaus distanzierte Autorenhaltung Hauptmanns zu seiner fiktionalen Figur: Loth kann, spätestens vom Ausgang des Stücks her erkennbar, kein Vorbild abgeben, muß eine zweifelhafte Gestalt bleiben, zeigt die Halbheit einer Modernität, welche nur zerebral behauptet wird, im persönlichen Bereich aber – wiederum zerebral entstandenen – Vorurteilen unterliegt; wissenschaftsgeschichtlich sogar einer 1889 bereits deutlichen Ignoranz den tatsächlichen Gesetzmäßigkeiten von Alkoholismus und Vererbung gegenüber. Das Angelesene und unreflektiert Übernommene gerät demnach zur barbarischen Prinzipienreiterei, zur blinden Gläubigkeit, die sich zum vollkommenen Religionsersatz steigert; einseitige Wissenschaftlichkeit endet so in der Enthumanisierung.

Nicht allein Gerhart Hauptmanns widersprüchliche Stellung zum 'linken' Sozialreformertum ist vor diesem Hintergrund deutlich, sondern auch die Stellung der meisten Jüngstdeutschen: daß Aufklärung über soziale Mißstände not tut und auch in der Literatur nicht länger ausgeklammert werden darf, das ist unbestritten – diese Themenbereiche sind vom Wahrheitspostulat und vom Aktualitätsanspruch her an der literarischen Tagesordnung; sie zu wählen, hat neben dem propagatorischen Wert auch noch den Provokationseffekt gezielten Bürgerschrecks, hat also garantiert, Aufsehen zu erregen und Diskussion zu initiieren. – Strittig aber bleibt selbst in der klar sozial-engagierten Phase des deutschen Naturalismus, also in den Jahren nach 1886 und bis etwa 1890, der Grad der Parteilichkeit, die mehr oder weniger deutlich erklärte und ablesbare Gefolgschaft im Dienste einer zu dieser Zeit staatlich unterdrückten Partei. Für diese Gefolgschaft sprachen viele Gründe vor allem emotionaler Natur: 'das Elend schrie' keineswegs selbst 'zum Himmel'; vielmehr mußten seiner Sprachlosigkeit agitierende und auch schreibende Genossen zu Hilfe kommen – und dazu waren die Naturalisten umso mehr bereit, als sie gleich den amtlich zu "vaterlandslosen Gesellen" gestempelten Sozialdemokraten von ihrem ersten Auftreten an in die Ecke literarischer Pflichtvergessenheit gedrängt wurden, sich also von Staats wegen schon solidarisch mit den parteipolitisch Unterdrückten fühlen mußten. Eigene Anschauung – viele Jüngstdeutsche hatten zeitweise in Armeleutegegenden gewohnt – kam hinzu, um Phänomene wie Alkoholismus oder Dirnentum, Selbstmorde oder Familienauflösung nicht länger als naturgegebene Mißlichkeiten, sondern ganz konkret als soziale Atrophien zu bestimmen, die geworden, also verschuldet waren und deren Gründe man offenlegen konnte, um auch hier der 'Wahrheit' Recht zu verschaffen.[67] Allerdings: so gut die Naturalisten auch die

[67] In der Begründung individueller oder kollektiver Mißstände verschränken sich bei den Naturalisten biologische und gesellschaftliche Faktoren, Vererbung und Verursachung. Dieser Widerspruch ist kaum aufzulösen.

Ursachen beim Namen nennen und die Determinanten soziologischer wie mentaler Ungerechtigkeit transparent machen konnten, so deutlich sie also die Entstehung der sozialen Frage – des Arm-Reich-Konflikts, des Stadt-Land-Unterschieds, der Vorderhaus-Hinterhaus-Problematik u.s.f. – plausibel erklären konnten, so wenig wußten sie gleichzeitig, wie diese soziale Frage lösbar sei, ob dafür staatliche Interventionen und dann welche ausreichen würden oder ob tatsächlich nur einer Revolution gelingen könne, den gordischen Knoten kapitalistischer Verfilzung zu zerschlagen. Letzteres fürchteten die kleinbürgerlichen Intellektuellen, welche ihre Herkunft auch hier nicht verleugnen konnten: diese letzte, blutige Konsequenz einer marxistischen Analyse von Ökonomie und Gesellschaft schien ihnen, die bei allem Engagement für die Unterdrückten ihren Individualismus und die Vorteile einer trotz allen Schwierigkeiten begünstigten Elite nicht aufgeben wollten, wie ihr eigenes Todesurteil: das Ende aller kulturellen Betätigung und das Ende aller Humanität:

> Dann gilt nichts Heiliges mehr auf der Welt,
> Es stürzen Kirch' und Kapellen.
> Die Liebe verroht und der Glaube zerschellt,
> Das Mitleid begraben die Wellen.
> Die Massen nur raufen sich um das Gold,
> Das über die dampfenden Trümmer rollt. (1,167)

Heinrichs Harts Verse markieren den Abstand zu aller Revolutionsphraseologie, die von einigen Naturalisten zuweilen kraftmeierisch angeschlagen worden war: wenn der 'Ernstfall' nicht nur als Fanal verkündet, sondern real imaginiert wurde, dann scheuten die meisten Jüngstdeutschen doch vor ihm als einem 'Ende mit Schrecken' zurück.

Das häufig vorschnelle Übertragen heutiger Bewußtheitsstandards von gesellschaftlicher Relevanz der Literatur – um diese gängige Formel zu gebrauchen – ist aber nur der eine Grund, weshalb das Thema Naturalismus und Sozialismus, Jüngstdeutschland und Sozialdemokratie mit großem Bedacht zu behandeln ist.

Der andere Grund liegt darin, daß der theoretisch-programmatische Standort der Sozialdemokratie in den 70er und 80er Jahren des 19. Jahrhunderts keineswegs ein sehr präzis zu fassender, in sich einheitlicher, gar ein dezidiert marxistischer war. Von den beiden großen Begründern des dialektischen Materialismus lebte zwar Friedrich Engels noch bis 1895 – Karl Marx war 1883 gestorben – und wirkte als kritisches Korrektiv der aus der Vereinigung der Lassalleaner und der Eisenacher 1875 entstandenen "Sozialistischen Arbeiterpartei". Doch war auf diesem Einigungskongreß – ich zitiere im folgenden aus der jüngst publizierten Dissertation Kurt Schumachers "Der Kampf um den Staatsgedanken in der deutschen Sozialdemokratie" aus dem Jahr 1920 – keine "richtige

Fühlungnahme mit der Marxschen Gesellschaftslehre" erfolgt. (300,46) "Die Zeit nach dem Gothaer Einigungskongreß war viel zu sehr mit dem praktischen Aufbau der Organisation beschäftigt, als daß theoretische Kämpfe in ihr hätten Platz finden können." Das hatte Folgen:

> Die Haltung der Praktiker, insbesondere der Parlamentarier, war reiner Opportunismus, dessen klassischer Ausdruck das Gothaer Programm geworden war. Die Theorie aber, die diese Praxis hätte rechtfertigen und ihr neue Bahnen weisen sollen, lag gänzlich darnieder. (300,48)

Engels führte in dieser Zeit einen weitgehend vergeblichen Kampf gegen "diese theoretische Verwilderung", die vor allem durch Dührings Auftreten eingesetzt hatte, jenen – in Bernsteins Worten – "Angriff von links". (300,49)

Erst in den 90er Jahren war das "Aufkommen einer besonderen 'proletarischen Wissenschaft' und deren Entwicklung zur 'Marx-Philologie'" zu verzeichnen. (300,50) Das Erfurter Programm von 1891 brachte "zum ersten Male einen ausgesprochen marxistischen Zug in die Parteigrundsätze hinein". (300,57) Bis dahin galt in vollem Umfang der sehr klare, sehr harte Satz Schumachers: "Man lebte theoretisch einfach in den Tag hinein." (300,59)

Dieser Satz wie auch ein weiterer Satz Schumachers, bezogen auf die "Jungen" der Partei – zu denen Bruno Wille zählte –: "Sozialismus war damals die Mode in der Intelligenz" (300,74) – sie sollten bedenklich stimmen gegenüber neuerdings zahlreichen Versuchen, in der Diskussion des Verhältnisses Naturalismus – Sozialismus den jüngstdeutschen Literaten den Vorwurf zu machen, sie hätte es bei allem emotionalen Engagement für die Sache der Benachteiligten an theoretischer Reflexion fehlen lassen – ein Vorwurf, den auch Brecht wiederholt erhoben hatte. – Denn: woher sollte den fünfundzwanzigjährigen Kleinbürgern, die als Literaten zuerst und zuletzt Individualisten waren und Gefühlssozialisten nur auf Zeit, aus "Mode" (vgl. Henckells "soziale Trompete"!), das Modell theoretischer Reflexion eigentlich zuwachsen? Sollten sie tatsächlich politisch reifer, weitsichtiger, einsichtiger sein als die Praktiker jener Partei, die Liebknecht gelegentlich als "Staatspartei par excellence" bezeichnete (300,67)? Und sollten sie tatsächlich sich der momentan gültigen Doktrin einer Partei unterwerfen, parteiintern 'Kanalarbeit' leisten anstelle Literatur zu machen – wie es das böse und dumme Liebknecht-Wort "das kämpfende Deutschland hat keine Zeit zum Dichten" (119, 182) nahelegte; sollten sie einer um Hoffähigkeit bemühten Sozialdemokratie die Stange halten, welche auf dem Parteitag zu Gotha ein innerhalb des "Verbürgerlichungs"-Prozesses (vgl. 340) erklärbares, doch zunächst nur borniert wirkendes Festhalten an klassischen Literaturmustern zeigte und in verblüffender Übereinstimmung mit konservativen Naturalismus-Kritikern und ästhetisierenden Staatsanwälten die

Literatur der "Moderne" abkanzelte als lästiges Geschreibe, das den wohlverdienten Feierabend der Arbeiter (und deren Frauen und Töchter) nicht erheben und verklären, sondern nur deren Alltag reproduzieren und prolongieren könne?

Mit wieviel Recht auch Denkspiele nach dem Schema 'was wäre gewesen, wenn . . .' als 'unwissenschaftlich' diskreditiert sein mögen, so ist doch die Frage zu stellen, was denn sowohl aus dem Naturalismus als auch aus dem parteipolitisch organisierten Sozialismus geworden wäre, hätten sich beide Richtungen über die "ideologischen Affinitäten" hinaus zu einer ständigen Kooperation entschlossen. (106,180)

Ohne Zweifel war um und nach 1890 – das zeigen die Parteitagsdiskussionen von Gotha (1896) sehr eindringlich – die Sozialdemokratie keineswegs bereit, ihre Toleranzschwelle künstlerischen Produkten und Produzenten gegenüber anzuheben: in einer Zeit, da unauffälliger Kampf und auf weitere Stimmen bedachte Kleinarbeit als Parolen galten, erschienen um Individualität bemühte Literaten als exponierender Ballast, deren Tätigkeit als unfruchtbar und überflüssig. "Unter den Waffen schweigen die Musen", schrieb Franz Mehring (109,225). – Ganz abgesehen davon, daß man innerhalb der Sozialdemokratie Vorstellungen von Dichtung konservierte, die denen des Klassengegners Bourgeoisie nicht unähnlich waren: Dichtung sollte erbauen, Trost spenden und Erhebung über den Alltag ermöglichen. Sozialdemokratische Leser, so schrieb R. Bérard im "Hamburger Echo" vom 1. Oktober 1896, schätzten es nicht,

> daß ihnen nach den Mühseligkeiten der Woche, nachdem Tag für Tag das Elend in seiner nacktesten Gestalt vor Augen geschwebt hat, nun auch noch am Sonntag, dem einzigen Tag, an dem sie sich gern von allen Schrecknissen erholen möchten, um sich zur Ertragung neuer Schrecknisse zu stärken, diese wiederum in der krassesten Form geschildert werden, indem man ihnen eine geistige Speise reicht, an der sie sich den Magen verderben müssen, weil sie ihnen *Ekel* erregt. (59,93 f.)

Auf dem Trierer Volkskunde-Kongreß 1971 hat Hermann Bausinger in einem Vortrag "Verbürgerlichung – Folgen eines Interpretaments" deutlich gemacht, daß seit der Mitte des 19. Jahrhunderts vor allem die organisierte Arbeiterschaft "oft in rigider Form" (340,28) "bürgerliche Werte, Normen und Formen" (340,29) übernahm, gerade auch im kulturellen und insbesondere im literarischen Bereich: "normativem Embourgeoisement" neigte man deshalb "mit voller Energie" zu, weil "weder von ökonomischem Ausgleich noch von relationaler Anpassung die Rede sein konnte", weil also die Differenz auf materiell-pekuniärem Sektor ebenso unüberbrückbar war wie die Standesgrenzen "(vom Kegelabend bis zur Heirat)" (340,28). – Noch Sternheims 1913 publizierter

"Bürger Schippel" reflektiert eben dieses Faktum in böser Satire: der "Hungerleider" (336,474) – "Ist sozusagen dieser Schippel viel mehr als ein Hund?" (336,475) – "Aus der Hefe des Volks" (336,479), "ein Bankert" (336,480), verdankt seine "Erlösung aus proletarischer Not" (336,482) nur der gefährdeten Selbstdarstellung eines Honoratioren-Quartetts. Bevor ihm jedoch "die höheren Segnungen des Bürgertums voll und ganz zuteil werden" (336,552 f.), muß er sich vom fürstlichen Beamten Heinrich Krey anstelle des gewünschten Handschlags bescheiden lassen: "Ihre Aufnahme ins Quartett involviert keine weiteren Beziehungen." (336,483) – Weil ökonomische wie gesellschaftliche Gleichstellung ausgeschlossen waren, weil der Proletarier in den Augen der 'besseren' stets Teil der "Schlechten Gesellschaft" blieb (vgl. den gleichnamigen Titel Karl Bleibtreus 1885 – im Untertitel: "Realistische Novellen"), war die kulturelle Anpassung an einen bildungsbürgerlichen Kanon ein verkrampft angestrebtes Surrogat, worüber die sonstige Diskriminierung zwar nicht zu vergessen, aber doch zu sublimieren war. Daß eine solche Bemühung um 'höhere Werte' gerade in den 70er und 80er Jahren bis hin zur Gothaer Literaturdebatte sich vornehmlich an klassischen Mustern orientierte, bildet die bedenkenswerte Grundierung der neuerdings oft zu dogmatisch geführten Diskussion des Verhältnisses Naturalismus–Sozialismus. Denn diese "Orientierung war so bestimmt und bestimmend, daß antibürgerliche Tendenzkunst dann *nicht* akzeptiert wurde, wenn sie auch in ihren Formen unfeierlich und gewissermaßen unbürgerlich war. Wilhelm Liebknecht wandte sich gegen das 'Platte, Geschmacklose und Häßliche', gegen das 'spießbürgerlich Reaktionäre' in Gerhart Hauptmanns Schriften – und traf sich in diesem Verdikt über den Naturalismus groteskerweise mit den spießbürgerlich-reaktionären Kritikern der 'naturalistischen Afterkunst'." (340,33)

Dichtung als Gegenstand sonntäglicher oder feierabendlicher Beschäftigung sollte keinesfalls noch einmal jene Realitätssphären thematisieren, die den Alltag des Proletariers bestimmten: den Fabrikhof, Streiksituationen, die Monotonie stumpfsinniger Arbeit, Hunger und Elend der benachteiligten und kapitalistisch ausgebeuteten Schichten u.s.f.

Eben dies aber waren *die* Themen der jungen naturalistischen Autoren! Das nur scheinbar paradoxe Fazit aus alledem hieß: gerade die Stoffe, mit denen sich die unzweifelhaft sozial engagierten "Jüngstdeutschen" der Welt der Arbeiter näherten, entfremdeten sie diesen und besonders ihren gewiß zuweilen kleinkarierten Parteivertretern in 'ideeller' Hinsicht – der "Erwartungshorizont" der organisierten Sozialdemokratie war beschränkt auf klassische Autoren und konventionelle Funktionsbestimmungen von Literatur, vor allem freilich auf das "delectare" einer Kunst jenseits der zeitgenössischen Realität,einer Kunst des "schönen Scheins".

Eine solche Kunstrichtung hatten die Naturalisten in den epigonal-manieristischen Formspielereien, den statuarischen Monumentalismen und der historischen Exotik der gründerzeitlichen Dichtung bekämpft; es hätte in thematischer wie insgesamt künstlerischer Beziehung eine Regression bedeutet, wären sie dorthin zurückgekehrt – ganz zu schweigen von der Selbstverleugnung, die ein derartiger Rückschritt erfordert hätte. Bei allen Übertreibungen im militanten Pathos wider das "Kroopzeug der Afterpoeten" (207,V,136), bei aller Posenhaftigkeit selbstwertpraller Literaturrevolutionäre – es war ihnen ehrlich gewesen mit dem Kampf gegen das "lügenhafte" Alte und für die "wahre" Moderne. Sich auf die in Sachen Kunst ganz und gar nicht "moderne" Parteilinie der Sozialdemokratie einschwören zu lassen, wäre einem sacrificium intellectus gleichgekommen. Eine Unterordnung in der Form literarischer Parteidisziplin hätte das letzthin oftmals angesprochene Problem der Entfremdung "von ihrer eigenen Klasse" (106,181) noch durch das Problem verschärft, das trotz aller wissenschaftlich-nüchternen Selbstbestimmungen doch immer noch behauptete Künstlertum und menschheitskämpferische Elitebewußtsein über Bord zu werfen zugunsten einer Subordination, deren Ausmaße von linientreuen Genossen bestimmt worden wären.

Es war kaum verwunderlich, daß die jungen Autoren, einmal vor Liebknechts rigoristische Alternative gestellt, zu schreiben oder zu kämpfen, sich für das erste entschieden und gegen das letzte; mehr noch, daß sie ein derart puristisches Selbstverständnis der Sozialdemokratie – anders: eine derartige Versimpelung des Zusammenhangs von Literatur und Politik – abschrecken mußte, ihnen also verdeutlichte, daß die bisherige oft freilich nur halbherzige Parteinahme über ein Minimum an emotionaler Gemeinsamkeit nicht hinausgegangen war. Und wohl auch bei dem von Anfang an spezifisch individualistischen Charakter der naturalistischen Bewegung nicht hatte hinausgelangen können: taktische oder strategische Unterordnung unter parteiamtlich definierte Ziele war denn doch zu anti-individualistisch und zu un-literarisch.

Während die Naturalisten nach ihrem sozialen Gastspiel zum ursprünglichen Individualismus zurückkehrten, einem Individualismus nicht mehr Sturm-und-Drang-genialer Prägung, sondern Stirnerscher und Nietzschescher Ausformung, während sie also enttäuscht der 'Ehe auf Zeit' den Rücken kehrten, begab sich die Sozialdemokratie durch ihre kulturpolitische Kleinkariertheit eines potentiell überaus nützlichen Bundesgenossen. Von den verqueren Versuchen einiger Naturalisten nämlich, Sozialismus und Nietzscheanismus zu amalgamieren,[68] konnte sie nicht profitieren. Und daß enttäuschte Liebe häufig in Verachtung und Haß umschlägt, mußte sie bitter erfahren.

---

[68] Hier sind vor allem zu nennen: Felix Holländer, John Henry Mackay und Bruno Wille. Auch auf Holz' Komödientitel "Sozialaristokraten" (1896) ist hinzuweisen – den Terminus "Sozialaristokratie" hatte erstmals der "Rembrandtdeutsche" Julius Langbehn verwendet (1890). Vgl. 136,64 ff.; 138.

Was von den tonangebenden Parteigewaltigen in Gotha 1896 überhaupt nicht gesehen wurde – oder auch: nicht gesehen werden wollte –, war der progressiv-bewußtseinsbildende Charakter jener Armeleutepoesie, welche 'Lebenshilfe' nicht mehr durch Ablenkung, Erhebung, Projektion leisten wollte, sondern durch Konfrontation, durch den streng geführten Nachweis, daß die Skala menschlichen Fühlens und Leidens nicht ein Reservat der oberen Zehntausend sei; daß das Festhalten an der herkömmlichen "Fallhöhe" nichts weiter als ein elitär entstandenes und elitär gehütetes Residuum jener war, die sich im brutalsten Wortsinn Gefühle *leisten* konnten; daß das – und sei es bestürzte – Klarwerden über die eigene Kalamität eine wichtigere Funktion einer sich stets appellativ verstehenden Literatur sei als deren Verdrängung und Sublimierung durch utopistische Träume von einem besseren Morgen, einem staatlich garantierten Schlaraffenland für alle.

Zwischen den am Sturm und Drang ausgerichteten Genievorstellungen der Brüder Hart und der "Modernen Dichter-*Charaktere*" einerseits und dem ab 1890 allenthalben erkennbaren Individualismus andererseits, zwischen diesen beiden Individualismus-Phasen des Naturalismus gibt es mannigfache Verbindungslinien, welche die Forschung bislang wegen der dominierenden Ausrichtung sozial-engagierter Art in den Jahren 1886–90 kaum bemerkt hat.

So war als Max Stirners – des "Sanct Max", wie Marx zu spotten pflegte – beharrlicher Prophet während dieser ganzen Zeit John Henry Mackay aufgetreten, ein in Schottland geborener, doch im zweiten Lebensjahr nach Deutschland gekommener Literat, dessen Werke bis 1890 aufgrund des Sozialistengesetzes verboten waren; 1891 hatte der spätere Stirner-Biograph (1898) seinen Roman "Die Anarchisten" publiziert, schon in der Titelwahl die konzeptionelle Abkunft vom "Einzigen" verratend. Sein "soziales Gedicht" "Arma parata fero!", 1887 in Zürich veröffentlicht (er war dort mit Karl Henckell befreundet), hatte das später im genannten Roman breiter Ausgeführte bereits knapp vorweggenommen.

> Ich liebe den Sturm, den großen Erretter
> Vom Staube des Tages! (215a,6)

– so hatte er dort ausgerufen, Künder der großen Revolution, die alles Alte und Hergebrachte vertilgen sollte:

> Wenn muthig gebrochen der knechtende Bann,
> Wenn vom Haupte der Herrscher die Krone fällt,
> Auf den Trümmern des Thrones ihr Scepter zerschellt,
> Der Schranzen verächtliche Brut zerstiebt,
> Die immer sich selbst nur, nie Andre geliebt,
> Wenn die Menge nicht zitternd am Altar mehr kniet,

> Und im Priester kein höheres Wesen mehr sieht,
> Um das sie sich zagend und hoffend drängt,
> Daß in neue Fesseln des Wahns er sie zwängt,
> Wenn frei einem Jeden der Weg durch das Leben
> Zur Entfaltung der eigensten Kräfte gegeben,
> Und das Recht zum Leben das gleiche – erst dann
> Bricht leuchtend der Tag der Freiheit an! (215a,11)

Eine personelle Brücke schlug der im März 1890 mit 27 Jahren früh verstorbene Hermann Conradi, der sich sowohl in seinen lyrischen und epischen Produktionen wie auch in seinem persönlichen Habitus nie trennte von einem fast schon überprononcierten Individualismus, welcher Züge mit der Bohème gemeinsam hatte – auch seine Einleitung zu den "Modernen Dichter-Charakteren" legte davon Zeugnis ab. Für diesen extremen Individualismus sind vor allem die weithin autobiographischen "Phrasen" (Roman 1887) ein eindrucksvoller Beleg; kaum weniger sein Roman "Adam Mensch" (1889), der ihn – allerdings erst nach seinem Tode – zum Gegenstand des Leipziger Realistenprozesses machen sollte, jener blamablen Selbstentlarvung einer bornierten Justiz, die sich präzeptorenhaft dazu aufwarf, auch im ästhetischen Bereich die Pflöcke des Zulässigen eng gesteckt zu halten (vgl. 126).

In der wissenschaftlichen Literatur ist die Tatsache der Hinwendung vom mitleidspathetischen "Sozialismus" zum "Individualismus" Stirnerscher und Nietzschescher Prägung so oft betont und auch beschrieben worden,[69] daß sich eine eingehende Darstellung erübrigt; auch das immer mehr dominierende Thema der Künstlerproblematik steht damit in engem Zusammenhang. Ich kann mich hier auf die Wiedergabe eines Mackay-Zitats aus seinem Roman "Die Anarchisten" (1891) beschränken, das den 'Umschlag' markant belegt:

> Die Zeit ist nicht mehr fern, wo es für jeden stolzen, freien und unabhängigen Geist eine Unmöglichkeit sein wird, sich noch Sozialist zu nennen, da man ihn sonst in eine Linie stellen könnte mit jenen elenden Kriechern und Erfolgsanbetern, die jetzt schon vor jedem Arbeiter auf den Knieen liegen und ihm den Schmutz von den Fingern lecken, nur weil er ein Arbeiter ist! (138,159)

Die Chronologie von Malerei und Dichtung und die nationalen Ausprägungen beider Kunstgattungen in Frankreich und Deutschland muß

---

[69] An zeitgenössischen Nietzsche-Bezugnahmen ist kein Mangel. Vgl. 284; 285; 286; 287; 288; 289; 290; 291. – Die Wirkung Nietzsches – das werden die Bände "Symbolismus", "Expressionismus" und "Dadaismus" der Reihe "Deutsche Literatur im 20. Jahrhundert. Literaturwissenschaftliche Arbeitsbücher" zeigen – ist für die nachnaturalistischen Epochen ungleich stärker.

ich hier ausklammern; natürlich gibt es in der französischen Malerei das Pointillismus-Phänomen längst vor Holz' kunsttheoretischen und dichterischen Versuchen.

Unerledigt jedoch scheint mir die richtige Akzentuierung des bekannten Vorgangs: wenn immer wieder beklagt wird, die Naturalisten seien 'vom rechten Weg abgekommen' und hätten sich mit dem 'neuen' Individualismus als Renegaten der sozial-engagierten Literatur und der Solidarität mit der Arbeiterklasse erwiesen, so ist diese Optik allzu deutlich geprägt von heutzutage gängigen Vorstellungen über politische Bewußtheit zeitgenössischer Autoren, über die "gesellschaftliche Relevanz" von Literatur und über die bis vor kurzem noch gar nicht so selbstverständliche Interdependenz von Kunst und außerkünstlerischen Bereichen.

Für die naturalistischen Autoren aber einen solchen Bewußtseinsstand vorauszusetzen, kommt ahistorischem Wunschdenken gleich. Nicht nur die überaus zahlreichen Belege gewollter Überparteilichkeit – über Zola zurückzuverfolgen bis zu Flauberts "impartialité" – und die oft mehr als deutlich formulierte Idiosynkrasie gegenüber festen Bindungen an ein politisches Programm müssen hier genannt werden, sondern zuallererst die frühnaturalistischen Manifeste und die keineswegs bloß oberflächliche Wahlverwandtschaft mit dem Sturm und Drang. Wie in jener Literaturrevolution des 18. Jahrhunderts war ein Jahrhundert später die Front der oft "Stürmer und Dränger" genannten, sich oft auch mit diesem Ehrentitel selbst bezeichnenden Naturalisten mit dem Vorsatz individuell-genialer Erneuerung angetreten, damals gegen die Regelkorsettage gestanzter Kanonik, nun gegen die marktbeherrschende Mediokrität der "literarischen Bettler, Falschmünzer und Troßbuben", beide Male mit dem Ruf nach "Wahrheit" und "Natur" und mit dem Pathos herkulischer Einzelkämpfer, die den Augias-Stall vom überlang gestandenen Mist befreien wollten. Verfolgt man zudem die Biographie der verschiedenen naturalistischen Autoren, so wird sichtbar, daß trotz enger Kooperationsformen und meist kurzfristiger Zusammenschlüsse in Vereinen und Gruppen mit wacher Eifersucht auf die je individuelle Leistung geachtet wurde – am bekanntesten in diesem Kontext ist die blamable Fehde zwischen Holz und Schlaf um die Originalitätsrechte in der 'Erfindung' des "konsequenten" Naturalismus. Neben den Rivalenkämpfen in den einzelnen Gruppen und Kreisen ist zudem an das keineswegs störungsfreie Verhältnis zwischen Münchner und Berliner Naturalisten zu erinnern, an die Sezessions- und Gegengründungen zur "Freien Bühne" oder an das Neid-Verhältnis mancher dramatischen Autoren dem Theaterfavoriten Gerhart Hauptmann gegenüber. – Aus alledem wird deutlich, wie sehr die nach außen verschworen wirkende Gruppe der Jüngstdeutschen (die Jungdeutschen selbst, so ist zu erinnern, waren auch mehr 'von außen' zusammengebunden worden: durch den berüchtigten Bundestagsbeschluß von 1835) untereinander auf Distanz und Hervorhebung der Einzelleistung bedacht war, ebenso, daß ihre kurzfristigen Fraktionierungen höchst labile Zweckbündnisse darstellten, funktionale Allianzen, deren Dauer schnell beendet sein mußte, sobald taktische Nahziele wie die – gelungene – Diskreditierung der formvernarrten Epigonen erreicht waren. Ebensowenig, wie eine auf Dauer und verbindlich abgesprochene Strategie in ästhetischen Fragen erreicht werden konnte – Gerhard Schulz hat in seinem Naturalismus-Abriß deutlich gemacht, wie groß die Verschiedenartigkeiten und wie klein die Gemeinsamkeiten waren (vgl. 145) –, war die Hinwendung zu sozialen Fragen nach der ohnehin individualistischen Anfangsphase viel mehr als eine momentan zwar emphatisch bejahte, doch bald wieder abgelegte Mode. Stellvertretend für eine erstaunlich lange Reihe rückblickender Beurteilungen dieses temporär beschränkten "Sozialismus" kann eine Äußerung Karl Henckells stehen, jenes Autors, der 1893 im Auftrag des sozialdemokratischen "Vorwärts" eine umfangreiche Lyrik-Anthologie edierte; kurz vor dem Ersten Weltkrieg bezeichnete er "die 'soziale' Trompete" in einem Vortrag als "ein Instrument, das man ja, der Not der Zeit, der eigenen Leidenschaft und dem energischen Ton zu Liebe, im rechten Moment an die Lippe zu setzen verstand" (204,94). Doch auch für die Zeit vor der Aufhebung des Sozialistengesetzes läßt sich der Modecharakter der nur emotionalen Solidarisierung mit dem (organisierten) Proletariat in zahlreichen Zeugnissen nachweisen – ich wähle das wohl früheste Beispiel rascher Distanzierung von einer kurz übernommenen Mode, eine Briefstelle von Arno Holz, datiert "Sommer 1885": "Es ist allerdings wahr: ich habe eine Zeit lang, namentlich Ende des vorigen und Anfang dieses Jahres, bedenklich mit der Sozialdemokratie geliebäugelt. Seit ich aber diese [...] näher kennengelernt habe, ist meine Begeisterung, meine kritiklose Begeisterung, für den 'Zukunftsstaat' usw. ziemlich erkaltet." (208,66) Die Zeitangabe für das "Liebäugeln": ein knappes halbes Jahr im Höchstfall, das Eingeständnis der Kritiklosigkeit, die nachträgliche Bewertung durch das Adverb "bedenklich" – all das zeigt, mit welcher Vorsicht von einem über bloß Modisches hinausgehenden Zusammenschluß von Naturalisten und Sozialisten gesprochen werden muß.

Und aus diesen Überlegungen heraus erscheint die Renegaten-These in der Naturalismus-Diskussion als vorschneller Schluß: aus einem nicht genügend bedachten oder eher noch zu spät angesetzten Kontinuum wurde eine vorübergehende Position herausgelöst; der Blick auf das soziale Engagement versperrte die Beachtung sehr viel früher vorhandener und nur zeitweilig überlagerter Individual-Tendenzen. Die Naturalisten wurden mit der Anbetung der neuen Schutzheiligen Stirner und Nietzsche keinem Ideal untreu, sondern sie kehrten nach dem episodischen Ausflug ins stickige Hinterhausmilieu zu ihren Anfängen zurück. (Vgl. 246,306 f.)

II.8 Wahrheit

Wenn die Naturalisten von "wahr" oder von "Wahrheit" sprachen, so ist – ähnlich wie beim Begriff "Natur" – differenzierende Skepsis angeraten: keinesfalls handelt es sich bei diesen oft pauschal und plakativ verwandten Termini um einen genau fixierbaren und einen ständig gleichbleibenden Bedeutungszusammenhang.
Vergleichsweise einfach ist die 'Übersetzung' von "wahr" in der frühnaturalistisch-turbulenten Phase: "wahr" meint hier das Individuell-Ungekünstelte, das nicht durch dekretierte Kunstanschauungen Uniforme, das nicht schulmäßig zum Klischee erstarrte Modische – "unwahr", "Lüge" ist die Literatur der Gründerzeit, jene auf den Publikumsgeschmack spekulierende und von verbrauchten Kunstidealen immer noch zehrende Poeterei. Diese "Wahrheit" ist dem Ruf des Sturms und Drangs nach "Natur" nicht unähnlich: hier wie dort artikuliert sich Opposition wider Normen und Schablonen, wider eine zum Gesetz erhobene Homogenität, welche die Einzelpersönlichkeit des Autors zurückdrängt zugunsten kanonischer Kunstideale. "Wahr" – das ist in der Frühphase des deutschen Naturalismus ein Synonym von "eigenständig", "unverwechselbar", "individuell".

Im 'eigentlichen' Naturalismus jedoch wandelt sich der Bedeutungsgehalt in Richtung auf wissenschaftliche Objektivitätsmaßstäbe hin, wie sie von den induktiv-experimentell vorgehenden Nachbardisziplinen gewonnen werden (vgl. Kap. II.4.1), vor allem von der Soziologie (die nach Auguste Comte in der Reihe Mathematik, Astronomie, Physik, Chemie, Biologie, Soziologie jene Wissenschaft darstellt, deren Gesetze den anderen Wissenschaften gegenüber am wenigsten allgemein, doch gleichzeitig am kompliziertesten sind) und von der Medizin (hier ist an Zolas dauernde Berufung auf die experimentelle Physiologie Claude Bernards zu erinnern; vgl. Kap. II.4.2).

Einen solchen Wahrheitsanspruch, verbunden mit dem Ziel gesellschaftlicher Absolution für bisher mit mechanistischer Strafandrohung bedachte Verbrechen, formuliert etwa Cesare Lombroso im Vorwort zu seinem Buch "Il delinquente" sehr pathetisch – auf deutsch heißt der vollständige Titel "Der Verbrecher in anthropologischer, ärztlicher und juristischer Beziehung": "Wer fühlt nicht, dass der Spruch 'Alles erkennen heisst Alles vergeben' das Evangelium unserer Zeit ist." (275,XXVI) – Ist in Lombrosos Kontext der alles erkennenden Wahrheitsfindung noch die sehr spezifische Rolle zugewiesen, ein bisher durch mannigfache ideologische Prämissen verstelltes Gebiet durch wissenschaftliche Erhellung zur terra cognita zu machen: das Verbrechertum als System von erkennbaren Ursachen einzuordnen, so kennzeichnet Richard von Krafft-Ebing im Vorwort seiner "Psychopathia sexualis. Mit besonderer Berücksichtigung der conträren Sexualempfindung. Eine medicinisch-gerichtliche Studie für Ärzte und Juristen" die Aufgabe der Medizin, vor allem aber der Psychiatrie, schon sehr viel allgemeiner: "Damit übernimmt sie die Ehrenrettung der Menschheit vor dem Forum der Moral und die der Einzelnen vor ihren Richtern und Mitmenschen. Pflicht und Recht der medicinischen Wissenschaft zu diesen Studien erwächst ihr aus dem hohen Ziel aller menschlichen Forschung nach Wahrheit." (273a,V)

"Wahrheit" – das machen diese Zitate deutlich – besitzt für die theoretisierenden Wissenschaftler (vor allem der zweiten Hälfte) des 19. Jahrhunderts die Dimension des Aufklärenden und des Aufklärerischen: "Wahrheit" wird als ethisches Postulat gesetzt. Gewonnen wird sie durch die von J. St. Mill exemplarisch vorgestellten methodischen Schritte von Beobachtung, Hypothese, Beweis und "Gegenbeweis" (was nicht zu verwechseln ist mit "Vergleichsversuch"). "Wahrheit" ist also exakt induktiv erreichte Objektivität; sie markiert wissenschaftshistorisch die Wende vom nur Empirischen und nur Intuitiven zum belegbar Intersubjektiven. Erst im 19. Jahrhundert vollenden die induktiven Disziplinen den von Kopernikus eingeleiteten Vorgang der Abwendung vom geozentrischen Weltbild: in der Tat wird jetzt "vom Kopf auf die Füße gestellt" (Marx), was bislang durch die Verzahnung mit dem Extraterrestrischen, durch die Unterordnung unter metaphysische oder transzendentale Instanzen das in der Geschichte lang geschmähte Irdische in seiner Eigenwertigkeit beschnitten und degradiert hatte. Nun soll – materialistische und positivistische Erkenntnisverfahren gehen da Hand in Hand – allein das durch Empirie Erfahrene und durch Experimente (durch "provozierte Beobachtung": Bernard) Ermittelte als wichtig, verbindlich und "wahr" gelten. Die Absage an spekulative Wolkigkeit einerseits, an das magere Zufallsgewicht statistischer Erhebungen andrerseits bedeutet die Wende von Lügen und Teilwahrheiten hin zu einer neuen "Wahrheit", die nicht mehr geglaubt werden muß, sondern jedermann nachprüfbar ist. Nüchternheit tritt an die Stelle pathetisch formulierten Forscherethos', dessen subjektive Glaubwürdigkeit einem streng auf Fakten bedachten Wissenschaftsverständnis nicht länger genügen kann. Intuition – wenn man so will: Genialität – hat ihren Platz nur noch in der Vorbereitungsphase: sie bewährt sich darin, ans vorgegebene Material die richtigen, ergiebigen Fragen zu stellen. Ist dies aber geleistet, so hat alles Subjektiv-Intuitive zurückzutreten. Denn nun herrscht mit aller Ausschließlichkeit die Methode, auf dem Weg des Experiments nicht mehr falsifizierbare Schlüsse zu gewinnen, Schlüsse, die als "wahr" gelten und gegebenenfalls gegen Widerstände regressiver Ideologie durchgesetzt werden müssen – der Kampf um und gegen Darwins Lehre von der "natürlichen Zuchtwahl" "im Kampf ums Dasein" mag dafür als symptomatisch gelten: was der englische Forscher erkannte, traf auf Vorurteile, Ressentiments, eingefahrene Denkgewohnheiten. Und obgleich er selbst noch keineswegs die Implikate benannte, die sich für die "Krone der Schöpfung" (Benn) ergaben, schlugen ihm Widerstände entgegen, die oft das Terrain wissenschaftlicher Fehden verließen und sich aufs gehässige Heckenschützenniveau verlagerten; wenn die Kraft adäquaten Argumentierens nicht ausreicht, ist es allemal ein kleiner Schritt zu gewalttätig aufgeblasenen Perfidien...

Daß in dem nach allem Herkommen überhöht separierten Bereich der Dichtung die "Überlagerung durch Parteikämpfe" (305,307) dominierend werden mußte, wenn man daran ging, Literatur nicht länger als ars sui generis im mehrfachen Sinn fernzuhalten von der Wirklichkeit des Lebens im allgemeinen und der wissenschaftlichen Methode im besonderen, liegt auf der Hand. Im Vorwort zu "Fräulein Julie" betonte Strindberg zwar die unaufhaltsame Bewegung "in unserer Zeit, in der das rudimentäre, unvollständige Denken, das durch die Phantasie vor sich geht, sich zu Überlegung, Untersuchung, Prüfung entwickelt" (ebd.); doch war die beschriebene Entwicklung keineswegs von einem automatisch ablaufenden "Evolutionismus" getragen. Vielmehr bedurfte es energischen Durchsetzungsvermögens, großer Ausdauer und verbissener Zähigkeit, im Bereich der Dichtung Kategorien höchst 'unpoetischer' Art geltend zu machen; bedeutete es einen Kampf sondergleichen, die Dichtung vom Podest quasisakraler Observanz zu holen und ihr einen Platz anzuweisen, der nicht mehr über, sondern neben den progressiven Disziplinen der Zeit war. Wenn Zola im Anschluß an Edmond de Goncourt von "documents humains" sprach, so waren Substantiv und Adjektiv von gleicher Bedeutsamkeit (was in der Forschung bisher kaum gesehen wurde): nicht nur objektiv überzeugende Beobachtungs- und Experimentalergebnisse sollten dokumentarisch notiert werden; sondern – "humains" würde als bloßes Epitheton ornans mißverstanden – es sollten Dokumente 'von dieser Welt' sein. Literatur, diese Vorstellung stand dahinter, hatte nicht mehr die Aufgabe, jenseits des Alltags, der Berufswirklichkeit, der Not, des Elends, der sozialen Ungerechtigkeit eine Sublimierung als Erkenntnis- und Veränderungspalliativ leistende (und vom Vokabular her bereits idealistisch entrückte) 'bessere Welt' zu verheißen; ebensowenig die Aufgabe, uneinholbare Utopien als nur-literarische Projektionen zu entwerfen, die durch ihr Literarisch-Werden gesellschaftliche Perspektivik ersetzten; Literatur sollte, "auf die Füße gestellt", zur kritischen Augenzeugin werden und zum "juge d'instruction de la nature" (Zola) über die "wahren" menschlichen Dinge – ich sage das hier so pauschal, weil die Spezifizierung und Differenzierung Gegenstand späterer Überlegungen ist.

Zola, fußend auf Claude Bernard, stellt unmißverständlich fest: "Le romancier (expérimental) part à la recherche d'une vérité" (318,112); "le roman naturaliste [...] est une expérience véritable que le romancier fait sur l'homme, en s'aidant de l'observation" (318,115). Für diesen Autor neuer Prägung gilt: "Il est parti du doute pour arriver à la connaissance absolue" (318,116). Absolut wahre Erkenntnis ist das Ziel der

mans d'observation et d'expérimentations", welche an die Stelle her-
mmlicher "romans de pure imagination" (318,117) zu treten haben. Zola schreibt – und nähert sich, der Sache nach, Nietzsches berühmter Formel vom toten Gott: "L'homme métaphysique est mort, tout notre terrain se transforme avec l'homme physiologique." (318,126) Und er faßt mit großer Klarheit zusammen, woher der naturalistisch-induktive Roman stammt, welchen Platz er im Gefüge der naturwissenschaftlichen Nachbardisziplinen einnimmt, was er diesen Disziplinen sachlich und methodisch verdankt, schließlich, was er im Umkreis des neuen Zeitalters – Brechts später geprägter Begriff vom "wissenschaftlichen Zeitalter" findet sich bereits hier – bedeutet:

> le roman expérimental est une conséquence de l'evolution scientifique du siècle; il continue et complète la physiologie, qui elle-même s'appuie sur la chimie et la physique; il substitue à l'étude de l'homme abstrait, de l'homme métaphysique, l'étude de l'homme naturel, soumis aux lois physico-chimiques et déterminé par les influences du milieu [vgl. Taine]; il est en un mot la littérature de notre âge scientifique, comme la littérature classique et romantique a correspondu à un âge de scolastique et de théologie. (318,118)

"Wahre" Literatur, die sich in der 'Ahnenreihe' Bernard-Zola vornehmlich physiologisch und in der von Comte initiierten Abfolge soziologisch orientierte, die von Taine her auf die Beachtung der Trias *"le race, le milieu et le moment"* (309,XXII f.), jener "trois forces primordiales" verpflichtet war und die im Zusammenhang der Schriften Krafft-Ebings und Lombrosos auch die "Nachtseiten des Lebens" als Gegenstand akzeptierte; "wahre" Literatur, die angesichts der vorwärtsdrängenden und zukunftsorientierten Entwicklung der Nachbardisziplinen gar nicht anders konnte, als zur eigenen Zeit und deren Problemen Stellung zu beziehen; eine Literatur also, die Empirie und Analyse an die Stelle spekulativer und phantasiegeprägter Poesie setzte und die dem Konventionalismus lokaler und historisierender Exotismen (als Stichworte: Orientpoesie; Germanophilie) eine Absage erteilte zugunsten eines objektivitätsbemühten Spiegelbilds der zeitgenössischen Gesellschaft – eine solche "wahre" Literatur mußte in ihrem Selbstverständnis kritisch und in ihrer zeitzugewandten Thematik sozial (im umfassendsten Sinn) sein: *Sozialkritik,* sozialengagierte Literatur mit den Dimensionen der erhellenden Aufklärung und der anklagenden Analyse, wurde zum Hauptziel naturalistischen Schreibens. *"Wahrheit" als Sozialkritik* – das war der intentionale Hintergrund der Dichtung des Naturalismus.

Eine weitere, methodisch-kunsttheoretische Bedeutungsschicht des im Naturalismus "Wahrheit" Genannten hängt sehr eng mit dem Objektivitätspostulat empirisch-analytischer Art zusammen: was, in der Sache, naturwissenschaftlich, positivistisch oder materialistisch zum Thema genommen wird, soll in der – methodisch streng reflektierten – Darbietungsform ebendieselbe objektive, oder sagen wir genauer: objektunterworfene "Wahrheit" erreichen. Darstellungsmethodische Unterwerfung unters Objekt bedeutet konsequenterweise die Zurückdrängung der individuell erkennbaren Autorenleistung, der subjektiven Handschrift des zum "wahren" Realitätszeugen deklarierten Schriftstellers: "dichterische Wahrscheinlichkeit" – selten bestrittenes Kunstgebot seit Aristoteles' "Poetik" – heißt im Naturalismus nicht mehr, daß literarische Beschreibung in sich stimmig oder in außerdichterischer Realität vorstellbar wäre (das Problem des von der Aufklärung abgelehnten, doch in romantischen Positionen wiederkehrenden "Wunderbaren" klammere ich hier aus); diese "dichterische Wahrscheinlichkeit" wird nun radikalisiert zu der Forderung, daß stofflich wie formal nur *eine* Wirklichkeit zu reproduzieren sei, die der tatsächlichen Realität: eine allein "dichterische", von der sonstigen Realität ausgenommene "Wirklichkeit" und "Wahrscheinlichkeit" existiert nicht mehr.

Ich spreche jetzt vom deutschen, 'eigentlichen' Naturalismus – das muß betont werden. Denn es ist klar geworden, daß diese neue Stufe der kunsttheoretischen Reflexion sich streng scheidet vom frühnaturalistischen "Wahrheits"-Begriff, der ja eben darin bestand, anstelle gängiger Schablonen der je eigenen, subjektiv-'genialischen' Handschrift das Wort zu reden. – Ebenso wichtig ist zu wiederholen, daß sich der vor allem von Arno Holz in seiner 1891 publizierten Schrift "Die Kunst. Ihr Wesen und ihre Gesetze" propagierte "konsequente" Wahrheitsbegriff zwar kaum im dichtungspraktischen Ergebnis, doch in der zugrundegelegten Definitionsbemühung von Emile Zolas berühmter Formel unterscheidet.

Zola hatte noch – zumindest auf den ersten Blick – eine Hintertür für die Profilierung eines individuellen Autors offen gelassen:

> L'art est un coin de la nature, vu à travers un tempérament.*

Das bedeutete für ihn Zeitbezug, Wirklichkeitsbezug, Respektierung induktiven Vorgehens, Beachtung von Taines Erkenntnissen – "je crois que le milieu social a [...] une importance capitale" (318,117) – wie denen Darwins – "j'estime que la question d'hérédité a une grande in-

---

* In der hier zitierten Form, die auf Arno Holz zurückgeht, steht die Kunstdefinition nirgends bei Zola; Ursprungshinweise auf den "roman expérimental" sind falsch. – Bei Zola heißt die Formel:

> "Une oeuvre d'art est un coin de la création vu à travers un tempérament."

Dieser Satz steht in Zolas Aufsatz "Proudhon et Courbet", der am 26. Juli / 31. August 1865 in "Le salut public" veröffentlicht wurde. Arno Holz konnte das Wort "création" bei der eigenen Kunstdefinition nicht brauchen, da es metaphysische Konnotationen enthielt; deshalb, so vermute ich, tauschte er "création" gegen "nature" aus; er zitierte also mit Bedacht falsch.

fluence dans les manifestations intellectuelles et passionelles de l'homme" (ebd.). Doch für Zola bestand (und für Holz bestand ebenso – doch sein "Kunstgesetz" sprach nicht davon!) "l'impossibilité d'être strictement vrai"; denn: "nous acceptons le tempérament, l'expression personnelle" (318,115). Was dies nun heißen sollte – Holz hat in seiner oft allzu schroffen und zuweilen geradezu verkrampft um Distanz und Eigenprofilierung bemühten Opposition wider den von ihm angeblich weit überholten Vorläufer diese Äußerungen wohlweislich unterschlagen –, erklärte Zola im Anschluß an Beschreibungen physiologischer Versuchsanordnungen bei Claude Bernard: "il faut que nous produisions et que nous dirigions les phénomènes; c'est là notre part d'invention, de génie dans l'oeuvre" (ebd.).

"Tempérament" – das war also eine keineswegs 'temperamentvolle' Angelegenheit; vielmehr eine Grundvoraussetzung der Materialaufbereitung. In der deutschen Übersetzung mußte der Terminus emotionaler wirken, als er im Kontext des theoretisierenden Franzosen intendiert war (freilich: Zolas dichterische Praxis – darauf wurde wiederholt zurecht verwiesen – kannte das "tempérament" auch im Sinn der wörtlichen deutschen Übertragung!).

Arno Holz, gelehriger wie undankbarer Schüler Zolas, gab seinem "Kunstgesetz" – nach der genetischen Herleitung über die "Suldat"-Zeichnung des kleinen Jungen – die folgende, später immer wieder leicht veränderte Fassung:

> Die Kunst hat die Tendenz, wieder die Natur zu sein. Sie wird sie nach Maßgabe ihrer jedweiligen Reproduktionsbedingungen und deren Handhabung. (206,X,83)

In der Kurzfassung "Kunst = Natur – x" erschien das 'missing link' zwischen beiden Bereichen: auch dem radikalen Deutschen war klar, daß Kunst Natur nur approximativ einholen, nie aber ganz erreichen könne: ohne jeden Rest waren Kunst und Natur auch in dieser Formel totalitätsbemühter Mimesis nicht zur Deckung zu bringen.

Von dieser einzigen Einschränkung aber einmal abgesehen: Kunst – so wollte es Holz – sollte so "natur"-"wahr" wie nur irgend möglich sein; sie sollte sämtliche Vorgänge der "Natur" (auch der inneren "Natur", also psychologischer Vorgänge: "Natur" ist monistisch-umfassend alles, was sowohl handgreiflich-materiell existiert, wie auch das, was immateriell-emotional und flüchtig ist) "wieder" schaffen, ein zweites Mal schaffen, im ursprünglichen Wortverstand re-produzieren. Innerhalb der Literatur – die mit ihren verbalen "Reproduktionsbedingungen" anderen Gesetzen der "Handhabung" unterworfen ist als die benachbarten Künste – konnte derlei strikte Abbildung möglichst realitätskonformer Art am ehesten dadurch erreicht werden, daß die beobachteten Vorgänge minuziös genau in Qualität wie Abfolge festgeschrieben und fortgeschrieben würden – die Form des schriftlich gefaßten "Minuziösen" wurde der von Adalbert von Hanstein erstmals so genannte "Sekundenstil": penible Buchführung jedes kleinsten Augenblicks war damit angestrebt. Die "Wahrheit" dieser Art zu schreiben bestand darin, jede noch so winzige Veränderung der Szenerie und auch noch die kleinste Nuance menschlicher Kommunikation aufs Papier zu bringen: gestische, mimische, syntaktische Mikropartikel konstituieren diesen "Sekundenstil", der nichts vergessen, nichts unterschlagen darf, der alles bis ins Feinste und kaum noch Registrierbare aufzuzeichnen hat: *Mimesis als Prinzip*.

Heinrich Hart hat den Abstand herkömmlichen Erzählens von dieser neuen Technik sprachanatomischer Mimetik beschrieben:

> Die alte Kunst hat von einem fallenden Blatt weiter nichts zu melden gewußt, als daß es im Wirbel sich drehend zu Boden sinkt. Die neue Kunst schildert diesen Vorgang von Sekunde zu Sekunde; sie schildert, wie das Blatt jetzt auf dieser Stelle, vom Lichte beglänzt, rötlich aufleuchtet, auf der anderen Seite schattengrau erscheint, in der nächsten Sekunde ist die Sache umgekehrt; sie schildert, wie das Blatt erst senkrecht fällt, dann zur Seite getrieben wird, dann wieder lotrecht sinkt ... Eine Kette von einzelnen, ausgeführten, minuziösen Zustandsschilderungen, geschildert in einer Prosasprache, die unter Verzicht auf jede rhythmische oder stilistische Wirkung der Wirklichkeit sich fest anzuschmiegen sucht, in treuer Wiedergabe jeden Lauts, jeden Hauchs, jeder Pause – das war es, worauf die neue Technik abzielte. (12,585)

Der neue Wahrheitsbegriff naturalistischer Sekundenstil-Kunst blieb seitens herkömmlich schreibender Kollegen und ebenso herkömmlich urteilender Kritiker freilich nicht unbeanstandet: "Kunst sei ihnen photographische oder phonographische Kopie des Äußeren und nichts mehr" (20,19) – gegen dieses Stereotyp kritischer Abwehr des Neuen hatten sich Holz und Schlaf zu rechtfertigen und zu wehren. Noch Bertolt Brechts oftmals sehr verkürzte Urteile über die bloße Oberflächenerfassung des deutschen Naturalismus gehören in diesen Zusammenhang, etwa folgendes: "Mehr oder weniger war es wirklich, wie eingewandt wurde, eine bloße Symptomatologie der sozialen Oberfläche. Die eigentlichen gesellschaftlichen Gesetzlichkeiten wurden nicht sichtbar." (329,XV,288) Was Brecht hier – in erkannter Kontinuität – gegen das naturalistische Theater einwandte, war freilich parteiische Kritik. An anderer Stelle nämlich nannte er den Grund seiner Kritik: "Das Aufwerfen von sozialen Fragen geschieht nicht immer in sozialistischem Sinn." (329,XV,324) "Erst das Proletariat machte aus dem Theater, zuerst in Rußland, wirklich politische Anstalten." (329,XV,358). Die Brille Brechts, der hier als Historiker auftrat, war durch Doktrinarismus arg getrübt – Adorno urteilte von ganz anderer Position aus (oder doch von der gleichen, nur wesentlich genauer?), wenn er einerseits betonte: "Kunst vertritt Natur durch ihre Abschaffung in effigie; alle naturalistische ist der Natur nur trügend nahe, weil sie, analog zur Industrie, sie zum Rohstoff relegiert." (338,104) – Andrerseits jedoch sagte er über die "Wahrheit", die nicht von Dichters Gnaden stammt, sondern jene der Dinge, der "Natur" war: "Nur durch Enthaltung vom Urteil urteilt Kunst; das ist die Verteidigung von großem Naturalismus." (338,188)

Den Zeitgenossen von Holz gebrach's an solcher Differenzierung. Wohlgesonnene Kritiker brachten schiefe Vergleiche ("Wir müssen zufrieden sein, daß in unseren Tagen ein Talent erstanden ist, welches kleine Züge so sorgsam zu beachten und festzuhalten versteht wie einst Jean Paul und welches zugleich eine Phantasie besitzt wie Theodor Amadeus Hoffmann sie besessen."); andere taten sich durch haarsträubende Fehlurteile hervor ("Franzius läßt uns die Bekanntschaft mit einem jungen norwegischen Humoristen machen"); wieder andere bewiesen abgründige Ignoranz ("Logische und psychologische Entwicklung ist bei diesem Holmsen ein überwundener Standpunkt"); den "impressionistisch-pessimistischen Effekt", hervorgerufen durch "unvergleichliche Kleinmalerei", erkannten nur wenige; die "Frankfurter" und die "Deutsche Romanzeitung" waren sich einig: "die Kunst wird geradezu entweiht"; "Allen, die sich die Menschheit und die Poesie verekeln wollen, sei dieses Buch bestens empfohlen!" (213,9 ff.)

Diese 'kleine Blütenlese' von Urteilen über Holz/Schlafs im "Sekundenstil" geschriebenen "Papa Hamlet" vermag plausibel zu machen, weshalb sich bei Arno Holz die ohnehin üppige Egozentrik potenzierte und stilisierte zur Attitüde des allein Einsichtigen in einer ganzen Welt von bösartigem Ignorantismus.

Die von ihm "kunstgesetzlich" gefundene "Wahrheit" wurde verhöhnt und als platte phono-photographische Reproduktion ödester, tristester Alltagsgrauheit abgetan. Wieviel theoretische Vorarbeit und welches Maß anatomischen Sehens und Hörens hinter dem anscheinend "platt" Präsentierten steckte, wieviel Kunstfertigkeit dazu gehörte, die "impartialité" und "impassibilité" des Autors (so die Formeln Gustave Flauberts), seine gänzliche "Abwesenheit" (Friedrich Spielhagen) in diesem Maß der Perfektionierung zu erreichen, wurde nur von wenigen erkannt – u. a. merkwürdigerweise von dem völlig untheoretischen Kopf Gerhart Hauptmann, der dankbar seinen damaszenischen Lerneffekt festhielt: sein "Soziales Drama" "Vor Sonnenaufgang" wurde "Bjarne P. Holmsen, dem consequentesten Realisten, Verfasser von 'Papa Hamlet' zugeeignet, in freudiger Anerkennung der durch sein Buch empfangenen entscheidenden Anregung."

Daß die durch den minuziösen Impressionismus des "Sekundenstils" (in der Tat bildet dieser Stil den *formalen* Ansatzpunkt des Impressionismus: der naturalistisch entdeckte Mikroparzellismus schlägt um in die neue, pointillistische Sehweise) erzielte "Wahrheit" der künstlerischen Naturreproduktion die nicht mehr überbietbare Endstufe einer ästhetischen Sonderentwicklung darstellte, totalisierte Mimesis nämlich, liegt auf der Hand.

Um diese Überlegungen kurz zusammenzufassen: "Wahrheit" ist ein im theoretischen Naturalismus häufig und plakativ verwendeter Begriff, der in der frühnaturalistischen "Turbulenz"-Phase die Rückkehr zum Dichter als Originalautor signalisiert; in der brüsken Distanzierung zur manieristisch erstarrten Formvergötzung und zur zeitabgewandten Thementopik der gründerzeitlichen Literatur bedeutet der Wahrheitsbegriff die intentionale Leitlinie "Moderner Dichter-Charaktere". – Im 'eigentlichen' Naturalismus bringt die Anknüpfung an Konzepte des Jungen Deutschlands und des Vormärz einerseits, an die ausländischen Vorbilder – die durch die positivistische Schule der modernen Naturwissenschaften gegangen sind – andrerseits für den Wahrheitsbegriff die bald dominierende Dimension des objektivitätsgetragenen Sozialkritischen. – Methodisch vornehmlich durch Arno Holz vorangetriebene Reflexion läßt schließlich "Wahrheit" zum Prinzip totalitätsbemühter Mimesis werden, die sich methodisch-formal im "Sekundenstil" manifestiert.

Die dreifache Stufung des Begriffsbildes wäre eine allzu systematische Vorführung, machte man sich nicht klar, daß zwischen diesen Stufen Überlappungen zeitlicher und sachlicher Art bestehen; daß etwa in den "Modernen Dichter-Charakteren" von 1885 Sozialkritik noch sehr individuell geleistet wird; oder daß in die literarischen Zeugnisse des "Sekundenstils" die naturwissenschaftlich fundierten Objektivitätsbestrebungen der zweiten Stufe als unverzichtbare Voraussetzung eingehen.

Der zum Fanal erhobene naturalistische Zentralbegriff der "Wahrheit" kann also keineswegs pauschal auf *eine* Formel gebracht werden. Kritik an diesem Wahrheitsbegriff, etwa an der angeblich nur photo-phonographischen Mechanik platter Realitätswiedergabe, läßt oftmals eher auf die Undifferenziertheit der kritischen Maßstäbe denn auf die ungenügende Reflexion der zuweilen allzu reflektierten Epoche der naturalistischen Wahrheits-Autoren schließen.

II.9 Zeitgenössische Kritik

II.9.1 Vorwürfe

Die Literatur des Naturalismus, von Anfang an auf Publikumswirkung bedacht – und dies oft schockartig reizend und bewußt provokativ –, wurde sehr schnell Gegenstand öffentlichen Interesses, das sich allerdings noch schneller als öffentliches Ärgernis erwies (es genügt, auf die beiden Rezeptionsvorgänge des "Papa Hamlet" und der Aufführung von "Vor Sonnenaufgang" hinzuweisen). Daß es mit den neuen Themen und mit der neuen Art, sie aggressiv vorzutragen, nicht allein um eine Literaturrevolte ging, wurde nicht nur durch die programmatischen Äußerungen der Jüngstdeutschen, sondern genau so in der Re-Aktion durch die kaum weniger forcierte Kritik an den spöttisch so genannten "Gründeutschen" (vgl. 89) deutlich: die Angegriffenen, Aufgeschreckten schlugen zurück, fuhren schwerstes Verbalgeschütz auf, trommelten im Namen 'ewiger Schönheit' zum Gegenangriff auf die 'Beschmutzer' der ewig 'schön' sein sollenden Literatur.

'Weismacher'-Vokabular genug stand zur Verfügung; was den Jungdeutschen einst mehr als publikatorischen Verdienstausfall gekostet hatte, brauchte nur reaktiviert zu werden. Wenn sich biedermännische Belferei 'sachlich' zu geben verstand, schälten sich im wesentlichen zwei Hauptrichtungen der Naturalismus-Kritik heraus – die keine Kuriositäten zeitgenössischer Kurzsichtigkeit darstellten, sondern die Bewertung dieser Literaturepoche bis heute als vorgeblich gesicherte Befunde begleiten: zum einen der Vorwurf des brutalen Wühlens im Sumpf zwar auch wirklicher, aber doch nicht repräsentativer 'Nachtseiten' des menschlichen Lebens; zum andern der Vorwurf purer Oberflächenbeschreibung, stupider Kopiererei der Wirklichkeit.

Der eine wie der andere Vorwurf zielten darauf ab, den von den Naturalisten erhobenen Objektivitätsanspruch zu erschüttern, das Schreiben dieser Autoren zum parteiisch-veristischen Skandalreportertum herabzuspielen.

In der Tat nannten die Naturalisten vieles beim Namen, was bisher bagatellisiert, diskret überspielt oder kategorisch als Nicht-Gegenstand der Literatur angesehen worden war (man vgl. hierzu Paul Heyses jahrelang in verschiedenen Medien geführten Kampf gegen die Naturalisten, etwa in seinem "Merlin" oder seinen Memoiren). Und in der Tat behandelten sie gerade jene Themen mit äußerster Vorliebe, oft sogar mit Ausschließlichkeit, die allenfalls als Pikanterien oder Unerhörtheiten am Honoratiorenstammtisch zur Sprache kommen mochten, nicht aber in der 'guten Stube' derer, die ein 'großes Haus' zu führen in der (pekuniären) Lage waren. – Und doch stand mehr hinter diesen Innovationen als der Profilierungszwang einer neuen Literatengeneration, als allein der 'garantiert' Sensation machende Schock Biedersinn 'pflegender' Bürger. Vor allem war es die rasante Entwicklung und Umwälzung naturwissenschaftlich-weltanschaulicher Art, welcher die Naturalisten Eingang in die 'schöne' Literatur zu verschaffen gesonnen waren (vgl. Kap. II.4.1): die induktive oder die experimentelle Methodik eines positive Fakten streng beachtenden Materialismus und Determinismus. Hier war so viel nachzuholen, daß nur konzentriertester Eifer den Anschluß gewinnen konnte und daß deutsch-gründlicher Übereifer nach der Kind-plus-Bad-Formel mehr als nahe lag. – In jenen Disziplinen war radikal mit der seitens der bürgerlichen Kritik immer noch gehegten Wunschvorstellung aufgeräumt worden, als stelle der Mensch – und seine Eigenschaften, Leidenschaften, Künste, seine Ethik und seine Moral – etwas von allem anderen Ausgenommenes, etwas Besonderes dar: das wurde zur theoretischen Begründung für die oft allzu schroff gesuchten Antithesen wie jener Albertis, wonach nämlich die Geburtswehen einer Kuh ebenso darstellungswürdig seien wie der Tod eines Helden.

Denn in einem objektivistisch-szientifisch geprägten positivistischen Materialismus gab es nur mehr ein – völlig gleichberechtigtes – Nebeneinander der Phänomene, nicht mehr eine hierarchische Stufung.

Und eben mit den 'Randgebieten' des sozialen Lebens, mit dessen 'Nachtseiten' beschäftigte sich die als vorbildlich betrachtete Naturwissenschaft der Zeit – es genügt, auf Krafft-Ebings "Psychopathia sexualis" (1886) oder auf Cesare Lombrosos "L'uomo delinquente" (1876) hinzuweisen. – Zu erinnern ist auch daran, daß Befunde fürs 'Normale' genau wie bei den wissenschaftlichen Autoren des 19. Jahrhunderts auch etwa noch bei Freud vom 'Rand' her gewonnen wurden, daß also der Beobachtung und Darstellung von Pathologischem die Erkenntnis über das 'Gesunde' zu verdanken war. – Und mit denselben 'Randgebieten' befaßte sich die sehr viel 'modernere' "Belletristik" der Franzosen, der Skandinavier und der Russen: mit dem "Totschläger" (Zola), der "Lebenslüge" (Ibsen) oder dem Mord (Tolstoi).

Das Aufsuchen von sozialen Atrophien wie Suizid und Prostitution, Alkoholismus oder Lumpenproletarisierung brachte in die naturalistische Literatur einen klinischen Zug, der schnell so sehr dominierend wurde, daß "Evolution" – *die* wissenschaftliche Entdeckung der Zeit – fast immer pessimistisch als Niedergang, Entartung, Degeneration, Zerrüttung, Auflösung erschien: das lineare Modell blieb zwar bestehen, doch verkehrt ins Daseinskampf-Ungewappnete, ins zum Verderben und Absterben Verurteilte.

Wenige Kritiker aus dem bürgerlichen Lager bemühten sich bei ihren Angriffen gegen den Naturalismus ums Einhalten der Prozentsätze, wie dies der alte Fontane tat, der seinen Platz weder auf der einen noch auf der anderen Seite hatte, sondern sich mit vollem Bedacht zwischen beide Stühle setzte, in jenen freien Raum, von dem aus allein gerechte Beurteilung des auch ihm allzu Neuen möglich war. Wenn Fontane den 'echten' Realismus energisch gegen den 'konsequenten' verteidigte, so war seine Kritik bei allem Engagement seriös (vgl. 101) – andere Zeitgenossen indessen versuchten die Abwehr des Neuen mit reichlich unseriösen Argumenten. Doch: auch der lange Zeit als märkischer Barde verharmloste oder als bloßer Urlaubsklassiker konsumierte Fontane hatte eine Vorstellung von Literatur, die bei aller prinzipiellen Offenheit der Moderne gegenüber doch Funktionen ablehnen mußte, wie sie die Naturalisten immer deutlicher benannten. Der Literatur des Lehnsessels oder des Boudoirs – man erinnere sich, daß selbst einige Fontane-Romane zunächst in Frauen- und Familienzeitschriften wie der "Gartenlaube" publiziert wurden! – stellten die Naturalisten, um es nochmals zu betonen, eine Literatur der Rostra gegenüber: Erhellung des Düsteren anstatt Erhebung ins Helle, Alltags-Tribunal statt Ideen-Himmel.

Was auf diesem Tribunal und wie es verhandelt werden sollte, das war den meisten Zeitgenossen zu sehr 'selektiert', zuviel dumpfes Grau und zu viel grelles Rot – wobei die Mischung aus beidem in der sozialengagierten Literatur besonders reizend auf konservative Netzhäute wirken mußte: in der Literatur war man bisher Erholung und Ablenkung vom Alltag gewohnt, und so sollte es auch bleiben; wenn nun die Jüngstdeutschen den behaglich-behäbigen Feierabendfreiraum literarischer Mußestunden 'entweihten' mit den 'Wunden der Zeit', so waren das – sogar in Alfred Loths Worten – "gar keine Dichter, sondern notwendige Übel [...] Ich bin ehrlich durstig und verlange von der Dichtung einen klaren, erfrischenden Trunk. – Ich bin nicht krank. Was Zola und Ibsen bieten, ist Medizin." (194,I,46)

Ebenso gesund und aller literarischen Medizin unbedürftig wie der bornierte "Sozialreformer" mit dem Alkoholvererbungstick – Hauptmanns Distanzierung von seinem 'Helden' hat die Forschung kaum bemerkt; auch hier die Fortsetzung schon zeitgenössischer Rezeptionsformen – bezeichneten sich viele bürgerlich-konservative Naturalismus-Gegner. Und eine rhetorische Frage wie 'Das wissen wir doch alle auch – doch muß man dann auch noch darüber reden?' war die mildeste Form eines variantenreichen Sichzurwehrsetzens gegen eine Literatur, deren Erkenntnisse man nicht haben wollte.

Um es abschließend zusammenzufassen: der eine, erste Naturalismus-Vorwurf ging dahin, daß diese Literatur zu einseitig, zu konkret sei.

Der andere Vorwurf – oft im Mund derselben Kritiker wie der erste – zielte jedoch darauf ab, die Photo-Phonographie des Naturalismus, seinen sprachmimetischen und beobachtungskonformen "Sekundenstil", seine erklärte "Tendenz, wieder die Natur zu sein" (206,X,83), also seine um Komplettierung möglicher Mimesis bemühte Darstellungsart als Literatur des nur ersten Scheins in Acht zu tun, als tiefenunstrukturierte Literatur der bloßen Oberfläche, als manieristisch erstarrte Kopie der Wirklichkeit, als aussageloses Abziehbild von Realität.

In der Tat verzichteten die Naturalisten auf die auch noch im deutschen Realismus häufigen Amateurspekulationen in psychologischen Dingen, auf ein breit ausgefaltetes Innenleben der Helden, das bei beliebiger Gelegenheit vom auktorialen oder personalen Erzähler entfaltet wurde, nicht aber 'sich selbst erzählte' aus der jeweils gegebenen Situation heraus.

In der Tat war es ihnen um möglichst präzise Erfassung äußerer wie innerer Wirklichkeit zu tun, um eine dichtgeschlossene Kette aneinandergefügter Einzelbeobachtungen, die sich mit einem kleinen Realitätsausschnitt – einem 'anatomisch' heraussezierten Stück Natur, Stück Welt – zufrieden gab auf Kosten großlinig angelegter Konzepte, wie sie etwa noch der Entwicklungs- und Bildungsroman kultiviert hatte.

Was sich aber dem ersten Anschein nach – hier machten sich die Naturalismus-Kritiker ihrerseits vorschneller Oberflächlichkeit schuldig –

so völlig unprätentiös präsentierte, war doch als mehr intendiert. Freilich: die gute Absicht allein, ausgedrückt in vielen "Manifesten des Naturalismus" (vgl. 18), würde es kaum rechtfertigen, den Naturalismus-Kritikern zu widersprechen.

Doch die Dichtungspraxis ließ erkennen, daß das nur Oberfläche Scheinende mehr darstellte: daß im Sohn sich eine ganze Ahnenschaft in ihren biologischen Auswirkungen zeigte; daß die Gegenwart von der Vergangenheit präformiert war; daß Phänomene wie Alkoholismus oder Prostitution nicht individuelle 'Sozialkrankheiten' widerspiegelten, sondern die Brüchigkeit eines ganzen Gesellschafts-Systems als eines Systems fortgeschriebener Bevorzugungen und Benachteiligungen; daß Oben und Unten nicht 'ewig' oder 'vom Himmel' gesetzte Hierarchien bedeuteten, sondern höchst konkrete Folgen ebenso konkreter historischer – und mithin veränderbarer – Faktoren; daß das Aufzeigen von Elend keinem dichterischen Ausflug in Sozial-Exotik gleichkam, sondern daß solche Zustände der Not "für sich" und somit gleichzeitig gegen jene sprachen, welche diese Not produzieren und konservieren halfen.

Ursula Münchow schrieb über den konsequenten Naturalismus in ihrem Schlußkapitel "Haften an der Erscheinung", er habe "als neutraler Beobachter wirken, exakt abbilden, nicht erkennen und werten" wollen (114,161). – Dem ersten Teil dieser Interpretation ist zuzustimmen; der zweite Teil erweist sich als naive Übernahme gängiger Forschungstopoi. Warum, so ist zu fragen, wurde denn vom Autor ein Höchstmaß der Flaubert'schen "impassibilité" und "impartialité" verlangt, warum ein Höchstmaß an reproduzierender Exaktheit? Tatsächlich nur eines manieristisch-verrannten Stilprinzips, eines intransigent verfochtenen "Kunstgesetzes" willen? Die rhetorisch gestellten Fragen haben ihre Antwort in eben dem, was Münchow ausschließen möchte: im intendierten Erkenntnis- und Wertungsprozeß, freilich nicht mehr des Autors, sondern des Lesers oder Zuschauers. Er, der den Alltag mit seinen Zwängen, Determinanten und Fatalismen, seinen unüberbrückbaren Antinomien und seinen hierarchisch-arbeitsteiligen Verkrustungen über die Brücke eines gleicherweise arbeitsteiligen Bewußtseins am Feierabend und am Sonntag vergessen und im Privaten sublimieren wollte – nur als Privatmann ist der Arbeiter, ist der Bürger Mensch (360,40 ff.) –, wurde in den naturalistischen Literaturprodukten mit schroffer Ausschließlichkeit mit eben jenem Alltag konfrontiert (vgl. 50), erlebte ihn wieder oder eigentlich zum ersten Mal: aus der Distanz des von der Arbeit ins Private Heimgekehrten. – Und dieses zweite und gleichzeitig eigentlich erste Erleben schuf in ihm einen oft unerwünscht deutlichen Einblick in das, was er bislang im exakten Wortsinn "verdrängt" hatte: nun wurde es, im Medium von Kunst (wenn immer auch dieses Prädikat verweigert wurde), Gegenstand des Nachdenkens, bedrängende Realität, Anlaß zur Selbstaufklärung, zur Erkenntnis und Bewertung eigener Gebundenheit und eigenen Gesteuertseins.

Der Autor des konsequenten Naturalismus verzichtete durch Exaktheit und Neutralität auf vom Leser bequem akzeptable Deutung und Wertung: er zog sich zurück auf die Position des objektiven Präsentators und schob dem Leser die Pflicht zu, sich *seinen* Reim zu machen, sich *seine* Erkenntnis selber zu verschaffen, *seine* Wertung des wertungsfrei Präsentierten zu formulieren – zu Brechts berühmten offenen "Sezuan"-Schluß ist es von hier aus nur noch ein kleiner Schritt (wobei allerdings dem Zuschauer der naturalistischen Stücke noch mehr an Eigenleistung abverlangt wird: denn er hat nicht die chorischen, ansagerischen oder Spruchbänder-Hilfen des Brechtschen epischen Theaters).

Zurück zum Ausgangspunkt: das nur exakt und neutral Beobachten-Wollen des konsequenten Naturalismus, so schreibt Münchow, "lehnte es" "unter dem Einfluß der positivistischen Philosophie bereits ab, das Leben zu deuten und Vorbilder zu schaffen". – Zunächst wäre hier zu fragen, was unter "positivistischer Philosophie" verstanden sein soll; vor allem aber bleibt festzuhalten, daß es den repräsentativen Positionen in der Umwälzung des 19. Jahrhunderts freilich nicht mehr darum zu tun war, Lebensdeutung und Vorbilder 'apriorisch'-setzend zu dekretieren, sondern 'posteriorisch'-belegend zu entwickeln: auch hier der Erkenntnis halber und einer Wertung wegen, die um ihren Gegenstand wußte, ihre Bewertungsbedingungen und die dann absolute Brauchbarkeit der unter festgelegten Bedingungen erzielten Ergebnisse.

Ebendiesen Erkenntnisprozeß wollten auch die Naturalisten mit ihren – freilich zuweilen schocktherapeutischen – Werken initiieren: deutlich wird, aus den Werken selbst und aus mannigfachen Selbstäußerungen, ein der 'keimfreien' Präsentierung entgegengesetzter Anspruch einer Ethik, die nicht länger deklaratorisch voraus-gesetzt, sondern durch die Analyse der 'kranken Ränder' entwickelt wird.

"J'accuse" – der berühmte Anfang von Emile Zolas couragiertem Eintreten für Dreyfus – könnte als Motto für einen Großteil naturalistischen Schreibens gelten: Anklage war intendiert, provozierendes Aufdecken von Faulem und Verdorbenem – das aber nicht 'ontologisch' faul und verdorben war, sondern dazu gemacht worden war; aufklärende Analyse also der Gründe, Ursachen und Veranlassungen des nicht genuin bestehenden, sondern genetisch verfolgbar A-Normalen, des (von den Umständen, und das heißt wiederum, von den Menschen, die Umstände schaffen) Ver-Kehrten, des mannigfach kausal bedingten Schlechten.

Anklage allerdings weniger rhetorischer Art als vielmehr in der Weise, daß die aufgezeigten Mißstände für sich sprechen sollten – daß die Angesprochenen sich ihren Reim darauf machen mußten, daß sie gezwungen waren, Stellung zu beziehen: *tua res agitur*. Also keine Literatur mehr der fernen Zonen und Zeiten, der fernen Kreise und Sondermenschen (wie sie Kolportageromane der Zeit boten oder die in ihrem gesellschaftserhellenden Stellenwert noch nicht erkannten Romane der Marlitt); sondern eine Literatur des Jetzt und Hier, über Menschen von nebenan, denen man täglich auf der Straße begegnete.

Wenn Wolfgang Kayser über Holz/Schlafs "Familie Selicke" resümierend feststellt: "die drei anderen Motive, die jeweils einen Akt wirkungsvoll abschließen sollen (das Liebesglück, das Sterben, die Entsagung), ergreifen uns nicht" (88,225 f.) – dann muß sich solche selbstsichere Apodiktik – selbst auf die Gefahr hin, dies würde als billige Wortspielerei mißverstanden – die Gegenfeststellung gefallen lassen, daß ein solches Nichtergriffenwerden unbegreiflich genannt werden darf.
Daß da ein Kind stirbt – freilich nicht den grandiosen Heldentod auf einer eben erstürmten Schanze, sondern unauffällig, zäh, klinisch – und daß da der eben noch möglich scheinende Ausbruch der Toni Selicke aus der gefängnishaften Dumpfheit nicht stattfindet, weil sich das Mädchen für ihre trotz allem geliebte Familie opfert: das sollte nicht ergreifen?

Das Ergriffenwerden im Kayserschen Verstand enthüllt sich als – letzten Endes nicht nur gedankenloses, sondern geradezu zynisch reduziertes – Festhalten am konventionell gestorbenen "Theatertod" und an einem Entsagen, das Maske und Kothurn braucht, ein Personal aus höchsten Kreisen und eine metrisch wohlgeformte Sprache.[70]

Weshalb jedoch, so könnte gefragt werden, diese Attacke gegen Kaysers 1955 gehaltenen Vortrag? Es geht mir keineswegs um eine personalisierte Auseinandersetzung; vielmehr ist es, der Sache wegen, geboten, die im Umkreis und in der Nachfolge von Staiger und Kayser immer wieder aufgetretene 'Methode' in der schnellen Verurteilung des Naturalismus als illegitime Verkürzung und als historisch zwar erklärbare, doch ihrerseits auch wieder historische Stellungnahme zur Revision zu stellen: bei diesen Autoren existiert – als ein Dauerndes, nicht in Frage zu Stellendes – ein Verständnis von Dichtung als einer (metaphorisch, symbolisch, allegorisch) Wort gewordenen Präsentation wiederum immer gültiger Werte, Werte, wie sie für dieses Dichtungsverständnis in der deutschen Klassik und Romantik vorbildlich geworden sind.

Der Naturalismus dagegen setzte darauf, einen Wertekanon 'vor aller Augen' entstehen zu lassen, an dessen Spitze – während seiner sozialengagierten Phase allerdings nur: nach 1890 sollten in der Stirner- und Nietzsche-Nachfolge konträre Konzepte auftauchen – Mitmenschlichkeit als Appell stand, die Aufforderung zu einer nicht mehr christlich formulierten, sondern dem neuerdings "Prinzip Solidarität" genannten vorgreifenden 'Nächstenliebe'. Diese zu erreichen, verzichtete man auf alle

[70] Bei Herbert Cysarz kehrt dieser Vorwurf einer aller "Ethik" ledigen, puren "Manier", eines bloß "technischen Prinzips", wieder: 246, 318; "tausend Bilder verreckender Gäule bergen gar nichts vom Wesen des sterbenden Tiers", schreibt er gegen Holz (246,316); ähnliche Vorwürfe treffen andere Naturalisten; allein Hauptmann nimmt er vom allgemeinen Verdikt aus, bescheinigt ihm das sonst vermißte "Ethos", auch "Stil" (246,317).

Floskeln: die 'Nachtseiten des Lebens' exakt vorzuführen, darauf hofften die Jüngstdeutschen, würde im Rezipienten Energie praktischer Mitmenschlichkeit freisetzen – daß diese Hoffnung meist unerfüllt blieb, ist den naturalistischen Autoren zuallerletzt anzulasten.

II.9.2 "Rinnsteinkunst"

Ich habe eingangs eine – noch recht kleine – Blütenlese von Vor- und Anwürfen zusammengestellt, wie sie die Naturalisten seitens der bürgerlich-konservativen Kritik erfahren mußten. Unisones Entrüstungsgeschrei vom kleinsten Feuilletonredakteur bis hinauf zum gern bramarbasierenden Kaiser (der ja bekanntlich seine Loge im Kgl. Schauspielhaus nach der "Weber"-Inszenierung demonstrativ kündigen ließ) – das war die konzertierte Antwort einer crying majority von "Weismachern", welche, der eigenen Moralfestigkeit nach außen hin gewiß, die kleine Gruppe jüngstdeutscher "Stänker" in die Ecke kläffender Ferkelei zu stellen versuchte (vgl. 346). Ob nun bei den wortgewaltigen Tiraden wider die üble "Rinnsteinkunst" (so Wilhelm II.) der Dreck-Vorwurf überwog oder jener Vorwurf vaterlandsverräterischer Umtriebe, ob man die Naturalisten als schreibende Schweine oder als potentielle Kaisermörder zu diffamieren unternahm, stets war es die als ewig behauptete Verbindung zwischen Staatstreue und "schöner" Literatur, welche die Affekte mobilisierte. Auch der Bereich der Dichtung hatte, so wollte man es wissen, seine staatsbürgerlich-staatstragende Funktion, jene nämlich, die ihren Wirkungs- und Absatzhöhepunkt in der Poesie der Gründerzeit erlebt hatte: das Dasein zu verschönen und zu erheben, den Alltag vergessen zu machen, kulturell eine 'zweite Natur' zu gewährleisten: Dichtung als Verzierung und Ablenkung, als träumende Flucht und friedlicher Hain des Feierabends; Dichtung als ins Historische oder Exotische oder Monumentale oder aber ins Idyllische plazierter locus amoenus, "wo sich Herz zum Herzen find't".[71]

Die Natur der Naturalisten war jedoch anders loziert, erhielt ihre Orte in genauer Opposition zu den bisher mit Ausschließlichkeit zugelassenen: statt der Pinienwälder die elektrischen Lampen der Leipziger Straße, statt der heiligen Hallen der Mief und Muff kleinbürgerlicher Mansarden, statt getragen-feierlichem Parlando in bequemen Wintergärten das dumpf-nervöse Staccato nicht-elaborierten Codes in engen Ein-Zimmer-Behausungen, statt der Scribe'schen Großbürger-Boudoirs die tristen Weberbuden von Peterswaldau, statt Arkadien 'gewisse' Teile von Groß-Berlin.

---

[71] So lautet der Refrain des immer wieder in Fontanes "Frau Jenny Treibel" zitierten Liebeslieds.

Die Natur der Naturalisten war ganz bewußt provozierend jene 'erste Natur' der Alltagswelt in Fabrik und Kneipe, Drittem Hof und Hinterhaus, jene einförmige Wirklichkeit, die in keiner Verklärung aufzuheben war, sondern unverstellt und nackt eine Demonstration des gern Verdrängten intendierte. Doch "weil nicht sein kann, was nicht sein darf", gerieten derartige Vorstöße ins bislang tabuierte arcanum "schöner" Literatur sogleich in den Strudel saubermännischer Verdikte: Ekel meldete und Angewidertsein äußerte sich, Angriffe auf die öffentliche Moral wurden registriert (wobei sich in dieser gebräuchlichen Benennung entlarvte, daß die 'öffentliche' keinesfalls mit der 'privaten' Moral gleichzusetzen war – noch Heinrich Mann und Sternheim schöpfen aus der Schizophrenie dieser Doppel-Moral, die über den Naturalismus hinaus im Wilhelminismus ebenso signifikant bleibt wie der schneidige Reserveleutnant, der nicht nur Fontanes Spott anheimfällt), das schöne Seelen-Heil der hinter dicken Tüllwolken edelblaß väterlichen Verheiratungsentscheidungen harrenden "Haustöchter" schien gefährdet (auch in diesem Terminus "Haustöchter" entlarvt sich Doppel-Moral: die unschuldig im Buchsbaumheckengeviert schaukelnden Effis und die puppenhaft-verzärtelt abgeschirmten Noras sind als fleischgewordene Aktivposten eines 'guten' Hauses inventarisiert; sie verkörpern denen, die ein 'großes' Haus zu 'führen' in der Lage sind, einen zukunftsträchtigen Marktwert in Gestalt solventer Schwiegersöhne); kurzum: die Welt der oberen Zehntausend erfuhr die Irritation der unteren Massen; wohlsituiert in materieller Sekurität lebendes Großbürgertum wurde ohne allen verklärenden Schutz konfrontiert mit dem Elend existenzbedrohten Vegetierens – und die Reaktion darauf war eine defensiv formulierte, aber aggressiv (und notfalls mit dem Büttel und dem Kadi) einschreitende Kanonade wider die literarischen Nestbeschmutzer.

Den *literarischen* Nestbeschmutzern wurde höchst selten mit literarischen Mitteln pariert; auf dem "ästhetischen Kriegsschauplatz" (201,60), in dem "Streit der Meinungen und Parteien, der auf künstlerischem und literarischem Gebiet jetzt fast rücksichtsloser tobt als auf dem politischen" (333,II,247), waren die von bürgerlich-konservativer Seite ins Feld geführten Waffengattungen[72] viel häufiger die Schrotflinten sozialistischer Verdächtigung, die Heckenschützenpistolen antisemitischer oder internationalistischer Diffamierung, die Sonntagsjägerflinten gut-gesellschaftlicher Etikette, die Mörser-Batterien christlichen Staatsbewußtseins und die Geschütze öffentlicher Moral: weil man gegen die "literarische Revolution" nicht literarisch gewappnet war, hatte jenes Instrumentarium veränderungsfeindlichen Konservatismus' herzuhalten, das sich um den Wortfetisch "Sauberkeit" gruppiert und das im 19. Jahrhundert

---

[72] Die martialische Metaphorik ist bewußt formuliert: in Entsprechung zum Vokabular der "Revolution" nach 1885. – Eine Reihe von Nachweisen habe ich an anderer Stelle gegeben: 102,21 ff.

schon einmal höchst wirkungsvoll eingesetzt worden war, um den jungdeutschen Ahnen der jetzt auf den Plan getretenen "Jüngstdeutschen" den Garaus zu machen. Wenn um 1835 "im Hinblick auf die Jungdeutschen von 'Lasterschulen der Unzucht', von 'literarischen Abtritten' oder der 'faulen Jauche neuerer Kunstlüderlichkeit' die Rede" gewesen war (346,7), so feierte um 1890 "diese Schmutzmetaphorik" (346,6) traurige Urständ. War um 1835 der raffinierte und zugleich fadenscheinige "Schachzug" deshalb unternommen worden, "um damit die politischen Absichten dieser Gruppe ins Psychologisch-Irrationale abzudrängen, wo sie nur negative Gegenaffekte hervorrufen können" (346,8), so war der um 1890 geführte "ästhetische" Krieg eine noch großsprecherischere Neuverwendung jenes bereits bestens erprobten Mechanismus.

In der Tat: statt ernsthafter und sachbezogener Auseinandersetzung begnügten sich die Gegner der Naturalisten zumeist damit, "in dieser Richtung lediglich etwas Obszönes, Ekliges und Undeutsches" zu sehen, "das da beginnt, 'wo die Seife aufhört', wie sich Paul Lindau ausdrückte." (346,10 f.) Die "vaterlandsverräterische 'Schmutzkohorte'" erfuhr eine saubermännische Disqualifizierung – auf diese scheinbar simple Formel ließ sich bringen, was da geschah. – Doch ein solcher Befund beleuchtet nur die Oberfläche, registriert nur das, was sich öffentlich verbalisiert. Mehr als eine äußerliche Phänomenbeschreibung von Verkrustungen und Ängsten, von Vorurteilen und Abwehrhaltungen kann erst der Versuch erbringen, das gestelzt Tönende wenigstens andeutungsweise in seine Wurzeln hinab zu verfolgen. – Ich stütze mich dabei ohne eigene begriffsprägende Bemühungen auf Jost Hermands höchst aufschlußreichen Essay "Stänker und Weismacher. Zur Dialektik eines Affekts" und versuche, seine vorwiegend um Phänomene modernster Art bemühte Analyse auf den Naturalismus zurückzubeziehen. (Vgl. 346)

Das verkrampfte Operieren mit Verbalinjurien aus dem Schmutzbereich (oft sogar eindeutig fäkalisch in der Nomenklatur) resultiert aus "so viele[n] Faktoren [...], daß man Mühe hat, sich nicht ins Unendliche zu verlieren [...] Leicht vergröbernd, lassen sich dabei etwa drei Grundimpulse herauspräparieren" (346,15), nämlich ein religiöser Ursprung, "das mit der Entstehung des Protestantismus eng verbundene Arbeitsethos" und schließlich ein besonders von Sigmund Freud und Erich Fromm beobachteter psychoanalytischer Hintergrund – wobei diese Herkunftsbereiche nicht alternativ, exklusiv oder sukzessiv zu denken sind, sondern als sich gegenseitig potenzierende Faktoren wirken.

Den ersten Aspekt, den religiösen, hat Iring Fetscher in einem Aufsatz "Von deutscher Sauberkeit" dargestellt: es zeigt sich – überspitzt im Puritanismus – ein strenges Junktim von äußerer und innerer Sauberkeit; der Weg zum Himmelreich ist gleicherweise mit körperlicher cleanliness wie seelischer Askese gepflastert; in Körper-, Kleidungs- und Wohnungspflege sublimiertes Geißlertum wird, obgleich mit Frustrationen verbunden, zum heiligen Mittel verklärt, das in die Seligkeit führt.

Beim zweiten Aspekt, dem protestantisch-arbeitsethischen, verbinden sich "verstärkte Askese, ein steigendes Pflichtgefühl und ein penibles Sauberkeitsbedürfnis" (346,16) in solchem Maß, daß neben mannigfachen Verzichtleistungen und den Idealen "Pflichterfüllung als oberster Wert" und "rationale Ordentlichkeit" daraus auch "mitleidslose Beziehungslosigkeit zum Mitmenschen" (so Erich Fromm 346,17) als streng befolgte Maxime resultiert. – Es bedarf nur des Hinweises auf die geläufige Charakterisierung Hauptmanns als eines "Mitleidsdichters", um deutlich zu machen, wie tief und wie prinzipiell der Graben zwischen Mitleid pathetisch propagierenden Naturalisten und der von Fromm beschriebenen "mitleidslosen Beziehungslosigkeit zum Mitmenschen" sein mußte.

Den dritten und wichtigsten Aspekt des Sauberkeits- oder auch Anti-Schmutz-Syndroms bildet der reziprok Rückschlüsse erlaubende Kontext zwischen "analem Charakter" und der "im Erwachsenenstadium" vorherrschenden "Neigung zu Pedanterie, Sparsamkeit und Eigensinn". Im Anschluß an Freuds "Charakter und Analerotik" von 1908 und seine "Drei Abhandlungen zur Sexualtheorie" von 1934, auch im Anschluß an Sombart, Troeltsch und Weber, hat Erich Fromm 1932 in seinem Aufsatz "Die psychoanalytische Charakterologie und ihre Bedeutung für die Sozialpsychologie" eine ausführliche Typologie des "analen Charakters" entworfen; einige Charakteristika daraus, die in engem Bezug zur Naturalismus-Kontroverse stehen, seien angeführt: "die Neigung, alles im Leben als Eigentum anzusehen und alles 'Private' vor fremden Eingriffen zu schützen", "Partnerbesitz" anstelle von "Partnerliebe", die "Betonung des männlich-väterlichen Autoritätsstandpunktes und der Unterwerfung der Frau" (nach 346,19 f.). – Das läßt sich zunächst einmal ohne unzulässige Vergröberung sehr direkt mit jenen thematischen Zentralbereichen in Zusammenhang bringen, welche die deutschen Naturalisten von den skandinavischen Vorbildern Ibsen und Strindberg übernommen hatten. Wenn jedoch aus der beschriebenen Charakter-Typologie weiter gefolgert werden kann, daß "die sogenannten Grenzüberschreitungen, ob nun in politischer, sozialer oder wissenschaftlicher Hinsicht" (346,21) vom genannten Typus stets strikte Ablehnung erfahren, dann ist vollends evident, wie generell der Naturalismus Anstoß und einen schmutzmetaphorisch vermummten Wortschwall erregen mußte. – Stichwörter genügen: politisch ist es die tatsächliche, emotionell-momentane oder auch nur scheinbare Solidarisierung mit den Zielen der organisierten Arbeiterklasse und mit der offiziell verfemten (seit 1890 lediglich 'auf dem Papier' rehabilierten) Sozialdemokratie; sozial ist es neben der bevorzugten Behandlung proletarischen oder proletaroid-kleinbürgerlichen Milieus die oft mitleidvoll stilisierte Zuneigung zu den outcasts, den Bettlern, Dirnen und Selbstmördern, zum "fünften Stand", wie ich es andernorts einmal genannt habe; wissenschaftlich ist es der antimetaphysisch-materialistische Zugriff der Naturwissenschaft, vor allem natürlich die Milieu- und Vererbungsproblematik im Gefolge von Taine und Darwin/Haeckel.

Deutlich wird: was sich auf den ersten Blick im Naturalismus 'nur' literarisch an provozierenden und irritierenden Innovationen niederschlägt, ist in Wirklichkeit ein 'auf der ganzen Front' wider bürgerlich-konservative 'Glaubensartikel' vorgetragener Angriff. Und was sich – auf der anderen Seite – gegen die Naturalisten an Kot-Vokabular ansammelt, enthüllt sich als verbales Derivat einer "große[n] psychologische[n], politische[n] und soziale[n] Unsicherheit" (346,20); wobei das verbale Dreckschleudern einer Ersatzhandlung entspricht, die zugrundeliegenden (Selbst-)Konflikte also unausgesprochen und unausgetragen bleiben. – Die Präponderanz oder gar Ausschließlichkeit des Häßlichen in naturalistischen Literaturprodukten auf der einen, die Bevorzugung zuweilen fäkalischen Moralins auf der andren Seite – das entspricht sich haargenau, wenn auch nur auf der Oberfläche. Dem ausgesprochenen Vorhaben der Naturalisten aber, nicht nur literarisch Neues zu bringen, sondern zugleich auch wissenschaftlich, sozial und politisch – diesem erklärten Ziel weichen die bürgerlich-konservativen Kritiker in die Wortblasen-Stereotype von 'Schmutz und Schund' aus. Ihre Gegenattacke wider den jüngstdeutschen Angriff entpuppt sich von der psychoanalytischen Grundkonstellation her (die das Moment der Un- oder Unterbewußtheit der Betroffenen mit einschließt) als traditionell und subjektiv Naheliegendes, kategorial und objektiv aber Hilfloses: je lauter ihre Unzuchts-Fanfaren blasen, desto weniger werden sie der Sache gerecht, umso mehr verlagern sie die generell geforderte Austragung der Kontroverse in die Höhenluft einer als ewig 'sauber' erklärten Ästhetik – sofern sie nicht gleich, gut machiavellistisch, das Recht des Stärkeren in Gestalt einer einäugig blinden Justitia für sich und wider die "Stänker" mobilisieren.

II.10 Kunstgesetz

Hippolyte Taine, so erinnern wir uns, hatte neben den für jeden Autor (und jeden Menschen überhaupt) konstitutiven "trois forces primordiales" – Rasse, Zeit und Milieu – dem Dichter-Genie noch eine "faculté maîtresse" zugestanden. Und Emile Zola hatte sowohl in seiner berühmten Kunstformel

> Une oeuvre d'art est un coin de la nature vu à travers un tempérament

wie auch in seiner dichterischen Praxis bei allem Claude Bernard verpflichteten 'experimentellen' Szientifizismus dem konventionellen Genie-Gedanken noch ein 'Hintertürchen' offengelassen, dem Genie-Begriff, wie ihn etwa "der alte Carlyle" formuliert hatte: ein Genie war für ihn ein "Bote aus der Welt des Übersinnlichen" (206,X,6).

Arno Holz, vor der Abfassung seiner 1891 erschienenen Schrift "Die Kunst. Ihr Wesen und ihre Gesetze" an "Theorien und sowas" (206,X,43) herzlich uninteressiert,[73] stattdessen mit Johannes Schlaf zusammen als "Bjarne P. Holmsen" Praktiker eines Naturalismus, der mit den Mitteln des Sekundenstils und einer photo-phonographischen Reproduktion von Realität "konsequent" geheißen werden konnte als Versuch einer auf Totalität abzielenden Mimesis, Arno Holz wollte mit seinem Eingreifen in die theoretische Debatte keine nachträgliche 'Absicherung' des praktisch bereits Vorgeführten – etwa des "konsequent naturalistischen" Dramas "Die Familie Selicke" – liefern, sondern auch im Bereich der Theorie mit letzter 'Konsequenz' definieren, was Kunst "im Zeitalter des Eiffelturms" ausmachte:

> Ich glaube an "Genies" – das heißt, wohl verstanden, an die Carlyleschen! – ebensowenig, wie an Krokodile, die tanzen können, oder Pyramiden, die Kopf stehn. (206,X,7)

So sehr er auch Comte und Taine, Mill und Spencer als seinen "Schutzheiligen" (210,95) huldigte, so wesentlich Zolas Definition auch zum Anstoß für seine eigene Definitionsbemühung wurde, so wichtig war Arno Holz doch die Abgrenzung von Positionen, die ihm unzureichend, die ihm zu wenig 'konsequent' erschienen. Taines Kunstphilosophie, jener erste Versuch, "aus der Kunstwissenschaft eine Naturwissenschaft zu machen", war seinem kritischen Blick – oder sollte man gleich betonen: seinem überkritischen Blick? – ein "Gemisch aus Gesetzen und Dogmen" (206,X,15); und Zola konnte lediglich als "Praktiker" bestehen, während "der Theoretiker Zola einen Stillstand" bedeutete (206,X,54).

Etwa die berühmte Formel von den "documents humains", so wies Holz nach, hatte Zola keineswegs erfunden, sondern nur popularisiert: sie stammte dem Gehalt nach von Taine, der Formulierung nach von den Brüdern Goncourt (206,X,56 f.). Und auch Zolas Gleichsetzung des Romanautors mit dem experimentierenden Chemiker erschien Holz bei näherem Zusehen als "ein einfaches Unding" (206,X,59).

Bei allen verbal-'temperamentvollen' Distanzierungserklärungen Taine und Zola gegenüber blieb freilich Arno Holz seinen "Schutzheiligen" treu; treuer, als er, der am meisten und energischsten (und auch, Johannes Schlafs Anteil an der 'Erfindung' des "konsequenten Naturalismus" betreffend, am peinlichsten) auf seine Originalitätsrechte im Kampf um die "Moderne" pochende Autor des deutschen Naturalismus, einsehen und einräumen wollte.

Wenn er den generalisierenden Satz aufstellte:

> Es ist ein Gesetz, daß jedes Ding ein Gesetz hat. (206,X,64)

---

[73] Allerdings hatte er bereits 1887 seinen in "Die Kunst" dann aufgenommenen Beitrag "Zola als Theoretiker" abgefaßt: 206,X,50.

– dann verdankte er Inhalt und Erkenntnis-Optimismus dieser Aussage in der Tat "den Comtes, den Mills, den Taines, den Buckles, den Spencers, mit einem Wort, [...] den Männern der Wissenschaft" (206,X,65). Nicht umsonst gebrauchte Holz hier den Plural: durch die Genannten und durch viele Forscher und Wissenschaftler mehr, welche die Erkenntnisse der Initiatoren übernahmen, hatte sich im Lauf des späteren 19. Jahrhunderts eine auf Monismus tendierende Methodik streng-objektivistischer "Wahrheits"-Findung herausgebildet, der es stets um subjektivitätsbefreites Aufspüren von Gesetzmäßigkeiten ging. Gesetze, so zeigten es die Ergebnisse der "Spencers" und "Mills", bildeten nicht allein im Bereich der Naturwissenschaften die Grundlage aller Erscheinungen, sondern Gesetze lagen auch allen Phänomenen der menschlichen Gesellschaft zugrunde, bildeten ebenso das Fundament der bislang etwa von Carlyleschen Genie-Begriffen exterritorial erklärten Kunst und Literatur.

> Daß diese Kunst von der allgemeinen Regel eine Ausnahme bildet, daß sie ihre Werke *keinen* Gesetzen unterworfen sieht, behauptet heute freilich kein auch nur einigermaßen gebildeter Mensch mehr. (206,X,68)

– eine solche Behauptung war aber denn doch zu wissenschaftsgläubig, zu sehr von einer allumfassenden Monismus-Idee durchdrungen, als daß nicht manch ein "gebildeter Mensch" hier Zweifel oder entschiedenen Widerspruch angemeldet hätte; auch daran, die Kunst in einem jeweiligen "Abhängigkeitsverhältnis" zu einem historisch sich wandelnden "Gesamtzustand der Gesellschaft" (206,X,69) zu sehen: dagegen mußten sich alle Anhänger einer Ästhetik empören, die Kunst gerade durch ihre Überzeitlichkeit und Alltags-Ausgenommenheit definiert sahen, durch ihr behauptetes Anders-Sein als die Dinge 'dieser Welt'.

Holz' mehr rhetorische Abkanzelung der Wissenschaftsungläubigen als Nicht-Gebildete erweist sich als monistische 'Betriebsblindheit' und überflüssige Intoleranz: von solchen Seitenhieben her machte er es potentiellen Gegnern seines "Kunstgesetzes" – die es in großer Zahl gab, wie die Rezeption seiner Schrift zeigte – allzu leicht, nicht erst am Ergebnis seiner Überlegungen Anstoß zu nehmen, sondern bereits an den Formen der Präsentation.

Genese seines "Kunstgesetzes" – darum ging es Holz vor allem:

> Ich sagte mir: liegt ein Gesetz einem gewissen Komplex von Tatsachen zugrunde, so liegt dieses selbe Gesetz auch jeder einzelnen Tatsache dieses Komplexes zugrunde. (206,X,73)

– so wollte er, deduktiv und induktiv zugleich vorgehend, seinen Schritt über Taine und Zola hinaus begründen; fest stand für ihn die Einheitlichkeit *der* Kunst als eines gemeinsamen und immer gültigen Gesetzen unterworfenen Phänomenzusammenhangs; und ebenso fest stand für ihn die Möglichkeit, von jedem beliebigen Einzelkunstwerk her die *der* Kunst gleichmäßig immanente Gesetzmäßigkeit entwickeln zu können.

> Ein Bild wie die Sixtinische Madonna mußte mir dieses Gesetz ebenso gut liefern, wie eine Pompejanische Wandmalerei oder das Menzelsche "Eisenwalzwerk". (206,X,75)

Eine Analyse dieser 'komplizierten' Kunstwerke aber schien Holz zu schwer – und auch unnötig; denn:

> Die Erkenntnis eines Gesetzes ist um so leichter, je einfacher die Erscheinung ist, in der es sich äußert. (206,X,76)

Wenn bereits die "Kritzeleien eines kleinen Jungen auf seiner Schiefertafel" (ebd.) als Akt der Kunstproduktion zu gelten hatten – was nicht anders als vor dem nicht weiter reflektierten Hintergrund einer monistischen Kunstvorstellung denkbar war! –, dann konnte das so zustandegekommene Gebilde, "Ein Suldat!" (206,X,77), zur Analyse der *Kunst* ausreichen:

> Die Induktion bereits dieses einen einzigen Falles mußte, falls es überhaupt möglich war, sie zu vollziehen, genügen, um, vorausgesetzt natürlich, daß sie richtig vollzogen worden war, hinreichendes Material für die Deduktion aller übrigen zu liefern. (206,X,79)

Für den Jungen bedeutete das "Gemengsel von Strichen und Punkten" (ebd.) einen Soldaten – für den Betrachter, der diese Erklärung brauchte, war sogleich die Differenz zwischen Gewolltem und Zustandegebrachtem auffällig. – Holz folgerte aus dem ersten Befund

> Schmierage = Soldat – x

schnell generalisierend:

> Kunst = Natur – x (206,X,80).

Dieses "x" konnte nicht, wie von Zola behauptet, das "Temperament" sein; eher schon hatte es mit dem verwendeten Material, der Schiefertafel und dem Griffel, zu tun, war also durch Benützung 'adäquaterer' Materialien zu verringern, durch bessere "Reproduktionsbedingungen" (206,X,82). Nicht genug damit: das "x" hing auch ab von dem, der an die Produktion von Kunst heranging; ein Menzel mußte hier anderes, Besseres zuwege bringen als jener kleine Junge. Der Faktor "x" wurde also auch bestimmt durch mehr oder weniger perfektionierte "Handhabung" des Materials. So entstand schließlich das "Gesetz":

> *Die Kunst hat die Tendenz, wieder die Natur zu sein. Sie wird sie nach Maßgabe ihrer jedweiligen Reproduktionsbedingungen und deren Handhabung.* (206,X,83)

Was sich so nüchtern und unprätentiös gab, war für Holz gleichwohl Anlaß zu Triumph und Emphase:

> Ist dieser Satz wahr, das heißt: ist das Gesetz, das er aussagt, ein in der *Realität* vorhandenes, und nicht bloß eins, das ich mir töricht einbilde, eins in meinem *Schädel,* dann stößt er die ganze bisherige "Ästhetik" über den Haufen. Und zwar rettungslos. Von Aristoteles bis herab auf Taine. Denn Zola ist kaum zu rechnen. Der war nur dessen Papagei. (206,X,84)

Alle bisherige Ästhetik schien Holz lediglich eine "Pseudowissenschaft" der Kunst (206,X,86): er, nur er, hatte ihr Gesetz entdeckt, mithin die Ästhetik zur Wissenschaft gemacht.

Hatte er wirklich ein Gesetz für *die* Kunst gefunden?

Helmut Scheuer schreibt in seiner Holz-Monographie zu Recht: "Alle theoretischen Werke von Holz [...] vermitteln mehr den Eindruck einer 'Confessio Holziana' als einer Ästhetik." (210,119) Für "Die Kunst" gilt dieser Befund ganz besonders – wenn man auch angesichts der recht breiten Zustimmung seitens der naturalistischen Mitstreiter Scheuers Formel darauf ausdehnen darf, in Arno Holz' Schrift eine "Confessio naturalistica" zu sehen.

Denn um die Definition einer *naturalistischen* Kunst ging es Holz – wenn er es auch selbst keineswegs darauf beschränkt sehen wollte: für jegliches Kunst-(Selbst-)Verständnis außerhalb der etwa von Motekat betonten Tradition einer "Nachahmung der Natur" (112,25) war Holz' pauschal-doktrinäre und nur vor dem Hintergrund des szientifischen 19. Jahrhunderts sinnvolle Formel einseitig und unangemessen. Bis heute hat die Diskussion über Holz' "Kunstgesetz" immer wieder neben dieser Einseitigkeit kritisiert, daß "Natur" einen zu fixierten Begriff bezeichne, daß "Natur" einen vorzivilisatorischen Zustand dinglicher Phänomenalität beschreibe und mithin von einer nicht mehr rekonstruierbaren Chimäre von Ursprünglichkeit ausgehe. Hier aber tut man Holz' "Natur"-Begriff unrecht: für ihn war "Natur" nämlich vage und allumfassend zugleich, beschrieb also dingliche und menschliche Phänomene im weitestmöglichen Verstand (vgl. 146,11). Ist denn

> die Empfindung, die ein Sonnenuntergang in mir wachruft, *kein* Naturvorgang? Nun also! Bitte! (206,X,139)

– so wehrte sich Holz Zeitgenossen gegenüber bereits wider den Vorwurf eines allzu restriktiven Natur-Begriffs.

Ein anderer Vorwurf ging dahin, Holz' Kunstgesetz die Annahme einer restlos, total möglichen Mimesis zu unterstellen, die Lücke "x" also im Endeffekt – bei vollendeter "Handhabung" idealer "Reproduktionsbedingungen" – verschwinden, "Kunst" mit "Natur" völlig deckungsgleich werden zu lassen. Hierauf antwortete er:

> Das strittige x wird sich niemals auf Null reduzieren. Niemals! (206,X,130 f.)

Ein verbohrter Doktrinär, wie Richard M. Meyer als einer der führenden zeitgenössischen Hochschullehrer kritisierte (210,120), war Arno Holz nicht – das zeigen seine stets flexiblen Repliken auf die Polemiken wider sein Kunstgesetz. Doch Überlegenheit theoretischer Reflexion und Überheblichkeit den 'Uneinsichtigen' gegenüber gingen bei ihm stets Hand in Hand – Anlaß genug für seine Gegner, ihm wenn schon nicht in der Sache, so doch wegen der gewählten Tonart am Zeug zu flicken; dies wiederum für Holz Gelegenheit, in manchmal nur-aggressiven, manchmal aber auch brillanten Attacken seine Leistung ins rechte Licht zu rücken:

> Ganze Strecken, Bestrebungen und Erscheinungen unserer neueren Entwicklung wären sonst, ohne daß sie auf mich und mein Vorgehn zurückgeführt werden könnten, absolut undeutbar. (206,X,642)

Was Holz geleistet hatte, war *die* Theorie *naturalistischer* Kunst, ohne jeden Zweifel; in ihrer Formulierung sehr viel abstrakter als andere theoretische Bemühungen der Jüngstdeutschen, welche Kontemporaneität oder Sozialengagement als das entscheidende Kennzeichen des Naturalismus deklariert hatten.

Ein immergültiges Gesetz für *die* Kunst, auch etwa für die Musik, wie es Holz gelegentlich reklamierte, hatte er gleichwohl nicht gefunden; vielmehr ein Gesetz, das begleitend zu seinem literarischen Schaffen (während des Naturalismus – denn später wandte er sich von diesem wie die Mehrzahl der anderen "Jüngstdeutschen" rasch wieder ab) die Intentionalität des konsequenten Naturalismus auf eine zutreffende Formel brachte, eine Formel, die nicht anders als vor dem Hintergrund des "naturwissenschaftlichen Zeitalters" (Siemens) denkbar und sinnvoll war. Innerhalb einer wissenschaftsgeschichtlichen Situation, die durch die Tendenz auf methodischen Monismus unter der Dominanz naturwissenschaftlichen Verfahrens gekennzeichnet war, und innerhalb eines Selbstverständnisses von Literatur als nicht mehr musen-inspirierter, sondern szientifisch-objektivistischer Tätigkeit, also innerhalb einer wissenschaftsanalogen Sicht des dichterischen Prozesses als einer ebenso wie andere menschliche Tätigkeit beschreibbaren Arbeit stellte das Kunstgesetz von Arno Holz den bewußt nüchternen Gegenpol zu bisherigen 'weihevollen' Kunstdefinitionen dar, den unüberbietbaren Abschluß einer objektivistisch verschärften Mimesis-Tradition, schließlich einen eigenwilligen Anstoß für künftige Selbstdefinitionen von Literatur und Kunst: auch in der Theorie also – wie schon in der dichterischen Praxis des "Sekundenstils" – einen Anstoß, auf den hin die Geister sich scheiden mußten.[74]

II.11 "Pointillismus"

Conrad Albertis überspitzte Provokation der künstlerischen Darstellungsgleichberechtigung (sterbender Held einerseits; die Geburtswehen einer Kuh andrerseits) reflektierte eine im 19. Jahrhundert längst schon angebahnte Entwicklung zu einem 'demokratischen' Monismus der Art, daß jegliches – menschliche oder tierische oder pflanzliche oder dingliche – Phänomen in gleicher und nicht länger hierarchisch unterschiedener Weise der wissenschaftlichen Beobachtung und Auswertung unterliege; daß es für den induktiv-positivistischen, für den materialistisch-objektivistischen Erkenntnisprozeß keine Gegenstände zweiten und dritten Ranges mehr geben könne; daß also jede – seelische oder greifbare – Erscheinung isoliert für sich betrachtet werden müsse; daß das Sterben eines Kindes mit derselben Sorgfalt in Registrierung und Reproduktion zu schildern sei wie der Lichtreflex auf dem Goldrand einer Kaffeetasse. (Vgl. Kap. II. 6.1)

Sekundenstilistische 'Erfahrung' alles Wahrnehmbaren wurde zur Leitlinie des konsequenten Naturalismus – und das hieß: Sekunde für Sekunde wurden Eindrücke wiedergegeben. Im Bestreben, auch noch und gerade das 'offensichtlich' Unscheinbarste, Winzigste wiederzugeben, im Bemühen um perfektionierte Komplettierung einer zeit- und phänomenkonformen Reproduzierung des 'demokratischen' Arsenals an differierenden, heterogenen, im Beschreibungsverfahren aber gleichgeordneten Phänomenen erhielt nun jedes Phänomen seine eigene 'Würde', war es um seiner selbst willen von Interesse, bezog es seine Darstellungs-Dignität nicht mehr – wie einstmals – von einem in der Regel menschlichen Zentralmotiv, einer menschlichen Zentralfigur her.

---

[74] Erst kürzlich hat Klaus R. Scherpe wieder darauf aufmerksam gemacht, daß beim Bemühen Arno Holz', das "x" möglichst klein zu halten, daß also bei der angestrebten "Minimalisierung des Subjektfaktors der künstlerischen Tätigkeit" (106,154) der 'Temperament'-volle Autor Zolas – hier freilich nüchterner, naturwissenschaftlicher – gleichsam durchs Hintertürchen wieder Einlaß in den literarischen Produktionsprozeß findet: nämlich "durch die Funktion, die der Künstler-Forscher sich extern als Regulator der naturgesetzlichen Anordnung der Kunstproduktion zumißt." Das bedeutet: "Indem Holz die künstlerische Individualität im Systemzusammenhang seiner Formel relativiert, betreibt er doch zugleich ihre Regeneration und Hypostasierung als intellektuelle Kontrollinstanz des künstlerischen Experiments in seiner Gesamtheit." (106,158)

Prinzipielle Gleichwertigkeit einerseits, stiltechnische Heraushebung auch noch des konventionell 'Unwichtigsten' andrerseits bildeten die Voraussetzungen für einen – sagen wir einmal so – *panoptisch* verfahrenden Autor, welcher Beobachtetes nicht mehr durch einen selektierenden Eingriff strukturierte, nicht mehr eine Auswahl aus dem 'Ganzen' präsentierte; der vielmehr *holoskopisch*, d. h. alles Sichtbare, Wahrnehmbare registrierend, sich zum Zeugen des 'Ganzen' machte; *tendenziell* zumindest alles, das Ganze wiedergeben wollte.

Dem herkömmlichen Epik-Konsumenten – um es an diesem Gattungsbeispiel zu zeigen; für die Dramatik gälten analoge Bestimmungen – mußte der Lichtreflex auf der Kaffeetasse überflüssig erscheinen, als Ablenkung vom 'eigentlichen' Geschehen; zumal deswegen, da es nicht um häusliches Stilleben ging, sondern etwa um das Thema der Auflösung einer Ehe oder Familie. In derartigem Kontext wirkte der Lichtreflex retardierend, aus dem Handlungsduktus 'herausfallend', wirkte sich verselbständigend, isoliert, in der Art eines Rasterpunktes der heute gebräuchlichen Photographiereproduktion in einer Tageszeitung.

Doch auch alles andere – eben nicht mehr linear, nicht mehr kontinuierlich – Erzählte löste sich bei näherer Betrachtung in solche Rasterpunkte auf, in die Addition von separaten Eindrücken, von einzelnen Draufsichten, jeweils aus ganz speziellem – und dann immer wieder verändertem – Blickwinkel vorgenommen.

Die 'Photographie' naturalistischer Epik (und Dramatik) setzt sich zusammen aus der Summe vieler einzelner Rasterpunkte, und zwar so, daß das schließlich entstehende Gesamtbild nicht 'Zeile' für 'Zeile' 'gesetzt' erscheint, sondern nach der Art eines Puzzles zusammengefügt wird: demnach so, daß stets nur Einzelteile des späteren Ganzen erkennbar sind, eine 'Ecke' oder 'Fläche' 'angebaut' wird, und der Rest der späteren Ergänzung erst noch bedarf.

Der Vergleich trägt noch weiter: denn wie dort die geraden Ränder des Quadrats oder Rechteckes im Grunde beliebig gezogene Grenzen darstellen (der zufällig gewählte Bildausschnitt könnte größer oder kleiner sein), so erscheint auch das Beobachtungsfeld des konsequenten Naturalismus in Epik wie Dramatik willkürlich begrenzt; beruht also der objektivistisch ausgefüllte Rahmen auf einer subjektiven Vorentscheidung des 'experimentierenden', die Versuchsanordnung treffenden Autors: er bestimmt das 'Arrangement', setzt die jahreszeitlichen (z. B. Max Halbe, Jugend) oder feiertäglich-emotionalen (an Weihnachten spielen z. B. Hauptmanns "Friedensfest" und Holz'/Schlafs "Familie Selicke") oder ständischen Prämissen (Offiziersatmosphäre in Hartlebens "Rosenmontag", Vorderhaus-Hinterhaus-Problematik in Sudermanns "Ehre").

Innerhalb des einmal gesetzten, auf willkürlich-'temperamentvoller' Vorentscheidung beruhenden 'Bild'-Rahmens aber verfährt der konsequente Naturalist veristisch, um perfektionierte Komplettierung bemüht, für die Bewahrung jedes einzelnen Details verantwortlich: er leuchtet im gewählten Rahmen jeden Winkel aus, berichtet aus jeder Perspektive, ändert je nach Sachbedarf die Fokaldistanz: er geht 'näher heran' oder tritt 'weiter weg'. Er ist quasi der panoptische, holoskopische Gerichtsvollzieher, der auch noch das Wertloseste 'pfändet', es in seinem 'Report' festhält, nichts vergessen darf und erst befriedigt sein kann, wenn alles und jedes 'abgehakt' ist. Und auch diese Analogie trägt ein Stück weiter: auf der Liste des Gerichtsvollziehers erscheint, jeweils für sich, allenfalls in homogene Gruppen zusammengefaßt ("12 Silberlöffel"), der Einzelgegenstand; erscheint jeder Einzelgegenstand tabellarisch oberhalb oder unterhalb des nächsten, durch die Tabelle jedoch nicht länger nach Wert sortiert, sondern enumerativ gleichgeordnet.

Das *einzeln, für sich* erscheinende Phänomen im konsequenten Naturalismus, der 'Rasterpunkt', ist nur auf den ersten Blick – innerhalb einer den Naturalismus auf 'Oberflächenbeschreibung' reduzierenden, also falschen Sicht – als singuläres, punktuelles *Konkretum* bestimmt. Durch die Reihung heterogenster Phänomene im Erzählvorgang aber erscheint jeder dieser Einzelpunkte vom kontextualen Bezug ablösbar; bei noch näherem Hinsehen endlich zeigt sich, daß ein so erstellter Textzusammenhang verfährt wie jene impressionistischen Maler, welche ihre meist pleinairistischen Bilder Pinselstrich um Pinselstrich – also nicht mehr mit klaren Linien und scharfen Konturen, mit durchgehaltener Perspektivik und klar abgegrenztem Vorder-, Mittel- und Hintergrund – malten; wie sie es nannten: *pointillistisch*.

Jeder für sich allein, jeder selbständig gezogene, getupfte Pinselstrich, jeder Rasterpunkt oder Puzzle-Bestandteil bedeutet ein vom später entstehenden Ganzen *Abgezogenes*, etwas, lateinisch übersetzt, *Abstrahiertes*. Nun zeigt sich das Paradox naturalistisch-konsequenten Stils: im Bemühen um perfekte Darbietung von Konkreta (noch einmal: das kann die *ganze* "Natur" sein!) verselbständigen sich diese einzelnen Konkreta zu Abstrakta; es entsteht *stilgeschichtlich die Grundlage des Impressionismus* – stilgeschichtlich, nicht inhaltlich oder perspektivisch; formal, nicht thematisch. Denn von Proletarierelend 'weiß' der Impressionismus nichts mehr, der lieber eine Frühstücksszene im Grünen bietet oder ein Mädchen mit Sonnenschirm.

Die Folgerung liegt auf der Hand: der literarische Impressionismus, präfiguriert im bekannten Liliencron-Gedicht "Die Musik kommt", ist *nur inhaltlich* und seinem festen Beobachterstandpunkt nach als "Reaktionserscheinung auf den Naturalismus" (15,7) zu bezeichnen; *formal* knüpft er direkt an die Errungenschaften des konsequenten, sekundenstilistischen Naturalismus an, findet also *'seinen' Stil* vor. Was beide Literaturrichtungen trennt, ist die beim Naturalismus erkennbare Anstrengung, *Vollständigkeit* summarisch aus (auch perspektivisch) Heterogenstem zu erreichen; beim Impressionismus das Bestreben, einsinnig-perspektivisch einen *Gesamt-Eindruck* zu erzielen.

Für eine zweite Folgerung, nämlich die Dankesschuld des *Symbolismus* an den konsequenten Naturalismus, bedarf es weiterer Überlegungen. Doch sei im voraus festgestellt, daß die auf den Naturalismus erfolgende symbolistische "Reaktion" wiederum vor allem inhaltlicher Art ist, während auch hier im stilistisch-formalen Bereich der Standard des Naturalismus als 'Initialzündung' wirkt.

Samuel Lublinski, dem die erste Epochendarstellung des Naturalismus zu verdanken ist, welche streng literatursoziologisch zu verfahren versuchte (168), hat in seiner "Bilanz der Moderne" (98,16) davon gesprochen, daß als naturalistische "Riesensymbole" "die Gesellschaft als Schenke und die Gesellschaft als Bordell" dargestellt worden seien. – Nun ist freilich Lublinskis Anwendung des Symbolbegriffs (ganz abgesehen von dessen superlativischer Dehnung) kritikwürdig, denn dieser Autor bezeichnet ganz offensichtlich mit dem Terminus "Symbol" etwas, das in der allgemein gebräuchlichen Nomenklatur eher als "Vergleich" zu rubrizieren wäre, handlungserfüllt als "Gleichnis" oder "Parabel". Läßt man aber diese begriffliche Differenzierung einmal beiseite, so ist Lublinski insoweit zuzustimmen, als einzelne Topoi (im ursprünglichen Wortsinn) des Naturalismus – neben Schenke und Bordell wären als häufigere und wichtigere zu nennen: der Hinterhof, die einzimmrige Allzweckbehausung der Proletarierfamilie, die Dachstube der armen Näherin – in der Tat nicht nur häufig wiederkehren (und bisweilen sogar zu Schablone oder Klischee werden), sondern auch so stark hervorgehoben werden, daß sie einerseits isoliert wirken, 'für sich sprechend', andererseits mehr an Aussage beinhalten als nur die Sache selbst (um an Goethes berühmte Symbol-Definition anzuknüpfen): der *locus non amoenus* gewinnt außer seiner Deskriptionsfunktion zusätzlichen *Verweisungs*charakter.

Der Hinterhof etwa evoziert die bekannte Diskrepanz zum Vorderhof oder -teil, zur Fassade, die Diskrepanz – in Brechts Formulierung – zwischen denen im Dunkeln und jenen im Licht; die Näh-Utensilien auf dem wackligen Tisch einer Dachstube weisen darauf hin, daß die Bewohnerin lohnabhängige Arbeit tut, um das Existenzminimum eben noch zu garantieren; die proletarische Allzweckbehausung bringt schon durch die geringe Quantität an Kubikmetern zum Ausdruck, daß derartige Enge mentale Konsequenzen des Eingeschlossenseins zur Folge haben muß.

Der geschlossene Raum als Begrenzung ist überhaupt bühnentechnisches Konstituens naturalistischer Theatralik; im Freien spielen allenfalls einzelne Akte, in Hauptmanns "Webern" etwa oder im opportunistisch sich der naturalistischen Modeströmung anbiedernden Wildenbruch-Stück "Die Haubenlerche". – Geschlossener, enger Raum – welch Unterschied zu den Salons in den Stücken der Sardou oder Dumas fils, zu den Prunksälen Wildenbruchscher Hohenzollerngeschichtsschinken oder den gutbürgerlich-wohlklimatisierten Verandazimmern eines Voß und L'Arronge! – ist im Naturalismus dem dort erzwungenen Lebensgefühl komplementär: in der Baumertschen "Weber"-Kate sich ein Pianoforte vorzustellen, auf welchem die 'Haustochter' den Chablis schlürfenden Gästen Schumanns "Träumerei" vorspielte, geht nicht an.

Eingeschlossenheit, Enge, Muffigkeit, Aufeinanderprallenmüssen im allzu beschränkten Raum – das evozieren, symbolisch verweisend auf soziale Ungerechtigkeit und gnadenlos Böcke und Schafe trennende "Standes"-Unterschiede, diese naturalistischen Topoi. Was jetzt wie eine Bestätigung Lublinskis aussieht, bedarf indes weiterer Differenzierung, um das punctum saliens zu verdeutlichen, welches die Nahtstelle zwischen Naturalismus und Symbolismus darstellt.

Wie schon beim Übergang zum Impressionismus kann man auch hier das Abstraktwerden des Konkreten durch Isolation des einzeln Gezeigten feststellen. Ich brauche diesen Vorgang nicht noch einmal darzustellen. Wichtig ist im jetzigen Zusammenhang vor allem das Ergebnis der oben angestellten Überlegungen: wird ein Einzelnes aus dem Kontext gelöst, wird es zum Abstraktum, das punktuell und für sich erfahren wird, dann lädt es sich gleichsam auf mit Qualitäten, die nichts mehr mit dem abgelösten Kontext zu tun haben, sondern eigengesetzlich Bezüge zu anderen Realitäts- und Vorstellungsbereichen ermöglichen und herstellen.

Nicht überflüssig ist es zu betonen, daß der Übergang zum Symbolismus inhaltlich noch keineswegs die Distinktheit symbolistischer Thematik erreicht, auch nicht erreichen kann: daß also vom stilkritischen Befund her noch keine Verbindungslinie zu ziehen ist etwa zum Bereich des Märchens, des Traums, des Visionären.

Hauptmanns "Hanneles Himmelfahrt" vermag das theoretisch Ausgedrückte anschaulich zu machen: denn in dieser "Traumdichtung" (so der sehr klar scheinende Untertitel) aus dem Jahr der gereinigten Mundartfassung der "Weber" und der "Biberpelz"-"Diebskomödie" werden Naturalismus und Symbolismus in den Fiebervisionen der zu Tode geschundenen Tochter des saufenden Maurers Mattern deckungsgleich. – Was nämlich den Zeitgenossen und nach ihnen vielen Kritikern bis heute als neu, als "symbolistisch" erschien, als Abwendung vom Naturalismus (die wohl auch Hauptmann subjektiv damit intendierte), das war bei näherer Betrachtung streng naturalistisch durchgeführte Pathographie:

> Die Exaktheit ist groß; ja wer einmal die der Fessel entledigte Phantasie eines sterbenden Mädchens hat umherirren sehen, wird betroffen davon sein, wie vollständig, bei aller Kargheit und oft bloß andeutenden Zartheit, wie wahr in ihrem Sternschnuppentanz die Analyse des Dichters ist.

Dies schrieb Moritz Heimann, der langjährige Mitarbeiter des Verlegers Samuel Fischer und der Schwager Gerhart Hauptmanns, 1918 in der Neuen Rundschau. – Sein nächster Satz, der auf das gegebene Zitat folgte, lautete indes:

> Und dennoch schwillt die Dichtung über die Darstellung eines subjektiven Zustandes hinaus. Hannele träumt nicht nur ihren Himmel; sondern dieser Himmel ist auch im poetischen Sinne objektiv vorhanden. (353,301)

Zurück zum Ausgangspunkt: Einzelphänomene, -sätze, -szenen können durch die Exkontextualisierung und über das beschriebene Zwischenstadium des Abstrakt-Werdens trotz allen Eingelagertseins in naturalistisch-konkretes, induktiv-objektivistisches Ambiente Symbol-Charakter annehmen; mehr noch: als Phänomen, Satz oder Szene isoliert, fordern sie die Besetzung mit zusätzlichen Verweisungszusammenhängen geradezu heraus. Die Stoff-Frage ist hierbei sekundär, im Grunde ohne Belang. Festzuhalten gilt es die über eine stiltechnische und stilkritische Überlegung gewonnene Einsicht, daß auch für den Symbolismus der konsequent-naturalistische Sekundenstil Nahtstelle und potentieller Umschlag in einem ist.

Über das Problem oder besser die Tatsache des Pointillismus[76] ist demnach der Naturalismus mit den nur teilweise zu Recht so genannten "Reaktionsbewegungen auf den Naturalismus" verknüpft; leistet er auf formalem Sektor Geburtshilfe für zwei bisher allzu antagonistisch gegenüber dem Naturalismus gesehene Strömungen der Moderne.

II.12 Wertung, Wirkung

Die Jüngstdeutschen, die den Wind gegen das epigonale Formgegaukel des gründerzeitlichen Dilettantismus gesät hatten, hatten den Sturm zu ernten, den die weiterhin und vielleicht sogar mehr denn je am Gestrigen und Vorgestrigen festhaltenden Kritiker gegen ihren Naturalismus entfachten. – Allerdings hatte es diese Reaktion auf die unternommene Revolution scheinbar sehr leicht, war da doch eine Kunstrichtung im Visier, die sich völlig un-esoterisch gerierte, die eine Literatur produzierte, die – scheinbar – nicht erst aufgeschlüsselt werden mußte, die keine metaphorische Wolkigkeit und keine Schleier der Allegorik umgaben; eine Literatur vielmehr, die betontermaßen nicht mehr zeigen wollte, als die Wirklichkeit selbst zeigte; das also, was jedermann 'ohnehin' sehen konnte, der Augen zu sehen hatte. (Vgl. Kap. II.9.1)

In Sachen Wirklichkeit durfte sich – nocheinmal: scheinbar, prima vista nur – jedermann kompetent fühlen, konnte jedermann ohne weiteres zum Kunstrichter avancieren, jedermann sich schnell aufschwingen

---

[76] Vgl. die Bemerkungen Johannes Schlafs, zit. in: 210,94.

zum Kritiker über jene Realitätskopierer, die man rasch abtat als Photo- und Phonographen, als bloße Reporter, als pflichtvergessene Verzichtler auf die als einzig wichtig angesehene Funktion von Literatur, die Wirklichkeit zu verschönen, zu verklären, zu transzendieren; auch auf jene Funktion, mithilfe der "schönen" Literatur die "schnöde" Wirklichkeit vergessen zu machen, am Abend des Werkeltags Feiertag zu illuminieren.

Mit kaum verhohlenem Hohn und lautstark verkündeter Befriedigung registrierten die gutbürgerlichen Literaturwächter, mit ratlosem Erstaunen die kritischen Sympathisanten der "Literaturrevolution", daß sich die meisten Hauptakteure des Naturalismus sehr rasch wieder von dessen Zielen und Methoden, vor allem auch von dessen Stoffen abwandten und sich häufig auch parteipolitisch neu orientierten – letzteres zum Teil aus eigenem Entschluß, zum andern Teil auf den Beschluß sozialdemokratischer Gremien hin.

Wenn sich auf diese Weise Gegner wie Verteidiger der ersten Moderne in ihrer Überraschung trafen, so sollte doch nicht übersehen werden, daß auch literarischen Innovationsbewegungen stets zu einem gewissen Teil der Charakter einer Mode eignet, daß also die Faszination eines Neuen rasche Anhängerschaft ebenso ermöglicht, wie sie auf der anderen Seite auch mit sich bringt, daß beim unvermeidlichen, früher oder später spürbaren Nachlassen der Faszination die reinen Mitläufer dieser Mode überdrüssig werden und sich neuen Moden zuwenden.

In gern übernommenen und schon mehrmals betonten Topoi hat die Naturalismus-Kritik bis heute immer wieder die 'Tatsache' hervorgehoben, die Vertreter dieser Epoche hätten nur Oberfläche gegeben und nicht mehr: bloße Draufsicht, pure Photophonographie, kurzum: Ergebnisse der Sehweise von Kurzsichtigen.

Indes: was als 'Tatsache' erklärt und von Generationen von Kritikern und Literaturhistorikern nachgesprochen und abgeschrieben wurde, sagt weniger über den Naturalismus aus als vielmehr etliches über diese Kritiker, die sich ihrerseits zählebiger Oberflächlichkeit schuldig machten.

Ich brauche nur an die Passagen über body language, Übersprungshandlungen oder Psycholekt zu erinnern, um zu belegen, daß im perfektionierten Konterfei von Realität in der Tat all das ins Äußerliche, Beobachtbare einging, was innerlich, unsichtbar sich abspielte; daß also gerade durch den auf alle Spekulation, Konjektur, Füllung, Ausmalung, Unterstellung verzichtenden Exaktheitsbefund der Oberfläche erst Tiefenstruktur einsichtig wurde – eine Tiefenstruktur, die nicht länger beliebig-subjektive Zutat des jeweiligen Autors war, sondern die konkrete Tiefenstruktur der jeweils abgezeichneten Figur.

Man hat in diesem Zusammenhang immer wieder die künstliche Alternative zwischen musisch-ekstatischem Göttersprachrohr einerseits, dem (zudem noch billigen Sensationen nachjagenden) Reporter andrerseits aufgestellt, die Alternative zwischen inspirierter Feder und dem Notizbuchbleistift. Und innerhalb einer solchen – noch einmal: falsch gestellten – Alternative fiel denn die Entscheidung entsprechend leicht zuungunsten des Naturalismus.

Dem einen wie dem andern gerecht zu werden, erfordert in einer Disziplin, die sich bis heute noch immer nicht ganz freigemacht hat von 'ewigen Werten' und mithin von 'ewig gültigen' ästhetischen Gesetzen und Normen, das Ernstmachen mit Hermeneutik: das jeweils historisch angemessene Bewerten von Literaturen unterschiedlichen Schlages, mit jeweils anderen, für sich allein spezifischen Voraussetzungen und Intentionen.

Auf den Naturalismus – und nur auf diesen – bezogen, muß das heißen: von den naturwissenschaftlich-positivistisch-materialistisch-induktiven Voraussetzungen her mußte eine Literatur entstehen, die die durch Beobachtung erreichte Reproduktion von Wirklichkeit so objektiv wie möglich (: so wenig subjektiv wie möglich) aufs Papier brachte. Nur so ist Holzens Kunstgesetz mit dem oft arg mißverstandenen "minus x" zu begreifen. – Und in der Intention, "Wahrheit" zu leisten anstelle von Beschönigung, Verklärung und Harmonisierung, konnte diese Literatur gar nicht anders, als äußerste Nüchternheit und scheinbar völlig unprätentiöse Reportergenauigkeit 'walten' zu lassen. Hierher gehört die – aus dem Oppositionscharakter des beginnenden Naturalismus zu verstehende – Polemik gegen die 'besoffene Literatur' der formtrunkenen und in Exotismen wie Hypertrophismen flüchtenden Gründer, ebenso die von Alfred Kerr richtig verstandene und billig vermerkte Aversion gegen die (nicht allein Bühnen-)Sprache der "Oberlehrer".

Viele, auch umfangreichere, Darstellungen des Naturalismus scheiterten daran, daß sie aus der antimetaphysischen Umwälzung des 19. Jahrhunderts nur einzelne Punkte ihrerseits wiederum punktuell auf einzelne Texte oder einzelne Autoren des Naturalismus bezogen; also nicht – wie es hätte getan werden müssen – diese Umwälzung in ihrer Totalität und Summe, vor allem methodologischer Art, als Hintergrund wie Anstoß naturalistischen Schreibens bewerteten.

Viele Einzelinterpretationen naturalistischer Dichtungen scheiterten daran, daß oftmals textimmanent verfahren wurde (sofern nicht schon die unüberprüfte Berufung auf die genannten 'ewigen' Normen als Prämisse der Interpretation galt): dabei *konnte* schlechterdings nicht mehr herauskommen als nachplappernde Paraphrase, welche für den Interpreten zwangsweise unbefriedigend bleiben mußte – und dann war es nur noch ein winziger Schritt zu dem Schluß, die Naturalisten trügen die Schuld an solcher Dürftigkeit.

Viele Kritiker des Naturalismus kamen nicht einmal so weit, die Autoren so zu verstehen, wie sie sich selbst verstanden hatten, – geschweige denn, sie besser zu verstehen: verstört durch 'unergiebige' Texte und herzlich unvertraut mit dem environment sowohl der Voraussetzungen wie der Wirkungsabsichten mußten sie Zensuren austeilen, die 'unterm Strich' lagen. Und weil, über die Zeiten hinweg, so viele sich einig waren, drangen die wenigen nicht durch, welche andere Akzente setzten und einer Neubewertung des Naturalismus das Wort redeten.

Ein Schritt weiter noch: weil sich die bürgerlich-konservative Kritik um 1890 so einig war und durch die nach 1890 schnell auftretenden "Reaktionsbewegungen auf den Naturalismus" (16,10) aufs trefflichste bestätigt sehen konnte, vergaß man ungebührlich rasch, wieviel aktiver Anteil an den antinaturalistisch-reaktiven Bewegungen wie Symbolismus und Impressionismus dem Naturalismus zukam; wieviel er nicht nur an diesen spontanen Sezessionen (über das Medium der Negation) im positiven Sinn 'schuldig' war, sondern weit darüber hinaus Entwicklungen initiierte, die bis heute registrierbar sind.

In der Tat: Impressionismus, Neuromantik, Jugendstil – in gewissem Sinn auch die Heimatkunst, die das Städtisch-Proletarische aufs Ländliche transponierte, alle Stilrichtigungen also des deutschen fin de siècle waren "Reaktionsbewegungen" auf den Naturalismus: der Naturalismus hat neben den bis heute weiterreichenden Anstößen in "positiver" Richtung – hin zur Literatur der Arbeitswelt, den Industriereportagen oder dem Dokumentartheater – auch in "negativer" Richtung initiierend gewirkt. Er erzwang gerade durch seine thematische Monomanie und durch seinen ästhetisch-mimetischen Doktrinarismus klare Stellungnahmen. Daß dabei das Contra überwog, kann nicht verwundern. Und daß dieses Contra nicht Ergebnisse zeitigte, die den von den Jüngstdeutschen attackierten Konzepten der Epigonalromantik, des Teutonohistorismus oder des formtändelnden Exotismus gleichkamen, daß also wenn überhaupt, dann ein Eskapismus gänzlich neuer: "moderner" Art zustande kommen mußte – dies ist als Verdienst der naturalistischen 'Wegscheide' in der deutschen Literaturgeschichte zu verbuchen.

> Mit einem Wort: Selten sind die Errungenschaften einer literarischen Bewegung so intensiv von den nachfolgenden Generationen genutzt worden wie im Falle des vielverlästerten Naturalismus. Seine Wirksamkeit blieb immer unterirdisch und wurde eigentlich niemals einschränkungslos zugegeben – aber ohne ihn wären bis in unsere Tage alle wesentlichen Entwicklungen im Drama undenkbar. Kaum jemals ist ein literarischer Ismus weniger geliebt und mehr stillschweigend verarbeitet worden. Eingeklemmt zwischen Philologen und Ideologen, die jeweils auf ihre Weise gegen ihn voreingenommen sind, wird seine geschichtliche Leistung heute kaum mehr sichtbar. Sie hieß Überwindung des lebensleeren, rein illusionären Kommerztheaters und Erweiterung des thematischen Repertoires des Dramas um die brennenden Zeitfragen des ausgehenden 19. Jahrhunderts. (14,39)

Wie Wolfgang Rothe zurecht betont: vor allem im Drama blieben die naturalistischen Impulse bis heute lebendig, sowohl in thematisch-intentionaler Sicht als auch in keineswegs beliebigen Detailfragen wie den

Bühnen- und Sprechanweisungen oder den (panto-)mimischen Vorschriften. – Doch auch in der Prosa sind über berühmte Einzelbeispiele hinaus (Thomas Mann, Buddenbrooks; Hermann Broch, Pasenow oder die Romantik) die Vorbilder naturalistischer Epik unverkennbar.

Horst Claus resümierte: "wenn seine positive Wirkung nicht langandauernd war, so erregte er doch durch seine teilweise schroffe Einseitigkeit heftigen Widerspruch, der so oft Anlaß und Verkünder neuen Schaffens geworden ist." (46,1) Derlei Geburtshelferfunktion ex negativo ist bei dem seinerseits ex negativo entstandenen Naturalismus unbestreitbar, allerdings nicht allein auf den thematischen Bereich zu beschränken: auch stilistisch – ich versuchte das im Pointillismus-Kapitel darzustellen – ist seine geburtshelferische Leistung nicht zu übersehen. So sind die "Reaktionsbewegungen auf den Naturalismus" durch Kontinuität und Distanzierung zugleich gekennzeichnet, ihrerseits also wiederum abrupt abrückend in den Verurteilungen der voraufgehenden Literaturepoche wie einst der Naturalismus selbst, genau wie dieser wider eigene Aussage dennoch verknüpft mit dem verbal so scharf Abgelehnten.

Ein innerhalb einer Dichtung geführter kunsttheoretischer Disput, das Streitgespräch in Hauptmanns 1911 uraufgeführten "Ratten" zwischen dem "modernen" Ex-Theologen Erich Spitta und dem "konventionellen" Schiller-Pathetiker und Goethe-Schauspielerregeln-Verfechter Hassenreuther, bildet die zeitlich am weitesten vom 'eigentlichen' Naturalismus entfernte Brücke zu dramatischen Versuchen jüngeren und jüngsten Datums, die sich mit Namen wie Kroetz, Sperr, Faßbinder (auch, in der Reportage-Prosa, Wallraff) verbinden und die man getrost als *neonaturalistische* Stücke rubrizieren könnte.

Bei jenem Streitgespräch in den "Ratten" geht es um die außerhalb der engen Epoche des Naturalismus, also sehr viel mehr prinzipiell gestellte Frage, ob der "vierte Stand" – "unter Umständen ein Barbier oder eine Reinemachefrau aus der Mulackstraße" (194,II,778) – tragödienfähig sei, ob es also, wie bislang unvorstellbar, eine "Fallhöhe" auch dann geben könne, wenn der Fallende vor seinem Fall bereits auf der soziologisch niedrigsten Stufe stünde. – Obgleich es, begreiflich angesichts der beiden hitzköpfigen Disputanten, nicht zu einer klaren Antwort auf die gestellte Frage kommt, so spricht der Verlauf der "Ratten" ein eindeutiges Ja.

An diese Position konnten die heutigen Autoren sich umso leichter anschließen, als von seiten der bürgerlich-konservativen Kritik die Furcht vor dem roten Gespenst nicht mehr mit der machtbewußten Offenheit der neunziger Jahre des letzten Jahrhunderts betont, sondern neuerdings sublimer 'zitiert' wird; daß die Stücke der Sperr und Kroetz gleichwohl 'Sensation machten', zeigt deutlich, daß sich eingeschliffene Mechanismen zäh am Leben halten.

Und es darf ohne Herabminderung dieser Autoren betont werden, daß die Möglichkeit, mit ihren neonaturalistischen Stücken bühnen- und fernsehfähig zu werden, in engem Zusammenhang gesehen werden muß mit der allmählichen stillschweigenden Verabschiedung von Kalten-Kriegs-Parolen; anders, daß die Erfolgsbedingungen für diese Stücke erst dann gegeben waren, als das starre Blockdenken der fünfziger und der ersten sechziger Jahre sich aufzuweichen begann.

III. ANALYSEN

III.1 "Moderne Dichter-Charaktere" und Arno Holz, "Buch der Zeit"

Wenn hier zwei Gedichtsammlungen – eine Anthologie und das Lyrikbuch eines einzelnen Autors – zusammen betrachtet werden sollen, dann nicht nur wegen des äußerlich denkbaren Grundes, daß der Autor des 1885/86 erschienenen "Buch der Zeit. Lieder eines Modernen", Arno Holz, ohne jeden Zweifel der wichtigste Beiträger der 1885 von Wilhelm Arent edierten Anthologie "Moderne Dichter-Charaktere" war und einige der in dieser Anthologie abgedruckten Gedichte auch ins "Buch der Zeit" aufgenommen wurden.

Vielmehr zielt diese erste Analyse darauf ab, den formalen wie thematischen Standard einer einzelnen Gattung zu beschreiben, welche innerhalb der kurzen Epoche des Naturalismus zeitlich am frühesten auftritt. Es geht also in der Wertung frühnaturalistischer Lyrik sowohl um Probleme dieser Gattung wie auch um solche, die mit der beginnenden Entfaltung der Epoche selbst zu tun haben. Was im Einzelbeispiel des zur 'Analyse' Ausgewählten verdeutlicht werden soll, muß sich dem generalisierenden Anspruch stellen, auch für die angesprochenen größeren Zusammenhänge (Lyrik, erste Phase des Naturalismus) Ergebnisse zu zeitigen. Anstelle nur eingängiger Einzelinterpretationen sind die herangezogenen Texte Ausgangspunkt für gattungs- und teilepochenspezifische Überlegungen.

Daß der deutsche Naturalismus im "Stadium der Turbulenz" (246,308) noch nicht mit definitiven Programmen oder exemplarisch gültigen literarischen Großformen aufwarten konnte und zunächst die lyrische Kleinform bevorzugte, um auf engem Raum das Neue gleichsam in nuce zu präsentieren, dies lag nahe. Die Brüder Hart hatten zwar in den "Kritischen Waffengängen" Vertreter aller Gattungen aufs Korn genommen und der erfolgsspekulierenden Mediokrität geziehen, Autoren übrigens, gegen die sich besonders leicht und pointiert polemisieren ließ; doch war es in der Lyrik am ehesten möglich, den Versuch 'praktischer' Gegenbeispiele anzutreten – wohlgemerkt: den Versuch.

Denn, das wird die Analyse zeigen, zumeist klafften Anspruch und Realisation allzuweit auseinander, als daß nicht wenigstens im großen und ganzen das spätere Urteil von Arno Holz berechtigt gewesen wäre:

> Daß wir Kuriosen der "Modernen Dichtercharaktere" damals die Lyrik "revolutioniert" zu haben glaubten, war ein Irrtum; und vielleicht nur deshalb verzeihlich, weil er so ungeheuer naiv war. (206,X,490)

Mit eben diesem Vorsatz der "Revolution" war jedoch die von Holz kritisierte und von ihm damals mit Beiträgen versorgte Anthologie "Moderne Dichter-Charaktere" aufgetreten: exemplarisch auf lyrischem Gebiet die Entscheidungsschlacht zu schlagen wider die "literarischen Bettler, Falschmünzer und Troßbuben" (4,68), die deutsche Literatur zu befreien von der Alleinherrschaft der gut verdienenden "Eklektiker, Epigonen, Opportunisten, Synkretisten" (23,401). Und als ein Fanal waren die "Modernen Dichter-Charaktere" von den Zeitgenossen auch verstanden worden. Detlev von Liliencron, als nicht-epigonaler Lyriker bereits ausgewiesen durch seine 1883 erschienenen "Adjutantenritte", schrieb 1885:

> Es flutet und braust seit Anfang unseres Jahrzehnts: Eine neue Dichtergeneration stürmt mit fliegenden Fahnen vorwärts; keine Epigonen sind's. Das ist unverkennbar. (10,1885,484)

Gerhart Hauptmann betonte noch im Rückblick auf das "Abenteuer meiner Jugend" (194,VII,1047) die gemeinschaftskonstituierende Funktion des Unternehmens:

> Sie begrüßten einander durch Zurufe, Leuten ähnlich, die auf Verabredung einen Marsch zu einem bestimmten Treffpunkt unternommen hatten und nun angekommen sind.

Der Herausgeber Wilhelm Arent war jedoch genausowenig der Initiator des Sammelwerks wie die beiden Autoren der berühmt gewordenen Vorreden, Karl Henckell und Hermann Conradi. Vielmehr hatten auch hier die Brüder Hart den ersten Anstoß gegeben, sich aber – angeblich wegen Arbeitsüberlastung – bald zurückgezogen. (210,48) Arent übernahm von ihnen die bereits eingegangenen Beiträge, holte weitere Autoren zusammen und publizierte die Anthologie 1885 in Berlin im Selbstverlag.

Ursprünglich hatte der Titel – bezeichnend genug! – "Unser Credo" geheißen; der endgültige Titel entstand dann aus einer – bewußt aufs Junge Deutschland anspielenden – Kontamination von Heinrich Laubes "Modernen Charakteristiken" und Karl Gutzkows "Öffentlichen Charakteren" (beide 1835). Wenn in diesem Titel das Wort "modern" auftauchte, entsprach dies dem Selbstverständnis der Literaturrevolutionäre, die sich von der Antike und deren Nachfolge absetzen wollten.

Daß sich die in der Anthologie versammelten Autoren aber den Begriff "Dichter-*Charaktere*" zulegten, bedarf des wiederholenden Hinweises auf die gesuchte Wahlverwandtschaft mit dem Sturm und Drang. Wie damals das Recht des Genies proklamiert wurde, das sich eigene Gesetze gab und sich gegen jegliche Bevormundung durch einen festen Regelkanon wehrte, so verstanden sich die jungen Naturalisten in erster

Linie als individuelle "Charaktere", die dem dilettantischen Einerlei einer zum Klischee erstarrten Dichterei ihre je eigene Handschrift entgegensetzen wollten. Wie zur Zeit des jungen Goethe – den man, im Gegensatz zum "klassischen", als vorbildlich ansah und sehr verehrte (vgl. 234) – sollte der Protest wider die "alten, überlieferten Motive" und "die abgenutzten Schablonen" (1,II) durch unverwechselbare Individualität des Autors wie seines Ausdrucks artikuliert werden. Gegen die uniforme Cliquenwirtschaft beispielsweise des von Geibel und später Heyse dirigierten Münchner Kreises wollten die "Modernen" sich als Einzelne, eben als "Charaktere" erkennbare Dichter abheben.

Doch die Einlösung solch hochgespannter Ankündigungen gelang nur wenigen der 22 Beiträger, unter denen neben den Harts, Arent, Conradi, Henckell, Holz, Jerschke, Bleibtreu und Hartleben auch Namen wie Ernst von Wildenbruch (der gefeierte Hohenzollern-Dramatiker) und Alfred Hugenberg (der spätere Meinungskonzernherr und Repräsentant der Harzburger Front) zu finden waren. Die Namen der restlichen Beiträger sind heute fast alle vergessen – alphabetisch seien sie hier aufgeführt: Friedrich Adler, Johannes Bohne, Georg Gradnauer, Oskar Hansen, Karl August Hückinghaus, Hermann Eduard Jahn, Wolfgang Kirchbach, Richard Kralik, Fritz Lemmermayer, Oskar Linke und Joseph Winter.

Allein an der um rasches Erscheinen bemühten Herausgebertätigkeit Wilhelm Arents lag es gewiß nicht, wenn die Diskrepanz zwischen Anspruch und Realisation jedem Leser sogleich deutlich werden mußte. Vielmehr kennzeichnet der geradezu hybride Ton, den die beiden Einleitungen anschlugen, sehr exakt das reichlich Diffuse der frühnaturalistischen Position: die relative Einigkeit nämlich, die in der Abgrenzung gegenüber der dilettantischen Gründerzeitlyrik herrschte – und die weitgehende Unsicherheit darüber, was stattdessen nun als neues Dichtungsideal proklamiert und verbindlich gemacht werden sollte. Bedenkt man diesen Zwiespalt zwischen dem abgewehrten Alten einerseits und dem erst tastend anvisierten Neuen andrerseits, so erklärt sich die häufig geradezu gründerzeitlich zu nennende Mediokrität der in der Anthologie versammelten Gedichte.

Gezielt Neues nämlich hatten, wie die versammelten Gedichte, auch die beiden Einleitungen kaum anzubieten; und die nur ex negativo formulierte Beschreibung des Neuen – daß es, wie auch anders, ein Nicht-Altes sein müsse – war eine allzu dürftige Basis, als daß sich die selbsternannten "Charaktere" tatsächlich eine erkennbar "moderne" Gruppenphysiognomie hätten zulegen können. (Vgl. 210,48 ff.)

Hermann Conradi nannte seine Einleitung "Unser Credo" und stellte ihr das Hutten-Motto voran: "Die Geister erwachen." In dialektischem Dreischritt formulierte er: "Wir wissen ganz genau, was wir in dieser Anthologie ausgeben." Und: "Wir machen nicht den Anspruch, Vollkommenes, Makelloses nach Form und Inhalt zu bieten." Schließlich:

"Und doch erheben wir den Anspruch, endlich *die* Anthologie geschaffen zu haben, mit der vielleicht wieder eine *neue* Lyrik anhebt". (1,I). – Das "vielleicht" ließ Conradi nicht sperren; daß es sich in seine Aussage einschlich, läßt freilich erkennen, daß es mit der posierten Sicherheit, wie sie sein Text im weiteren Verlauf bieten sollte, so weit doch wieder nicht her war. In "neuen, freien, ungehörten Weisen" (1,I) sollte die neue Lyrik singen; "das Intime, das Wahre, das Natürliche, das Ursprüngliche, das Große und Begeisternde" (1,I f.) sollten ihre Themen sein – die so eröffnete Bandbreite möglicher Themenbereiche ließ freilich allem und jedem Bahn (nebenbei: waren nicht auch die gründerzeitlichen Gedichte aufs "Intime" aus, auf das 'holde Bescheiden' des Kleinen, Bescheidenen, Häuslichen, ebenso auf "das Große und Begeisternde" in den Eklogen auf die nationale Geschichte und die Heroen der älteren und jüngeren Vergangenheit?); sie behalf sich mit einer pauschalen Absichtserklärung da, wo man programmatische Prägnanz und spezifizierende Konkretisierung erwartet hätte. Und auch die nächsten 'Kernsätze' Conradis kamen über den puren Gestus des Neuen nicht hinaus:

> Wir brechen mit den alten, überlieferten Motiven. Wir werfen die abgenutzten Schablonen von uns. Wir singen nicht für die Salons, das Badezimmer, die Spinnstube – wir singen frei und offen, wie es uns um's Herz ist: für den Fürsten im geschmeidefunkelnden Thronsaal wie für den Bettler, der am Wegstein hockt und mit blöden, erloschenen Augen in das verdämmernde Abendroth starrt...
> Wir haben [...] keine Litteratur, die aus germanischem Wesen herausgeboren, in sich stark und daseinskräftig genug wäre, um für *alle* Durstigen, mögen sie nun Söhne des Tages oder der Nacht sein, Stätte und Zehrung zu haben. (1,II)

Fürst und Bettler, "Söhne des Tages oder der Nacht" – sämtliche Stufen des soziologischen Gefüges werden zu Adressaten der neuen Lyrik erklärt; eine aus dem Lehrbuch der Literaturgeschichte gewonnene Erwartungshaltung, daß Naturalismus sogleich Anklageliteratur sei, wird somit Lügen gestraft: die frühnaturalistisch-"turbulente" Position ist noch keineswegs entschieden auf der Seite der Benachteiligten. Das "Wahre" und das "Natürliche" – das später sehr viel distinktere Zuordnungen erfahren sollte – ist um 1885 noch für alle da. Und ebensowenig ist zu spüren von der seitens teutsch-nationaler Literaturhistorie oft böse vermerkten Beeinflussung aus dem Ausland, zumal aus dem Land des transrhenischen Erbfeinds. Stattdessen ist von "germanischem Wesen" die Rede. – Das könnte heute, aufgrund einschlägig-bitterer Erfahrungen mit dem Mißbrauch deutschen Wesens, aufgrund der in die Nazi-Ideologie einmündenden, immer rassistischer profilierten Strömungen seit dem Nibelungen-Wilhelminismus, sehr leicht mißverstanden werden; in dem Sinne nämlich, als ob sich aus solchen Bekundungen eine aggressiv-expansive Teutomanie ableiten ließe. Doch muß darauf hingewiesen werden, daß um 1885 "germanisch" noch weitgehend mit "deutsch" synonym gebraucht wird, daß sich darin ein unverhohlener, doch vorerst noch 'saturierter' Stolz auf die nationale Einigung ausdrückt – wobei Reste der Romantik eine gewiß bedeutende, doch bisher noch kaum untersuchte Rolle spielen –, daß damit ebenfalls das erinnernde Bewußtsein sich ausspricht, schon einmal eine immer noch maßsetzende Nationalliteratur gehabt zu haben, an die es wieder anzuknüpfen gilt.

Wo dieser – innernationale – Punkt des Wiederanknüpfens zu finden sei, erhellt aus Conradis weiteren Überlegungen:

> Unsere Litteratur [...] hat mit wenigen Ausnahmen nichts Großes, Hinreißendes, Imposantes, Majestätisches, nichts Göttliches, das doch zugleich die Spuren reinster, intimster Menschlichkeit an sich trüge! Sie hat nichts Titanisches, nichts Geniales. (1,II)

"Titanisches", "Geniales" – sogleich wird deutlich, welche Epoche der deutschen Literatur da revoziert werden soll: die Epoche des jungen Goethe, die Epoche von Klinger und Lenz – zwei Motti von Lenz sind der Anthologie vorangestellt: "Wir rufen dem kommenden Jahrhundert!" und "Der Geist des Künstlers wiegt mehr als das Werk seiner Kunst" –, also der Sturm und Drang.

> Der Geist, der uns treibt zu singen und zu sagen, [...] ist der Geist wiedererwachter Nationalität. Er ist germanischen Wesens, das all fremden Flitters und Tandes nicht bedarf. (1,III)

"*Wieder*erwachte Nationalität" und Vorbildfunktion des Sturms und Drangs – solche Postulate konnte Conradi von den Harts übernehmen. Sie hatten immer wieder auf jene Epoche hingewiesen, und insbesondere im die Lyrik besprechenden "Kritischen Waffengang", der sich gegen Albert Träger richtete, war der junge Goethe die ständig beschworene Folie gewesen; er verkörperte für sie angesichts der Trägerschen "Sündfluth todter Mittelmäßigkeit" die "Wahrheit der Empfindung, innige Verschmelzung von Form und Inhalt und eigenartige Persönlichkeit" (4,53).

Conradi führte das lediglich aus: wenn die neue Lyrik, so sagte er, an den Sturm und Drang, an dessen "Titanisches" und "Geniales" anknüpft,

> dann wird jener selig-unselige, menschlich-göttliche, gewaltige faustische Drang wieder über uns kommen, [...] der uns wieder sehgewaltig, welt- und menschengläubig macht; [...] Dann werden die Dichter ihrer wahren Mission sich wieder bewußt werden, Hüter und Heger, Führer und Tröster, Pfadfinder und Weggeleiter, Aerzte und Priester der Menschen zu sein. (1,III)

Im Kontext dieser Sturm-und-Drang-Anknüpfung sind auch die wenigen Bemerkungen Conradis zu sehen, die sich auf den ersten Blick hin so ausnehmen könnten, als sei die nachmals im Naturalismus vorherrschende soziale Thematik bereits communis opinio der frühnaturalistischen Phase. Daß der konventionellen Lyrik – erstaunlicherweise werden Autoren wie "Lingg, Grosse, Schack, Hamerling" ausgenommen, also prominente Vertreter des Münchner Kreises! – "alles hartkantig Sociale" (1,II) fehle, verweist ebenso auf entsprechende Themenkreise der Genieperiode wie auch die folgende, trotz aller anklingenden Sozialthematik überaus emotional-'genialisch' formulierte Passage: die neue Lyrik schlüpft in "den Flügelmantel der Poeten",

> den Mantel, der uns aufwärts trägt auf die Bergzinnen, wo das Licht und die Freiheit wohnen, und hinab in die Abgründe, wo die Armen und Heimathlosen kargend und duldend hausen, um sie zu trösten und Balsam auf ihre bluttriefenden Wunden zu legen. (1,III)

Bestätigt wird der vorbildliche Vergleichsort des Sturms und Drangs durch eine nochmals auf die Sozialthematik abhebende, doch durch die Selbstdefinition der "Modernen Dichter-Charaktere" eindeutig von späteren Positionen naturalistischer Entschiedenheit weit entfernte Aussage:

> Schrankenlose, unbedingte Ausbildung ihrer künstlerischen Individualität ist ja die Lebensparole dieser Rebellen und Neuerer. Damit stellen sie sich von vornherein zu gewissen Hauptströmungen des modernen *sozialen* Lebens in Contrast. Und doch steht der Dichter auch wieder, eben kraft seines Künstlerthums, *über* den Dingen – über Sonderinteressen und Parteibestrebungen und repräsentirt somit nur das reine, unverfälschte, weder durch raffinirte Uebercultur noch durch paradiesische Culturlosigkeit beeinflußte *Menschenthum.* (1,III f.)

Wie schon in den vorigen Zitaten klar werden mußte: das Bild, das sich der theoretisierende Poet Conradi vom Dichter macht, ist höchst konventioneller Art. Nichts ist noch zu spüren von einem Dichter als Beobachter und Experimentator, einem Dichter als Untersuchungsrichter über die menschlichen Eigenschaften – Formulierungen, wie sie Emile Zola in seinem 1880 bereits erschienenen Aufsatz "Le roman expérimental" gebraucht hatte.

Wie Selbstzitate, nochmals das "Wieder"-Anknüpfen an den Sturm und Drang betonend, wirken schließlich die resümierenden Feststellungen:

> die neue Richtung [...] will mit der Wucht, mit der Kraft, mit der Eigenheit und Ursprünglichkeit ihrer Persönlichkeit eintreten und wirken ... *Sie will die Zeit der "großen Seelen und tiefen Gefühle"*

> *wieder begründen.* [...] Ist unsere Lyrik wieder *wahr, groß, starkgeistig, gewaltig* geworden, dann werden die Gesunden und Kranken wieder zu ihren Quellen pilgern. (1,IV)

In Conradis Einleitung – datiert "*Berlin*, November 1884" – sucht man also vergebens die nachmals so spezifische, die erst später typisch naturalistisch zu nennende Welt der Hinterhäuser, den 'Armeleutegeruch', den sozialistischen Ton einer Solidarität mit den Zielen der bis 1890 gesetzlich unterdrückten Sozialdemokratie. Wenn hier vom "Wahren" die Rede ist, das man wieder zu Ehren bringen wolle, dann darf nicht der Fehler unterlaufen, dieses "Wahre" mit dem "Wahren" des theoretisch gefestigten – also an naturwissenschaftlicher Objektivität und induktiver Methodik, an präziser Beobachtung und exakter Analyse geschulten – Naturalismus zu identifizieren: hier hat es noch puren exklamatorischen Charakter, ist lediglich Gegensatz zu deren summarischen Feststellung über die epigonale Formgauklerei der erfolgreichen Gründerzeitlyrik: "Unsere Lyrik spielt, tändelt" (1,II); das "Wahre" von 1884/85 ist noch keineswegs – sofern dies überhaupt in der Lyrik möglich wäre – getreues Reproduzieren von Wirklichkeit; es ist vielmehr – nur so läßt es sich vorerst definieren – *nicht* "gleißende, aber in sich morsche und haltlose Fabrikarbeit" (1,II), *nicht* das "epigonenhafte Schablonenthum" (1,III).

Karl Henckells Einleitung, weniger pathetisch als die Conradis "Die neue Lyrik" genannt und gleichfalls 1884 verfaßt, stellt eingangs fest:

> nicht eine neue Anthologie nach tausend anderen schleudern [!] wir in die Welt, [...] nein, *unser* Zweck ist ein anderer, höherer, rein ideeller. Die 'Dichtercharaktere' sind – sagen wir es kurz heraus – bestimmt, direkt in die Entwickelung der modernen deutschen Lyrik einzugreifen. (1,V)

Für die "letzten Dezennien" wird die Existenz einer – sogar noch deutschen, überdies noch modernen – Lyrik schlankweg bestritten. Es gab, nach Henckell, keine Lyrik, "die dieses heiligen Namens der ursprünglichsten, elementarsten und reinsten aller Dichtungsarten nur entfernt würdig wäre." (1,V) Hatte Conradi noch Ausnahmen zugestanden – höchst fragwürdige Ausnahmen, wie wir sahen –, so ging Henckell in deutsch-gründlicher Manier noch weiter. Für ihn war alles, was – freilich seiner arg begrenzten Kenntnis nach – in den vergangenen Jahrzehnten an Gedichten erschienen war, "Dilettantismus": was schon die Harts konstatiert hatten, findet sich hier wiederholt, weiter ausgeführt, vor allem aber kraftgenialisch im Ton dargeboten:

> Ja, liebes Publikum, die anerkanntesten und berühmtesten Dichter unserer Zeit, die vortrefflichsten und bedeutendsten Autoren, wie die

> kritischen Preßwürmer sie zu bespeicheln pflegen, sind nichts weiter als lyrische Dilettanten! (1,VI)

Appell ans "liebe Publikum" bleibt Henckells Einleitung über weite Strecken. Angesichts des von den Harts bereits kritisierten Albert Träger und des "gewandten Versifex Julius Wolff" (1,VI) werden rhetorische Fragen gestellt, welche schon von der Diktion her die Nähe zum Sturm und Drang erkennen lassen:

> Daß ein Dichter begeistern, hinreißen, mit ein paar herrlichen aus den unergründlichen Tiefen einer geistes- und ideentrunkenen Seele hervorströmenden Worten dich machtvoll zu erhabener Andacht zwingen und dir süßmahnend gebieten soll, dich zu beugen vor der Urkraft, die in ihm wirkt und schafft, wer in aller Welt hat dich jemals darauf aufmerksam gemacht? (1,VI)

Keiner war gekommen; erst Henckell war gekommen, um "dich", das "liebe Publikum" – die Anspielung an Jean Paul war gewiß unbeabsichtigt –, "aufmerksam" zu machen; freilich geschah dies in einer Terminologie, die noch konventionellere Topoi des Dichtertums und der Dichtkunst als Conradi gebrauchte, die also noch weiter entfernt war von der bewußt-wissenschaftlichen Nüchternheit, wie sie im Anschluß an Zola auch bald in Deutschland üblich werden sollte:

> wir wollen vertrauen auf die unzerstörbare Empfänglichkeit unseres Volkes für alles wahrhaft Große, Schöne und Gute [...] Wir, das heißt die *junge Generation* des erneuten, geeinten und großen Vaterlandes, wollen, daß die Poesie wiederum [vgl. Conradi] ein Heiligthum werde, zu dessen geweihter Stätte das Volk wallfahrtet, um mit tiefster Seele aus dem Born des Ewigen zu schlürfen und erquickt, geleitet und erhoben zu der Erfüllung seines menschheitlichen Berufes zurückzukehren [...] (wir) wollen unsere nach bestem Können gebildete und veredelte Persönlichkeit rücksichtslos, wahr und uneingeschränkt zum Ausdruck bringen. Wir wollen, mit einem Worte, dahin streben, *Charaktere* zu sein. (1,VI f.)

"Rücksichtslos, wahr" – man wird nach allem Ausgeführten den Stellenwert solcher Aussagen nicht so einschätzen, als ob damit eine lyrische Richtung beschrieben werden sollte, die es mit "Brutalitäten" (Skizzen und Studien von Hermann Conradi, 1886) zu tun hätte. Dieselbe Vorsicht vor allzuschnellen Zuordnungen – wie sie erst später, im 'eigentlichen' Naturalismus zutreffend sein sollten – ist geboten, wenn es abschließend bei Henckell als Ziel der "Modernen Dichter-Charaktere" deklariert wird, eine Lyrik zu gebären, die, durchtränkt von dem Lebensstrome der Zeit und der Nation, ein charakteristisch verkörpertes Abbild alles Leidens, Sehnens, Strebens und Kämpfens unserer Epoche darstellt [...] (1,VII)

Was hier nach sozialem Engagement klingt, klingt in der Tat nur so; ein guter Teil des anscheinend "Modernen" entpuppt sich – das wird insbesondere die Analyse der Gedichte zeigen – als hochgemute Phraseologie, als bloße Willensbekundung, als eine rhetorische Flucht nach vorn; so auch der mit acht bedeutungsschweren Pünktchen endende Schlußsatz:

auf den Dichtern des Kreises, den dieses Buch vereint, beruht die Litteratur, die Poesie der Zukunft, und wir meinen, eine bedeutsame Litteratur, eine große Poesie........ (1,VII)

Was nach alledem von den beiden Einleitungen festzuhalten bleibt: die frühnaturalistische Position erweist sich als nur teilweise – in der Abkehr vom Alten nämlich – fixiert und überzeugend; was an die Stelle des Alten zu treten habe, kann vorerst nur durch eine nationalliterarische Rückversicherung angedeutet werden; von den ersten Initiatoren der Anthologie, den Brüdern Hart, wird der Aufruf zur individualitätsbewußten Aussage übernommen – nicht wiederholt aber und nur von einzelnen Beiträgern realisiert wird deren Monitum, anstatt reimgebundener Lyrik "in freierer, reimloser Form" (4,56) zu dichten. Die Orientierung an weit zurückliegenden, doch nun wieder innovationswürdigen Mustern wird ergänzt durch ein Bild des Dichters und durch eine Funktionsbestimmung der Dichtung, die – abgesehen von "erkünsteltem Löwenton" (72,51) – ihren Platz auch in der verketzerten Literatur der Gründerzeit hätte haben können.

Weshalb, so könnte eingewendet werden, die derart ausführliche Beschäftigung mit Conradis und Henckells Einleitungen? Die Begründung ist einfach: was für den theoretischen Teil der Anthologie gilt, ist für den Gedichtteil ebenso verbindlich: An sozialer Thematik nämlich – die, ganz abgesehen vom allmählich, vor allem durch Michael Georg Conrad, propagierten Vorbild Zola, auch in Deutschland 'in der Luft lag', wie die Romane und Erzählungen Max Kretzers es belegen (die 1880 erschienenen "Die beiden Genossen" hatte er im Untertitel "Sozialer Roman" genannt; die ein Jahr später publizierten Erzählungen "Schwarzkittel oder die Geheimnisse des Lichthofes" "Wahrheit und Dichtung aus den Arbeitsstätten einer großstädtischen Fabrik") – war in den "Modernen Dichter-Charakteren" herzlich wenig vertreten.

Das Dirnenthema etwa war keineswegs neu – in der Gründerzeit hatte es vor allem Eduard Grisebach wiederholt verwendet; neu war allerdings die ambivalent zu nennende Einstellung der "Modernen" gegenüber der Prostituierten: sie erscheint anziehend und abstoßend zugleich, ist sowohl Prototyp des Verkommenen wie solidaritätswürdige Ausgestoßene; sie ist also nicht mehr, wie bei Grisebach, prickelnd-erotisch oder vamphaft-exotisch gezeichnet, sondern als Vertreterin des *'fünften Standes'* – also als Outcast neben Bettlern, Verbrechern und Selbstmördern – 'menschlich' gesehen, soziologisch, psychologisch, anthropologisch.

Ein weiterer Themenbereich ist die schroff und unüberbrückbar dargestellte Arm-Reich-Diskrepanz.

> Das ist ein rauhes Weltgebot,
> Auf ewig Herr und Knecht (1,281)

– eine solche, resignierende, Beschreibung sozialer Unterschiede macht deutlich, wie weit es 1885 noch ist bis zu den dezidierten (und von den Attackierten wohlverstandenen!) Anklagen des entwickelten Naturalismus.

> Um mit dem Elend brüderlich zu weinen (1,155),

in hilfloser Mitleidigkeit also, werden die sozialen Unterschiede festgeschrieben;

> Selber arm und traurig,
> Folg ich der weinenden Wolke
> Und denk an arme Leute
> Und leide mit meinem Volke.

Das ist – noch – keine Literatur, welche die Massen bewußt machen, sie agitieren, sie zur Übernahme ihrer Selbstbefreiung indoktrinieren wollte und könnte. Das sind vielmehr allein Zeugnisse guten Willens, zugleich aber wieder Dokumente der Ratlosigkeit.

> O Qual, der Knechte Leid zu singen,
> Dem, der nicht Sohn des Elends ist! (203a,69)

– hier zeigt sich, in klarer Selbsteinschätzung, die Schwierigkeit einer gänzlichen Identifizierung: zu den Proletariern und den Outcasts hinüber kann den kleinbürgerlichen Autoren des Frühnaturalismus nur eine emotionale Handreichung gelingen – ihre Herkunft prägt sie derart, daß echte Solidarität nicht zustande kommt; wer von ihnen 1885 konzise Konzeptionen gesellschaftlichen Wandels oder gar Umsturzes erwartet, muß enttäuscht bleiben.

An der Stelle gesellschaftspolitischer Radikalkuren steht die Deskription 'ewiger' Strukturen, die allenfalls im Traum "Von Nektar und Ambrosia" (7,322) gemildert oder utopistisch in einem besseren "20. Jahrhundert" (1,191 ff.) "liebend" aufgehoben werden. Schleicht sich – wie bei Heinrich Hart – tatsächlich einmal der Revolutionsgedanke ein, so ist dessen Ergebnis vorerst nur als bilderstürmende Barbarei vorstellbar:

Dann gilt nichts Heiliges mehr auf der Welt,
Es stürzen Kirch' und Kapellen.
Die Liebe verroht und der Glaube zerschellt,
Das Mitleid begraben die Wellen.
Die Massen nur raufen sich um das Gold,
Das über die dampfenden Trümmer rollt. (1,167)

Festgefahrene Gegensätze, wie sie in der Arm-Reich-Diskrepanz signifikant werden (und auch etwa in der Vorder-und-Hinterhaus-Problematik auftreten), wiederholen sich, wenn mit der *Großstadt* eines jener Themen verwendet wird, das den Fokus der meisten naturalistischen Darstellungsbereiche ebenso bildet, wie es zunächst einmal die topographische Grundierung der naturalistischen "Asphaltliteratur" (ich übertrage den später erst geprägten Terminus!) abgibt. Die Großstadt der "Modernen Dichter-Charaktere" erscheint noch als verwirrendes Monstrum, doch gleichsam nur 'statistisch', ihrer Größe wegen – in den ambivalenten Bannkreis, fascinosum und tremendum gleichzeitig zu sein, bewundertes Zentrum der "Modernität" und abschreckende Konzentration der sozialen Probleme, gerät sie erst nach 1885. Vorerst ist sie noch gleichberechtigt kontrastiert mit dem Land: der Stadt-Land-Kontrast arbeitet mit schablonenhaften Gegensätzen, Häusermeer und Öde hier, Idyll und Geborgenheit dort.

Mit diesen Andeutungen ist bereits 'abgehakt', was jenes *früh*naturalistische Manifest an später *naturalistisch* genannten Themen zu bieten hat; quantitativ eine verschwindend kleine Minderheit im Vergleich mit Gedichten, die sowohl formal wie thematisch dem als dilettantisch geschmähten Standard der Gründerzeitlyrik entsprechen, auch und vor allem dem zutagetretenden Weltbild nach. Denn auffallend häufig sind – *nach* Darwin und Haeckel, Strauß und Feuerbach, Marx und Taine, Comte und Mill, Claude Bernard und Zola, also nach der naturwissenschaftlich-materialistischen Umwälzung des 19. Jahrhunderts – Gebete an einen persönlichen Christengott und an einzelne Heilige; typischerweise, als Bestätigung der Einleitungen-Analyse, ist etwa der in Karl August Hückinghaus' Gedicht auftretende "Christus-Prometheus" in der Nähe des Sturms und Drangs angesiedelt (wer denkt nicht an des jungen Goethe Gedicht?), jene Figur, die im späteren Naturalismus immer wieder behandelt werden sollte und immer stärker das Gepräge des Proletariers, des Verfolgten und Unterdrückten annahm (in der Malerei wären entsprechende Darstellungen bei Uhde zu finden).

Auch an Zeugnissen pantheistischer Religiosität – wiederum verweisend auf das 18. Jahrhundert – findet sich eine Menge; ebenso an Episoden und Gestalten der einst von Winckelmann ins Bewußtsein gebrachten antiken Mythologie. Daneben stehen Gedichte – ein Beispiel bildet Ernst von Wildenbruchs "Der Gott der Deutschen" –, welche fatal an die chauvinistische Hurralyrik der 70er Jahre mit ihren nachsedanschen Nationaleuphorien erinnern; ähnliche Reminiszenzen, diesmal an die Orientpoesie von Rückert bis Bodenstedt, weckt Karl Bleibtreus "Weisheit des Orients". Und wenn schließlich der kritische Waffengänger Heinrich Hart eine "Märznacht" besingt

> In der Luft beginnt's zu weben,
> Silbern rinnt des Mondes Licht (1,191)

dann darf der Leser sich nicht darüber wundern, daß etwa in Richard Kraliks oder Joseph Winters Gedichten pseudoromantische Lyrikseligkeit fröhliche Urständ feiert, daß Oskar Hansen in "des Blattmeers Flüstern" den "Ton der Nachtigall" (1,197) vermißt, daß bei Oskar Jerschke sich singende Drosseln und jubelnde Lerchen im "Maienduft" tummeln (1,164), schließlich, daß Wolfgang Kirchbach "das blaue Blümlein" noch einmal aus der motivgeschichtlichen Vorratskammer holt (1,258).

Der formale Befund – ich habe das an anderer Stelle bereits ausgeführt (102,24) – entspricht der inhaltlichen Konventionalität dieser großenteils ganz und gar nicht "modernen" Gedichte sehr exakt: alte Metren, Strophen, Rhythmen, Reime werden wieder und wieder eingesetzt. Die angekündigte Individualität auch in formaler Beziehung ist nur ganz vereinzelt eingelöst.

Hermann Conradi, der in den "Modernen Dichter-Charakteren" wieder eifrig reimte, sogar Terzinen verwendete, hatte 1880 den Modepoeten der Zeit in einem Essay bescheinigt, daß ihre Lieder "sehr leierkastenmäßig den Leiern" entströmten (184,LVII). Arno Holz, prominentester Beiträger der besprochenen Anthologie und Verfasser des "Buchs der Zeit", das er im Untertitel "Lieder eines Modernen" nannte, sollte 1891 ganz ähnlich wie Conradi vom "geheimen Leierkasten" konventionell gereimter Lyrik sprechen und von deren monotonem "Kuhglocken-Gebimmel" (22,80) – im Jahr zuvor hatte er im "Ethischen Club" einen grobianisch betitelten Vortrag "Schleimige Reime und der Unfug des Reimens überhaupt" gehalten.[77] Der um 1890 erreichte Bewußtseinsstand, daß ein enger Zusammenhang bestehe zwischen der Reimverwendung und einer durch die wenigen in der deutschen Sprache möglichen Reime erzwungenen Vorprogrammierung des Inhalts, war auch bei Holz um 1885 noch keineswegs vorhanden.

Er, sicherlich der begabteste Lyriker der "Modernen Dichter-Charaktere" und der theoretischste Kopf überdies, reimte sowohl in seinen Anthologie-Beiträgen wie auch in seinem "Buch der Zeit" nach guter alter Art – zuweilen allerdings seiner späteren Theorie widersprechend doch so, daß er neue Reime zustandebrachte und damit, ähnlich wie sein "Schutzpatron, der Heine" (207,V,118), dem üblichen Herzen-Schmerzen-Leierkasten entging.

---

[77] Hier trafen sich die Naturalisten – ein seltener Fall! – mit Stefan George.

Weniger der Reimeffekte halber als vor allem wegen der versuchten Positionsbestimmung – die, das sei gleich voraus gesagt, immer noch schwankend bleibt: nur 'nach hinten' sicher, 'nach vorn' aber zunächst nur vage – zitiere ich zwei "Berliner Schnitzel", die sowohl in der Anthologie wie in seinem Gedichtband abgedruckt waren:

Verfluchtes Epigonenthum,
Ägypter- und Teutonenthum,
Daß dich der Teufel brate!
Schon längst sind wir faszikelsatt,
Grinst doch durch jedes Titelblatt
Das Dantesche "Lasciate"! (207,V,123)

Im zweiten Gedicht – "Programm" genannt – wird Schlegels berühmte Definition des Historikers variiert:

Kein rückwärts schauender Prophet,
Geblendet durch unfaßliche Idole,
Modern sei der Poet,
Modern vom Scheitel bis zur Sohle. (207,V,122)

Abkehr vom 'hoffnungslos' veralteten Plunder der Gründerzeitliteratur (von Holz werden vor allem die Professorenromane von Georg Ebers und Felix Dahn attackiert)[78] und Hinwendung zur 'Moderne' (was immer auch das heißen sollte) – das ist der Befund, wie er uns bereits in der Analyse von Conradis und Henckells Anthologie-Einleitungen begegnete; auch Holz' Position ist labil, sicher nur in der Abgrenzung gegenüber den Epigonen, im Programm dagegen von einer noch reichlich ungefüllten Unbestimmtheit.

Allerdings bedarf sogar das selbstsichere Auftreten gegenüber den gründerzeitlichen "Papagei[en]" (207,V,23) noch einiger Einschränkungen: denn trotz des anscheinenden Generalreinemachens mit dem Ziel, tabula rasa zu schaffen für eine moderne Literatur der eigenen Zeit, werden doch wieder (wie schon bei Conradi) einige Poeten vom allgemeinen Verdikt ausgenommen. So wird Rudolf Baumbach "du unter Zwergen der einzige Riese" (207,V,140) genannt; Felix Dahns "Kampf um Rom" wird als "herrlich" bezeichnet (207,V,141), Scheffels "Ekkehard" gelobt. Und

---

[78] Beide Autoren werden ebenfalls zusammen attackiert in der sechsten Strophe der "Deutschen Literaturballade", welche das Gruppenlied des Münchner Literatenvereins "Krokodile" parodiert, Hermann Linggs "Das Krokodil von Singapur". Holz reimt dort:

Uns hätte nie Professor Dahn
Urdeutsch doziert von A bis Z,
und kein ägyptischer Roman
verzierte unser Bücherbrett. (in: 207,V,118)

geradezu enthusiastisch begeistert zeigt sich Holz von Schack, der nach seiner – falschen – Einschätzung "nicht das Weihrauchfaß der Mode" geschwungen und sich "als begeisterter Rhapsode / dem Hohenpriesterdienst der Poesie" gewidmet habe (207,V,144). Noch enthusiastischer gefeiert erscheint schließlich Geibel, dessen Tod 1884 – man konnte ihm bei seiner Bestattung die hundertste Auflage seiner erstmals 1840 erschienenen "Gedichte" aufs Grab legen – Holz schmerzlich trifft:

> mir wars, als ob ich jäh zur Stunde
> ein Stück von meinem Selbst verlor! (207,V,149)

Geibel, dem Arno Holz Ende 1882 seinen Erstling "Klinginsherz!" übersandt hatte, ebenso 1883 die mit Oskar Jerschke verfaßte Gedichtsammlung "Herz und Harfe", erhielt von Holz nach seinem Tod eine Ehrung besonderer Art: er edierte (1884) eine 200 Beiträge umfassende "Anthologie peinlich sentimentaler Nänien und Nekrologe" (210,21) unter dem Titel "Emanuel Geibel. Ein Gedenkbuch". In seinem im "Buch der Zeit" abgedruckten Gedicht nennt er ihn immer noch – der Prozeß der 'Abnabelung' wird allerdings bald einsetzen – demütig "König" und "Zauberer" (207,V,154), bewundernd den "Schwan von Lübeck" (207,V,158).

Bleiben auf diese Art etliche Protagonisten eben jener Literatur ausgeschlossen, die man seit den Hartschen "Kritischen Waffengängen" bekämpfen will, so bekommen andere Münchner Autoren umso derbere Schläge verpaßt: der das Land überschwemmende "Mutterliederfabrikant" Albert Träger (207,V,139) etwa wird zum dritten Mal, nach den Harts und nach Henckell, 'vernichtet' – fast zuviel der Ehre für einen noch unterhalb der Mediokrität einzuordnenden Konsumliteraturverfertiger; die "Wölfflinge" werden gefragt, ob sie sich "immer noch nicht ausgelogen" haben (207,V,138) – doch wird die Verve dieser Attacke peinlich gemildert durch die Erinnerung, daß Holz und Jerschke ihre 1884 erschienenen "Deutschen Weisen" "Julius Wolff in Liebe und Verehrung gewidmet" hatten (210,21); Friedrich von Bodenstedt wird – in der Tat, mit Holz selbst zu reden, eine "literarische Liebenswürdigkeit" – aufgefordert, sich "endlich [...] begraben" zu lassen (207,V,136); ähnlich wird die "Philologenpoesie" "zum Teufel" gewünscht (207,V,124); den "Konventionellen" in toto hält Holz entgegen:

> ich käu nicht wieder wie das liebe Vieh (27,V,122)

– doch nach allem bisher Beobachteten bleibt Skepsis am Platz: denn wie bei Conradi und Henckell können energisch, kraftmeierisch und zuweilen hybrid vorgetragene Absichtsbekundungen nicht darüber hinwegtäuschen, daß das Problem der eigenen Positionsbestimmung offen und allenfalls halb gelöst ist.

Helmut Scheuer, dem die ausführlichste und klügste Arbeit über Arno Holz "im literarischen Leben des ausgehenden 19. Jahrhunderts (1883–

1896)" zu verdanken ist (210; vgl. 211), kommt gleichfalls zu dem Schluß, die Position des bedeutendsten Frühnaturalisten als eine "unsichere Einstellung in dieser Zeit" – gemeint ist 1884/85 – zu bezeichnen. Belege dafür sind die von Scheuer aufgeführten Holz-Briefe von 1884, in denen er einerseits ankündigt, demnächst "nur Zeitgedichte à la 'soziale Lyrik'" zu schreiben, andererseits aber Jerschke empfiehlt, er könne doch "beispielsweise à la Wildenbruch arbeiten". Wenn es im selben Brief heißt:

> Neben den *sozialen* Gedichten vernachlässige ich jedoch auch die alte schöne *deutsche* Art der Lyrik nicht, wie sie beispielsweise Geibel pflegt. Allein derartige Gebilde mache ich nur nebenbei.

– so ist Scheuers Schlußfolgerung innerhalb seines Kapitels "Der junge Dichter unter dem Einfluß des nationalen Romantizismus" einleuchtend: "Einerseits blickt er schon nach den neuen literarischen Sujets, aber andererseits will er auch nicht alle Brücken zur anerkannten Lyrik der Gegenwart abbrechen. Er glaubt diese Pole sogar verbinden zu können." (210,22)

In der Tat sind die "Brücken zur anerkannten Lyrik der Gegenwart" im "Buch der Zeit" noch in einem solchen Maß vertreten, daß es für den Leser dieser Gedichtsammlung ein Verwirrspiel sondergleichen bedeutet, angesichts dieser häufigen Konventionalitäten das nur ansatzweise vorhandene "Moderne" in seinem Stellenwert zu bestimmen: der erste Eindruck ist der eines unausgewogenen Durcheinanders, auch wenn im Unterschied zu den meisten Beiträgern der "Modernen Dichter-Charaktere" Arno Holz sich durch Reimvirtuosität, überraschende Neologismen und satirische Treffsicherheit und oft auch Aggressivität wohltuend abhebt als ein Lyriker, dem sowohl die Geibelschen wie auch die Heineschen Nuancierungsmöglichkeiten offenbar mühelos zu Gebote stehen.

"Zum Eingang" seines Gedichtsbuchs räumt Holz selbstironisch ein:

> auch weiß ich, hört mich, ihr Teutonen,
> daß unter allen Epigonen
> just ich der allerletzte bin. (207,V,21)

– ein Eingeständnis, das aber sogleich wieder zurückgenommen wird im Spott auf die "Groschen-" und "Dreierlichter" (27,V,21) der epigonalen "fliedersüßen Lenzrhapsoden" (ebd.), denen er ewig gleiche Themen und die Flucht vor dem "Sphinxbild eurer Zeit" attestiert (207,V,23). "Kampf bis aufs Messer" (207,V,24) sagt er jenen Poeten der Gründerzeit an und bekennt sich zu einer Dichtung, die auch die Großstadt und die "Telegraphendrähte" (ebd.) mit einbezieht:

> Schau her, auch dies ist Poesie! (207,V,26; vgl. ebd. 100)

"Auch" Poesie: das sind für den 'modernen' Holz "Dampf und Kohlendunst", "die Maschinen" (207,V,26),die "Eisenbahn" und die "Armut im

Spital" (207,V,27). Der so angekündigte Kampf wider überholten und manieristisch-wiederkäuerisch gewordenen "Singsang" (207,V,28) soll eine thematisch eng begrenzte Lyrik sprengen, bisherige Tabus brechen und somit – *auch* in der Lyrik! – die Konfrontation mit der eigenen Zeit und ihren Problemen bringen, mit der 'sozialen Frage' vor allen Dingen. Diese Zeit bedeutet ihm "das Jahrhundert der Revolution", in welchem "die heilige Schrift des Darwin" dazu beitrage, daß "die Wahrheit" "ihr Weltsystem / vor der Königin der Wissenschaft" entschleiere (207,V,37; vgl. 208,40 f.). Gegenüber dem von den epigonalen Poeten betriebenen "Eiertanz der Konvenienz" (207,V,40) bekennt sich Holz als "des Zeitgeists Straßenkehrer" (207,V,44), der "die fettigen Spießbürger" (207,V,56) aufscheuchen will – oftmals in kontrastierenden Bildern, wie sie schon die "Modernen Dichter-Charaktere" verwandt hatten.

So stellt er dem "Bild" (207,V,61) einer Gnädigen, die an Migräne laboriert, "Ein Andres" (Bild) gegenüber, welches das Elend einer Proletarierfamilie zeigt (207,V,62); oder er komprimiert den Arm-Reich-Gegensatz als Gut-Böse-Kontrast in einen Zweizeiler:

Die Armut bettelt um ein Stückchen Brot,
doch herzlos läßt der Reichtum sie verhungern; (207,V,64)

ähnlich wiederholt sich dieses Verfahren im dritten der "Phantasus"-Gedichte; aus den im "Buch der Zeit" abgedruckten und noch in Reimform abgefaßten 13 Gedichten (vgl. 106,138 f.) sollten sich später die immer weiter anschwellenden Mittelachsengebilde entwickeln, in den letzten Fassungen ein Werk monströsen Umfangs und dezidiert monistischer Weltanschauung:

Du wälzt vertiert dich in der Gosse
und baust dir selbst dein Blutgerüst,
indes in goldener Karosse
vor seinem sandsteingelben Schlosse
der Dandy seine Dirne küßt! (207,V,82)

Im neunten "Phantasus"-Gedicht antizipiert Holz den Brechtschen Fressen-Moral-Nexus, eine der vielen Stellen im "Buch der Zeit" übrigens, welche der im späteren Naturalismus kennzeichnenden Herleitung sozialer Mißstände aus materiellen oder gesellschaftlichen Bedingungszusammenhängen entsprechen:

Die Not im löchrigen Gewande
zertritt die Perle der Moral;
das Los der Armut ist die Schande,
das Los der Schande das Spital! (207,V,88)

Auch der Stadt-Land-Gegensatz findet sich immer wieder schroff thematisiert (207,V,94,97), hier die Steinwüste mit ihren Fabriken und Hinterhöfen, ihren Bettlern und Bordellen, dort das Idyll friedvoller Naturverbundenheit. – Kurzum, in allen gebrauchten Gegensatzpaaren ist die "Unzulänglichkeit in der differenzierenden Erkenntnis gesellschaftlicher Zusammenhänge und Antagonismen" (211,26) evident.

Wenn im Gedicht (Samstagsidyll" (207,V,93–98) die Rolle der Poesie beschrieben wird, so entspricht diese Beschreibung sehr genau der von Conradi in seiner Einleitung zu den "Modernen Dichter-Charakteren" benützten Bestimmung, "Balsam" auf die "bluttriefenden Wunden" der "Armen und Heimathlosen" "zu legen":

> Sie speist die Armen, und sie stärkt die Schwachen,
> sie kann die Erde uns zum Himmel machen,
> sie kost im Zephir, und sie harft im Föhn –
> nicht wahr, mein Herz, das Leben ist doch schön? (207,V,98)

Ein "Tendenzpoet", wie es im "Selbstporträt" (207,V,128) heißt, ist Holz nur bedingt, wenn man das "Buch der Zeit" als Ganzes überblickt, keinesfalls aber ein Parteidichter der Sozialdemokratie, von der er sich nach kurzfristigem "Liebäugeln" rasch wieder abwandte. Aus dem Kreis der "Modernen Dichter-Charaktere" ist er freilich der entschiedenste und aggressivste Sozialkritiker, doch der "bürgerliche Literat setzt moralisches Engagement an die Stelle politischer Agitation." (106,137)

Einzelne Naturalisten der folgenden Jahre sollten sich in dieser Beziehung sehr viel entschiedener zeigen; für Holz' Entwicklung wie für die des Naturalismus überhaupt war sein "Buch der Zeit" in der Tat "kaum mehr als ein historisches Dokument" (211,24), ein Befund, der gleichermaßen für die "Modernen Dichter-Charaktere" gilt. Die frühnaturalistischen Lyriker um 1885 stehen "im Niemandsland, schwertwedelnd nach der einen und mitleidvoll begütigend nach der anderen Seite" (211,29); die von ihnen verkündigte "Revolution der Lyrik" ist vorerst proklamatorisch, bildet lediglich den 'turbulenten' Auftakt zum 'konsequenten' Naturalismus der Folgejahre. Sowohl die "Modernen Dichter-Charaktere" wie auch Arno Holz' "Buch der Zeit" können nur gattungsmäßig als Gedicht-"Sammlungen" bezeichnet werden – keinesfalls aber im Sinn von Konzentration und Homogenität. In diesem Verstand nämlich lagen beide Male lediglich *An*sammlungen vor, Ergebnisse des Zusammenbindens von angesammeltem Gedichtmaterial, zu verschiedenen Zeiten, differierenden Stimmungen, mit höchst unterschiedlichem Bewußtseinsstand entstanden.

Das Bestreben, durch große Quantität mangelnde Qualität zu kompensieren, war allzu offenbar. Lenz' Motto "Der Geist des Künstlers wiegt mehr als sein Werk" stand mit nur zu gutem Recht auf der ersten Textseite der "Modernen Dichter-Charaktere". – Quantitativ hatte Arno Holz zwar nicht am meisten 'geleistet' – etwa Henckell oder Arent waren sehr viel eifriger im Geschäft –, doch qualitativ hoben sich seine Gedichte zweifellos sehr positiv von der großteils höchst konventionellen

'Poesie' der anderen nur sehr selten "modernen" Dichter-Charaktere ab.
Holz hatte auch mit Berufung auf den "Schutzpatron" Heine als erster und einziger angedeutet, wohin sich der 'turbulente' Naturalismus auf seiner Suche nach früheren Kampfgenossen schnell wenden sollte, nachdem die Phase der ersten Stunde ihr Vorbild – im Voluntativen vor allem – im Sturm und Drang gefunden hatte. Die zweite Auflage der "Modernen Dichter-Charaktere" nämlich, die 1886 erschien, trug in deutlicher erkennbarer programmatischer Absicht den Titel "Jung-Deutschland".

Als "Jüngstdeutsche", als Erben der von Staat und Literaturgeschichte diffamierten Generation um 1840, verstanden sich bald die Naturalisten, und sie erklärten damit eine Dichtergruppe als intentional verwandt, die seit 1835 wie die Sozialdemokraten seit 1878 in den Untergrund oder ins Exil gedrängt worden war; eine Gruppe, die – gleich wie die jungen Naturalisten aus Individualisten zusammengewürfelt – der einer infamen Denunziation 'verdankte' Bundestagsbeschluß erst zur Gruppe gemacht hatte; eine Opponentenliteratur, die sich gleich wie die jungen Naturalisten zunächst und auch weiterhin fast ausschließlich in der Negation einigen konnte – der Negation einer 'ewigen' Ästhetik, einer unveränderlichen Gesellschaftsordnung oder einer immergültigen Moral.

Dies vor allem schuf das starke Gemeinschafts- und Verwandtschaftsgefühl – daß ähnliche Themen und ähnliche Funktionsbestimmungen der Literatur (beispielsweise also die Emanzipation des Fleisches, soziale Dichtung einerseits; Gegenwartsbezogenheit und konkreter Wirkungswille andrerseits) hinzukamen, verstärkte einen bald zur Dominanz gelangenden Naturalismus des zeitgenössischen und sozialen Engagements.

III.2 Arno Holz und Johannes Schlaf, "Die papierne Passion"

1890 erschien im Ersten Band der "Freien Bühne für modernes Leben" (S. 274–88) und zwei Jahre später im Band "Neue Gleise. Gemeinsames von Arno Holz und Johannes Schlaf" (Berlin: Fontane 1892, S. 7–35) "Die papierne Passion", ein – sagen wir einmal: eigenartiges Literaturprodukt, um es zunächst nicht vorschnell in die Korsettage herkömmlicher Gattungseinteilung zu zwingen. – Zweimal wurde "Die papierne Passion" in jüngerer Zeit wieder abgedruckt, einmal 1967 im von Walther Killy herausgegebenen Band "20. Jahrhundert. Texte und Zeugnisse 1880–1933", unter dem Abschnitt II (Naturalismus), Absatz 4 (Drama) [S. 132–52]; das andere Mal in der von Gerhard Schulz 1973 edierten Anthologie "Prosa des Naturalismus". – Die unterschiedliche Zuordnung, einerseits zum Drama, andrerseits zur Prosa, scheint den Schluß nahezulegen, einer der heutigen Editoren habe sich schlicht geirrt; doch der auf den ersten Blick möglichen Schadenfreude, Killy oder Schulz bei einem 'Mißgriff' ertappt zu haben, sind Grenzen gesetzt, Grenzen, die sich aus dem bis heute immer noch gängigen Einteilungsschema in Lyrik, Epik und Dramatik ergeben. Dieses Einteilungsschema hat zwar, als erste Orientierungshilfe, seine Nützlichkeit keineswegs eingebüßt. Doch sind in der Moderne immer wieder Misch- und Zwitterformen entstanden, welche die alte Gattungstrias nur noch als Folie sinnvoller Einordnung dienlich erscheinen lassen. Und es ist angebracht, terminologisch sogar auf die Hilfskonstruktion "Misch- und Zwitterformen" zu verzichten, da eine solche Benennung im letzten doch wieder auf das rekurriert, was zwar nicht mehr 'in reiner Form' erscheint, aber doch den Gradmesser dafür abgibt, in die Nähe welcher herkömmlichen 'Schublade' das gattungsmäßig Ungewohnte abzulegen sei. – Stattdessen sollte man, auch auf die Gefahr des Vagen und Etikettenfanatiker Beunruhigenden hin, von "Formen neuer Art" sprechen, von Formen, die sich nicht mehr in ontologisierte "Grundbegriffe der Poetik" (Staiger) fügen und die einer oft noch 'rückwärts' – in die Zeit normativer Poetik – orientierten "Logik der Dichtung" (Hamburger) bewußt widersprechen, ihr also willentlich ein Schnippchen schlagen.

Arno Holz und Johannes Schlaf hatten bei ihrer ersten gemeinsamen Arbeit, dem angeblich von "Bjarne P. Holmsen" – also von einem sicher modisch begrüßten Norweger – verfaßten und vom ebenso angeblichen "Dr. Bruno Franzius" übersetzten und eingeleiteten "Papa Hamlet", der 1889 erschienen und literarische Sensation machte, durch die Autoren- und Übersetzer-Mystifikation noch verschleiert, daß hier zwei Schriftsteller bemüht waren, einer formalen Revolution zum Durchbruch zu verhelfen. Bisher – wir erinnern uns – war ja der Naturalismus vornehmlich mit stofflichen Innovationen in Erscheinung getreten, mit der Ersetzung der "Gelbveigelein" durch die "Kartoffeln", wie es Holz (206,X,487) ausdrückte, mit provokatorischem Einbrechen in bislang sorgsam gehütete Tabu-Zonen; kurz, mit einer thematischen Revolution wider die hergebrachte – nur "schöne", nur feierliche, nur erhebende – Poesie.

Holz und Schlaf wollten nun auf formalem Gebiet nachholen, was bis zu diesem Datum – 1889 – versäumt worden war. Daß sich zwischen ihnen später ein jämmerlich zu nennender Streit über lange Jahre hin entwickelte, darüber, wer denn nun den Lorbeer des wahren Erneuerers der Literatur verdient habe, sei hier wiederholt. Heute steht fest – vor allem durch Helmut Scheuers Forschungen, daß Schlaf auf stofflichem, Holz auf technischem Gebiet bestimmend war, in Lange-Eichbaums Terminologie (vgl.: "Genie, Irrsinn und Ruhm") Schlaf eher "Intuition", Holz eher "Kombination" als jeweilige Stärke in diese Autoren-'Ehe auf Zeit' einbrachte.

Bezogen auf die erwähnte Titelblatt-Mystifikation des "Papa Hamlet": Schlaf war als "Bjarne P. Holmsen" der Autor des Stoffs, Holz als "Dr.

Bruno Franzius" der "Übersetzer" des materiell Vorgegebenen (in der Tat: vgl. "Ein Tod") in jenes formale Neuland, das als "konsequenter Naturalismus" in die Rubrizierungen der Literaturgeschichte eingehen sollte.

In der fingierten Einleitung von Franzius-Holz war als biographisch-bibliographisches Detail erwähnt worden, der "als der dritte Sohn eines streng orthodoxen Landpfarrers in Hedemarken" (213,15) 1860 geborene Bjarne Peter Holmsen habe den größten Teil seiner mit traurigem Recht "Eintagsfliegen" genannten Gedichte "in den Seziersälen der Anatomie verfaßt", gleichsam als 'Ur-Ergebnis' seiner" "spätere[n] Vorliebe für die nackte Realität der Dinge" (213,16). Wertend hatte Franzius-Holz hinzugefügt, daß im "Papa Hamlet" "die vor keiner Konsequenz zurückschrekkende Energie seiner Darstellungsweise" der Forderung einer modernen Zeit entspreche, "von der das Wort geht, daß ihre Anatomen Dichter und ihre Dichter Anatomen sind." (213,17) Schließlich formuliert die Einleitung, daß – "milieu"-begründet durch die norwegische Mitternachtssonne – "das Grundkolorit aller seiner Schöpfungen [. . .] ein düstres" sei, und daß seine "Schöpfungen" von Holmsen selbst als "Studien" bezeichnet würden (213,18).

Als "Die papierne Passion" 1890 publiziert wird, findet sich neben dem Untertitel "(Olle Kopelke)" – diese Figur wird dann in der "Familie Selicke" wieder auftauchen – erneut die "Gattungs"-Angabe "Eine Berliner Studie". – Der Bjarne-P.-Holmsen-Kenner findet so angezeigt, was ihn erwartet: ein – 'anatomisch' herausgeschnittenes – Stück Leben, vermutlich immer wieder ausgeformte Dialoge, welche den Erzählfortgang 'dokumentarisch' unterbrechen und durchsetzen, eine mimetische Alltagssprache, die mit der Verwendung von Dialekt

> Ach, du Würmeken! Ach, mein Putteken! Hab'n se dir so in'n Korb gestochen! (213,30)

und Psycholekt

> Ich werde es dir beweisen, daß Fortinbras störrisch ist! – – Du! Sag a... a... Nun? Wird's bald?... Na?... A!... Du Schlingel! A!... Ah!!... Ha! Siehst du ?! Wie ich dir sagte, wie ich dir sagte, Amalie! (213,41),

mit Buchstabendopplungen und mehrfachem Satzzeichengebrauch

> Amaaalie!!!... (213,41)

oder mit dem "Sekundenstil" operiert:

> Eine Diele knackte, das Öl knisterte, draußen auf die Dachrinne tropfte das Tauwetter.
> Tipp .... Tipp ....

Tipp .... Tipp ....
....
Acht Tage später...

In der Tat finden sich all diese Stilmerkmale des "Papa Hamlet" auch in dieser neuen "Studie"; und doch genügt schon ein erstes Anblättern der "Papiernen Passion", um neben den deutlichen Übereinstimmungen – die erste, von *Mutter Abendroth'n* monologisch und ohne jeden erkennbaren Kontext getane Äußerung

Hach Jott, ja! – Ick sag ja! So'nn Frooenzimmer! (20,97)

– die schon typographisch sichtbaren Unterschiede zu erkennen. Auf Anweisung der beiden Autoren sind für die gesprochenen, monologischen und dialogischen Partien größere, für die Zwischentexte dagegen kleinere Drucktypen verwendet. Nicht genug damit: was außerhalb der "kleine(n) Berliner Küche, vier Treppen hoch, um die Weihnachtszeit" (20,97) gesprochen wird, ist noch einmal typographisch als eigenständig abgesondert, indem dafür kursivierte Klein-Typen verwandt werden. Drei verschiedene Schriftgrade also deuten in optischer Hierarchie an, daß als höchste Ebene das in der Berliner Wohnküche gesprochene Wort gilt, daß danach die verbindenden 'Regieanweisungen' in der Rangfolge des Wichtigen erscheinen und daß schließlich das Sprechen, Singen und Schreien aus unteren Etagen oder vom Hof, den anderen Hinterhäusern oder von der nahen Fabrik her – also aus der Ferne, wenn die Küche den ständigen Bezugsort abgibt – die unterste Stufe der Skala einnimmt. – Ein Beispiel mag das illustrieren:

Verblüfft ist Wally an der Tür stehngeblieben. Sie ist ein kleines, blondes, vermeckertes Ding von elf Jahren. Den Schneeball vorn an ihrer Jacke hat sie sich noch so schnell als möglich wegzuwischen gesucht, sie stottert.
'Ick... ick...'
'M!!'
Unten vier Treppen tiefer aus dem Budikerkeller jetzt deutlich der dünne Ton einer Ziehharmonika: *'Siste woll, da kimmt er, lange Schritte nimmt er...'* Mutter Abendroth'n hat sich, die Hände in die Seiten, mitten in die dunkle Küche gestellt... *'Siste woll, da kimmt er schon, der besoffne Schwiegersohn...'*
'I! – Seh doch! – Also doch schon?!'
'Ick... ick hab jo man... Liese!!' (20,98)

Wenn ich, bewußt in Anführungszeichen, von den Zwischentexten als 'Regieanweisungen' sprach, so könnte das nahelegen, die "Studie" doch am ehesten der Gattung Drama zuzuordnen. Und oftmals haben diese

'Regieanweisungen' tatsächlich nur die Funktion, die Pantomimik der 'dramatis' personae zu 'programmieren':

> Mutter Abendroth'n hat den Tiegel von der Wand gehakt und ihn auf das Herdfeuer gesetzt. (20,109)
>
> Sie reibt sich mit dem Schürzenzipfel die Augen. (20,112)
>
> Er tippt Herrn Haase mit dem Zeigefinger auf den Arm. Dann dreht er sich, ein wenig ungeduldig, zu Wally um. (20,113)

Andere 'Regieanweisungen' geben nicht allein Aktions-Direktiven oder Vorschriften optischer und akustischer Art an den 'Bühnenmeister':

> Nur das Herdfeuer, das oben über die Decke zittert, und unten ab und zu aus dem Aschenloch ein paar Funken, die bis in den Kohlenkasten spritzen.
> Die Uhr über dem Bett tickt, stoßweise weht der Wind den Schnee gegen das kleine Fenster. Dazwischen, zuweilen, leise in das dumpfe Geratter der Fabrik hinten auf dem Hofe, das Klirren der Scheiben ... (20,97)
>
> Die Uhr tickt, das Feuer knattert. Vorn von der Straße her ist jetzt das dünne, eintönige Geläute der Sophienkirche zu hören. (20,104),

sondern sie beschreiben haptische Reize

> Wally hat sich dicht an Olle Kopelke herangedrückt und ihre dürren Arme um seine breiten, weichen Schultern gelegt. (20,110),

physiologische Reaktionen

> Herr Haase hat verlegen seine grünen, rissigen Gummimanschetten zurückgeschoben und ist über und über rot geworden. (20,112)

oder – wie im eben gegebenen Zitat auch schon – Materialeigenschaften:

> Er zerrt ein dickes, fettiges Notizbuch aus seiner Tasche. (20,113)
> Sie hat sich wieder dicht an ihn geschmiegt und streicht ihm vorn über seinen weichen Sammetrock. (20,116)

Derartige nur unzureichend oft als 'episch' registrierten Regiebemerkungen kennt das naturalistische Theater in Fülle. Liest man sie genauer, so stellt sich bald heraus, daß manches von den Autoren Verlangte nur äußerst schwer auf der Bühne zu realisieren ist, einiges sogar unrealisierbar und nur in der Form des Lesedramas mitzuvollziehen ist.

Bis zu diesem Punkt also scheint die Zuordnung zum Drama immer noch – wenn schon nicht seiner 'Seinsweise' nach, so doch innerhalb der Spezifik naturalistischer Dramatik – legitim. Doch es lassen sich weitere

– ich sage nun wieder: – Zwischentexte finden, die auch den naturalistisch lizenzierten Rahmen sprengen.

Wenn es bei der ersten Personenbeschreibung von Mutter Abendroth'n heißt:

> Sie trägt eine dunkelbraune Trikottaille, die durch eine bunte Brosche zusammengehalten wird mit dem Bildnis der Königin Luise.

dann ist das eine von der Bühne her nicht mehr zu vermittelnde Information. Für einen Zuschauer wäre ebensowenig erkennbar, daß die

> kleinen silbernen Ringe in ihren Ohrläppchen zittern (20,97)

oder daß

> das kleine, blitzende Pünktchen auf dem Zinkdeckel der langen Pfeife hinten in der Schrankecke tanzt [und daß] zwischen den beiden blutroten Troddeln oben am Mundstück [...] ein paar Goldfäden [...] flinkern. (20,99)

Auch akustische Angaben von so minimaler Meßbarkeit wie im folgenden Zitat lassen sich dem Parkettbesucher nicht mitteilen:

> In dem welken, beschneiten Laub der Blumenstöcke, raschelnd, der Wind ... (20,105)

Vollends theater-unmöglich jedoch erweisen sich Zwischentext-Angaben, die sich auf Geruchsreize beziehen:

> Ein scharfer Geruch von bratendem Schmalz geht durch die Küche. Es knistert und spritzt. (20,109)
> Es riecht jetzt sehr nach Zwiebel. (20,110)

Wer allerdings immer noch, gewitzt durch heutige happening-Veranstaltungen – etwa die alle Sinne strapazierenden Material-Aktionen der Herren Muehl und Vostell –, wähnen wollte, auch die von Holz und Schlaf vorgeschriebenen Geruchsreize seien dem Publikum auf den Rängen 'nahezubringen', der sieht sich durch den folgenden Zwischentext mit seiner räumlichen Limitierung endgültig darauf hingewiesen, daß es in der "Papiernen Passion" nicht um heute vorstellbares Total-Theater geht, sondern daß alle bisher auf mögliche Zuschauer hin deutbaren Angaben und jeder für eine Aufführbarkeit sprechende Beleg nur in der Eigengesetzlichkeit der "Studie" verstanden werden dürfen:

> Ein feiner, bläulicher Brodem steigt seitwärts von ihnen [den Kartoffelpuffern] in die Höhe. Er zieht sich vom Herde her gerade über den Tisch hin. Die ganze Küche duftet nach ihm. (20,111)

Daß "die ganze Küche duftet" und daß keineswegs "es" duftet, führt von der Analyse der Zwischentexte wieder zurück zur eingangs getroffenen Feststellung, daß die unterschiedlich verwendeten Druck-Typen mit ihrer deutlich gestaffelten Hierarchie wie auch die 'Regieanweisungen' oft ähnlichen, letztlich aber doch nur Zwischentexten entsprechenden Autoren-Angaben die Berliner Wohnküche im vierten Stock eines Hinterhauses als ständigen Fokus des Geschehens bekräftigen.

Der *ständige* Fokus – das muß noch ergänzt werden: der ständig *gegenwärtige* Fokus. Es ist aus den Zitaten längst hervorgegangen, daß die Zwischentexte mit großer Ausschließlichkeit im Präsens stehen, selten im Perfekt. Wichtig ist, daß die Formen der ersten und dritten Vergangenheit, des Imperfekts und des Plusquamperfekts, vermieden sind – anders als noch in "Papa Hamlet", wo immer wieder vom Episch-Berichtenden ins Szenisch-Vergegenwärtigte: ins Dialogische 'umgeschaltet' worden war:

> Der alten, lieben, guten Frau Wachtel aber war damit ein sehr großer Stein vom Herzen gefallen. Sie hatte nämlich die niedliche kleine Mieze einmal dabei ertappt, als sie dem abscheulichen Ole gerade Modell stand, und da sie hierfür wirklich auch nicht das mindeste Verständnis besaß, ein gewisses, kleines Vorurteil gegen sie gefaßt. (213,35)

Ebenfalls fehlen in der "Papiernen Passion" alle Formen erlebter Rede, wie sie im "Papa Hamlet" noch als durchgängig verwendetes Stilprinzip auftreten, z. B.:

> Es war ausgemacht! Es war ausgemacht, o reizende Ophelia! Ja! Sagen wir Ophelia! Teufel! Warum sollten wir nicht Ophelia sagen? Kurz und gut: es war ausgemacht. Es sollte ihn und seine Sache den Unbefriedigten erklären ... Den Unbefriedigten! ... (213,39)

Und vor allem sind im Gegensatz zum "Papa Hamlet" alle Kommentare eines wertenden und zuweilen sogar – weil allwissend – vorausschauenden Erzählers vermieden:

> Die alte, liebe, gute Frau Wachtel war ganz außer sich. Aber sie hatte wirklich Pech mit ihren Mannsleuten. (213,52)

> Der große Thienwiebel hatte nicht so ganz unrecht: Die ganze Wirtschaft bei ihm zu Hause war der Spiegel und die abgekürzte Chronik des Zeitalters. (213,53)

Alles Wahrnehmbare: Worte und Geräusche, Gesehenes und Ertastetes, Geruch und Geschmack – ist in der "Papiernen Passion" nicht von einem übergeordneten Autoren-Standpunkt aus wiedergegeben, der das Geschehen arrangieren und seine Figuren an – langen oder kurzen – Leinen führen würde; vielmehr ist alles, was 'passiert', von einem Beobachterstandpunkt aus mit peinlicher Vollständigkeit registriert, welcher der Standpunkt der agierenden Figuren selbst ist. Nur, was diese Figuren sehen, hören, riechen, tasten und schmecken, wird – in der Tat "photophonographisch" genau – dokumentiert; die beiden Autoren Holz und Schlaf sind *zugleich* als allgegenwärtiges Beobachtungspersonal 'vorhanden' und ebenso als Autoren alter Art – die auf mannigfache Weise dazwischentreten und Leserkontakte herstellen könnten – 'verschwunden'. Flauberts "impassibilité" wie Spielhagens Postulat der Alleingegenwart handelnder Personen,

> hinter denen der Dichter völlig und ausnahmslos verschwindet, so, daß er auch nicht die geringste Meinung für sich selbst äußern darf: weder über den Weltlauf, noch darüber, wie er sein Werk im ganzen, oder eine specielle Situation aufgefaßt wünscht; am wenigsten über seine Personen, die ihren Charakter, ihr Wollen, Wähnen, Wünschen ohne seine Nach- und Beihilfe durch ihr Thun und Lassen, ihr Sagen und Schweigen exponieren müssen[79],

sind hier perfektionierte Praxis geworden.

Dieser Hinweis auf die Erzähltheorie des 19. Jahrhunderts verdeutlicht, was "Studie" als Gattungsbegriff neuer Art meint: den Bericht, nein: die Wieder-Gabe, die Reproduktion eines Beobachtungsfelds, das Wiedererstehenlassen eines minuziös als experimentelle Modell-Situation 'erfaßten' bestimmten Raumes in einer bestimmten Zeit.

Holzens berühmtes, vieldiskutiertes und oft mit wenig plausiblen Argumenten geschmähtes "minus x" aus seiner Kunstformel, die Zolas entsprechendes "Gesetz" wissenschaftlich zu übertrumpfen suchte durch die Ausschaltung des schriftstellerischen "tempérament"

> Die Kunst hat die Tendenz, wieder die Natur zu sein. Sie wird sie nach Maßgabe ihrer jedweiligen Reproduktionsbedingungen und deren Handhabung.

– hier, in der "Papiernen Passion" nähert es sich 'Null' soweit an, daß der Grad des "minus" kam mehr meßbar ist. Wenn zum Kunstwerk solcher Art ein Kunstkonsument mit seinerseits reproduzierender Imagination (nicht: Phantasie!) hinzukommt, dann entsteht tatsächlich "wieder Natur"; dann ereignet sich Kunstkonsumption über alle fünf Sinne, also der Nachvollzug totaler Mimesis oder vielmehr die Rückverwand-

---

[79] Zit. in 345,167. – Die zitierte Passage stammt zwar erst aus Spielhagens Goethe-Rede von 1895; doch ist es legitim, sie auch auf die fünf Jahre zuvor erschienene "Papierne Passion" zu beziehen, denn Spielhagen hat hier nur zusammengefaßt, was er sehr viel früher schon zum Problem der vollständigen Erzähler-Objektivität formuliert hatte.

lung des aus der "Natur" "Kunst" Gewordenen in "Natur" mit einer Vollständigkeit, die schlechthin nicht mehr zu überbieten ist.

"Über alle fünf Sinne" – das könnte erinnern an beliebte Kunstkritiker-Leerformeln, in der Art: 'ein sinnenpralles Gemälde' oder 'alle Sinne kamen bei dieser opulent inszenierten Operette auf ihre Kosten' oder was derlei Hilflosigkeiten mehr sind; "über alle Sinne" – das heißt im Kontext unserer naturalistischen "Studie" etwas ganz anderes, etwas sehr viel Nüchterneres, regelrecht Quantifizierbares, etwas, das maßstabsgetreu – und nicht mehr ins Idyllische verkleinernd wie oft im Poetischen Realismus oder ins Monumentale aufplusternd wie in vielen epischen Produkten der Gründerzeit – Wirklichkeit einfängt, wiedergibt und im Lesevorgang zum zweiten Mal, "wieder Natur" wird.

Will man die hierbei eingesetzte Autoren-Leistung beschreiben, kommt man nicht um – allerdings nur scheinbare – Paradoxe herum. Der Autor (oder, wie hier, die Autoren) ist zwar unzweifelhaft und eindeutig als *der* zu bestimmen, der in freier Wahl das für die "Studie" modellstehende 'Stück Leben' aussondert, der den Leser also einen von ihm willkürlich gesetzten Zeitraum lang mit dem von ihm Beobachteten und im "Sekundenstil" Registrierten konfrontiert. Doch abgesehen von dieser Prämisse scheint die Autoren-Rolle höchst widersprüchlicher Art zu sein: einerseits ist der Autor in einem puristisch zu nennenden Maß abwesend, so daß sich die "Studie" selbst zu 'erzählen' scheint – wenn man so will, ein Sprache gewordenes objet trouvé. Andrerseits aber ist der Autor in einem komplett zu nennenden Maß allgegenwärtig, mit seinen Blicken und seinem Hören und mit den anderen Sinnesorganen, so daß die "Studie" bis in den letzten aufgefangenen Lichtreflex hinein und bis in die geringfügigste sprachmimische Variante *sein* Produkt ist – wenn man so will, ein derart ausgefeiltes Arrangement subjektiver Einzeleindrücke, daß diese qualitativ in objektive Totalität umschlagen; eine 'Totalität' freilich nicht im Sinn der Romantheorie des frühen Lukács, sondern eine bewußt auf den gewählten Fokus konzentrierte Totalität.

Allein, was dort 'sich tut', ist Gegenstand der "Studie". Ohne jede Prätention nach einem das "Studierte" Transzendierenden – in Richtung auf symbolische Verweisungszusammenhänge oder in Richtung auf eine 'außerhalb' liegende Bedeutung, einen erst zu ermittelnden Sinn – ersteht, in exakter Kongruenz von Erzählzeit und erzählter Zeit, das etwa halbstündige Geschehen in der Lektüre wieder. Der "Sekundenstil" wird hier mit der Präzision eines exakt laufenden Uhrwerks zur unveränderten Tempo-Angabe; die "Studie" weist keinerlei Raffungen und Dehnungen auf. Was in konventionellen Erzählformen den Reiz und die Kunstfertigkeit ausmachte: das vom Autor bestimmte Retardieren und Akzelerieren, breites und verweilendes Erzählen hier und Zeitschnitte und -sprünge da – hier ist es zurückgenommen in die bewußte Monotonie eines der "Natur" entnommenen und nicht von einem 'autonomen' Autor gewählten Kontinuums. Der Leser wird so zum authentischen

Zeugen (nicht zum auf eine 'autonome' Autoren-Lenkung angewiesenen Nachvollzieher) der Vorgänge in jener Wohnküche im vierten Stock.

Was sind nun die Vorgänge, was 'tut sich' zwischen Herdfeuer und dem Fenster auf den Hof hinaus, zwischen der arg hochgestochen so genannten "Entreetür" (20,98) und dem "Spinde" (20,103)? Die Antwort muß heißen: eine ganze Menge – und doch im Grunde nichts. – Wiederum erscheint als paradox, was durch die Eigengesetzlichkeit der "Studie" keineswegs paradox und vielmehr selbstverständlich ist. Eine 'ganze Menge' 'tut sich' insofern, als der Leser ein Personal von zunächst fünf Leuten kennenlernt, ähnlich wie in den Autorenangaben im naturalistischen Drama oftmals beschrieben mit Aussehen und Alter, mit Beruf und individuellen Eigenschaften:

Mutter Abendroth'n, als einzige 'Spielfigur' ständig auf der 'Szene', trägt "ihr Haar schwarz und glatt gescheitelt" (20,97); sie ist schon vorgerückten Alters, resolut und "gutmütig" (20,103) zugleich, nennt eine "dicke, breite Brust" (20,104) ihr eigen und schimpft immer wieder leidenschaftlich gern auf Wally, "det infamichte Jör" (20,103).

Wally, ihr Adoptivkind, ist "ein kleines, blondes, vermeckertes Ding von elf Jahren" (20,98) mit "spitzen Schultern" (20,101) und spitzem Kinn (20,111), unaufhörlich kichernd und prustend, von selten befriedigter Neugierde und hinterhältiger Boshaftigkeit.

Herr Haase, der erste Untermieter, ist ein "lang aufgeschossener, schmalschultriger Mensch" (20,100), durch seine "dicke glanzlederne Kollegmappe" (20,100) als Student erkennbar, häufig "seine große, rote gekrümmte Vogelnase" (20,100) schneuzend; daneben Zigarrenraucher, schüchtern und leicht errötend.

Herr Röder, der zweite Untermieter, ein "kugelrunder, roter Kopf... Hinter einem Kneifer vor ein paar kurzsichtige, zwinkernde Äugelchen. Auf dem kurzgeschornen, weißblonden Haar balanciert eine kleine, blaue Studentenmütze" (20,105). Weiter ist er ausgezeichnet durch eine "rote, zerflickte Stumpfnase" und "mit seinem dicken, breiten Buckel" (20,106); im übrigen ein so perfekter Witzbold, daß ihm die Vermieterin seine wechselnden nächtlichen Eskapaden im Zimmer nebenan nachsehen muß.

Olle Kopelke schließlich, "bedächtige Baßstimme", humpelnd und breitschultrig; "Seine kleinen, wasserblauen, gutmütigen Augen zwinkern, er schmunzelt über das ganze glattrasierte dicke Gesicht". (20,108) Ein verfressener Rheumatiker, genüßlicher Verspeiser von rohen Zwiebeln, Wahlopa Wallys; ein beruflicher Alleskönner angefangen vom Schustern übers Silhouettenschneiden bis zum "Doktern" (20,114) –

letztere Eigenschaft wird dann in Holz/Schlafs "Familie Selicke" eine Rolle spielen.

Zu diesen fünf "Hauptpersonen" – keineswegs dumpf-gedrückten, sondern eher leicht skurrilen Durchschnittstypen aus Berlin – kommt eine nicht genau quantifizierbare Reihe weiteren "Personals", das allerdings nur 'teichoskopisch' – vom Fenster aus oder allein akustisch innerhalb des Hinterhauses – ins Geschehen integriert wird: vor allem der im Erdgeschoß stattfindende Ehekrach mobilisiert das ganze Hinterhaus

> Überall liegen die Leute zu den Fenstern heraus. Ängstlich schwatzen sie von einem Stockwerk zum andern. (20,119)

das großteils für die nicht zum ersten Mal malträtierte Frau eines notorischen Quartalsäufers Partei ergreift. – Recht unaufdringlich findet sich so mit dem Alkoholismus-Motiv ein Standardthema des Naturalismus in die "Studie" eingefügt, gleichzeitig das ebenso zum Standard gehörende Thema einer von den naturalistischen Autoren heftig attackierten Superiorität des Mannes über die Frau.

Dieses Ehekrachs-Spektakel vier Etagen unter der Wohnküche ist das einzige 'handlungsstarke' und dramatisch zu nennende Element der "Studie" – was sich 'oben' abspielt, entbehrt dagegen jeglicher Spannung: eine Mutter nimmt verärgert ihr streunendes Adoptivkind in Empfang; ein Untermieter bittet um Stundung seines Monatszinses; ein zweiter Untermieter macht ein paar erotische Späßchen mit der nicht mehr ganz knusperigen und für derlei Geplänkel leicht anfälligen Vermieterin; Olle Kopelke läßt sich verköstigen, wärmt bescheidene Liebeserinnerungen seiner verflossenen Jugend auf und renommiert mit einem Schnipfelkunststück: aus einem gefalteten Zeitungspapier schneidet er Symbole und Figuren der Kreuzigung Christi aus – jene "Papierne Passion", die der "Studie" den Titel gibt; einen zufälligen, beliebig gesetzten Titel freilich – denn mit gleicher Willkürlichkeit hätten Holz und Schlaf die "Studie" "Küchengespräche" nennen können oder "Untermietersorgen" oder "Krach im Hinterhof" oder ... All diese Benennungen hätten für das Gesamtgeschehen den selben oder einen noch höheren Signalcharakter verkörpert; doch – das soll diese Überlegung verdeutlichen – auf einen unverwechselbar auf bestimmte Handlungselemente bezogenen Titel kommt es gar nicht an. Der Titel wird vielmehr – einmal abgesehen von der alliterierenden Formulierung, die im Gedächtnis bleibt und so an Heyses Novellen-"Falken" erinnert – eben 'anatomisch' aus dem Geschehenskontinuum 'herausseziert', wie die "Studie" genau so abrupt anfängt wie endet.

> Hach Jott ja! – Ick sag ja! So'nn Frooenzimmer! (20,97)

– diesen Anfang habe ich bereits zitiert; das 'Schlußwort' hat den gleichen Grad von Kontingenz innerhalb des Geschehensablaufs – für sich genommen ist es lediglich ein Beweis für des Ollen Kopelke Verfressenheit:

Na, Kind? Nu kannste mir mal noch so'n Puffert rieberlangen! (20,122)

Den 'Schluß' bildet also keine vom Autor präsentierte Leser-Einsicht, kein Leser-Appell, keine an den Leser gestellte offene Frage – eher handelt es sich, um mit aller Vorsicht einen in anderem Kontext gebräuchlichen und dort qualitativ ganz anders zu interpretierenden Terminus zu verwenden, um einen 'offenen Schluß'; derart nämlich, daß ein weiterer Fortgang des vorgestellten Geschehens als tatsächlich angenommen werden muß, daß dem Leser also bewußt wird, daß hier der 'sezierende' Autor einen auch früher oder später vorstellbaren 'Schnitt' gemacht hat.

Was zwischen Anfang und Ende liegt, ist Alltag, bloße Durchschnittlichkeit, Wohnküchenroutine: Kochgeräusche, Bemerkungen übers Wetter, kleine Späßchen, Jammerei der Pflegemutter und durchtriebene Aufsässigkeit des "Balgs" Wally (20,102) – all das 'tut sich' in dieser Berliner Allzweckbehausung jeden Tag.

Doch: um 'Besonderes', gar Sensationelles geht es nicht – um etwas 'Novellistisches' im Sinn unverwechselbarer Einprägsamkeit, im Sinn einer 'unerhörten Begebenheit'. Vielmehr ist es den Autoren um Exaktheit der Reproduktion zu tun, der Reproduktion von Atmosphäre, Stimmungen, Milieu, Code – um anatomische Exaktheit, wie es Franzius-Holz anläßlich des "Papa Hamlet" betont hatte. Dies mit solcher Schärfe und Dichte zu erreichen, daß kein Abschweifen des Lesers, kein über die "Studie" hinausgehender Imaginationsprozeß möglich wird, ist das Ziel.

Das für sich genommen ganz und gar unwichtige 'Stück Leben', das da reproduziert wird, erhält seine Wichtigkeit allein durch die als Prämisse gesetzte Versuchsanordnung: die Autoren wollen "wieder Natur" werden lassen, was sie vom Milieu her, aus ihrer zeitweiligen Nachbarschaft, 'wissenschaftlich' genau kennen; sie wollen den Nachweis liefern, daß die 'Naturalisierung' von Kunst – an einfachen Konstellationen vorgeführt, wie es auch Holz mit seinem Kinder-"Suldaten" unternahm – durch perfektionierte "Handhabung" adäquater "Reproduktionsbedingungen" so gelingen kann, daß der Faktor "x" sich Null annähert.

Adäquate "Reproduktionsbedingung" einer Zeitspanne völliger Alltäglichkeit ist kommentierendes *und* gesprächsauthentisches Präsentieren von Realität: so entsteht die zunächst verwirrende Gattungskonvergenz und erklärt sich die anfangs auffällige Unterschiedlichkeit der verwendeten Drucktypen; gleichsam in konzentrischen Kreisen wird das in der Wohnküche ablaufende Geschehen erweitert durch das Ambiente des Hinterhofs und der nahen Fabrik – der gewählte Bezugsort ist aber ständig 'im Blick' und 'im Ohr'; alles Drumherum bleibt auf diesen Bezugsort zugeordnet, existiert nicht selbständig, sondern nur perspektivisch.

Die entsprechende "Handhabung" – damit die Wohnküchen-"Natur" mit der "Kunst"-"Studie" möglichst identisch wird – muß darauf abzielen, jedes noch so winzige Partikelchen von (optischer, akustischer, haptischer u.s.f.) Realität einzufangen und damit dem Leser die Möglichkeit einer alle Einzeleindrücke komplettierenden Synthese zu geben. Der Leser schaut bei dieser "Studie" nicht in eine Wohnküche hinein, sondern befindet sich in ihr, lernt nach und nach jede Ecke, jedes Utensil, jedes Möbelstück kennen und orten; er lernt, von diesem Zimmer aus – und nicht von einem 'archimedischen' Punkt aus, den er mit den Autoren teilen könnte – den Hinterhof und die zänkischen Nachbarn kennen; er hört – mit den anwesenden Personen und nicht instruiert durch einen allwissenden Autor neben, über, jenseits dem Geschehen – die Maschinengeräusche, das Glockengeläute und den übenden Hornisten; er sieht mit dem Wohnküchen-Personal – und nicht mit den Augen eines 'außerhalb' beobachtenden und referierenden Autors – aus dem Fenster in den Hof oder zur Fabrik hinüber.

Kurzum: er wird schließlich zum Teil der getroffenen Versuchsanordnung, wird integriert in die lückenlos rekonstruierte Realität der "Studie". Auch wenn sich dies beim Lektürevorgang zuhause im Lehnsessel vollzieht – zur bühnenmäßigen Präsentierung von Alltagswirklichkeit, wie es das naturalistische Theater meist betreibt, ist es von da nur ein winziger Schritt, zur "völligen, unentrinnlichen Illusion", wie sie Halbe forderte.

Der Leser der "Studie", ohne jede Möglichkeit des 'Abschaltens', des Entweichens eingeführt in jene Berliner Wohnküche, synchron präsent bei den dortigen Geschehnissen und fixiert auf den einen Ort des auktorial – 'experimentell' – gesetzten Bezugsrahmens – er hat die Gewohnheiten konventioneller Epik-Rezeption aufzugeben; er wird – integriert und miterlebend (ein nüchternes Erlebnis freilich) – zum 'Halbbruder' des naturalistischen Theaterzuschauers, wird Bestandteil des Experiments; er ist in der Tat, um es in Brochs Formulierung zu sagen, ein "introduzierter Beobachter" geworden.

Die "Papierne Passion" wird so zum Paradebeispiel des stilistisch – nicht stofflich – "konsequenten Naturalismus": hier geht es keineswegs um soziale Anklage, um gesellschaftliche Analyse, um engagierenden Appell; hier wird mit einem ausgefeilten Instrumentarium exaktheits- und totalitätsbemühter Reproduktion, mit einer nahezu perfekten Mimesis Realität, "Natur" "wieder" gezeigt, mit einem Instrumentarium, das hier wie im naturalistischen Drama eingesetzt werden kann. Doch nur als 'Fingerübung' für einen dramatischen Naturalismus, der sich dann Themen setzt, wäre diese "Studie" gewiß unterbewertet.

III.3 Gerhart Hauptmann, "Das Friedensfest"

1889, also noch im Jahr der skandalumwitterten Erstinszenierung von "Vor Sonnenaufgang", entstand Gerhart Hauptmanns Drama "Das Friedensfest", das im Jahr darauf in der "Freien Bühne für modernes Leben"

– *dem* Berliner Organ der Naturalisten, das seit Januar 1890 erschien und ein mehr auf Dramatik ausgerichtetes Pendant zur seit 1885 in München publizierten "Gesellschaft" bildete – zum Vorabdruck kam und am 1. Juni 1890 als zweites Hauptmann-Stück in der "Freien Bühne" uraufgeführt wurde.

Hatte "Vor Sonnenaufgang" im Untertitel "Soziales Drama" geheißen und damit angezeigt, daß die Kardinalfrage der Zeit in der Tradition von Zola und Tolstoi thematisiert werden sollte, so verwies "Eine Familienkatastrophe" als Untertitel des "Friedensfests" deutlich auf Henrik Ibsens Dramen, insbesondere auf seine – gleichfalls 'familienkatastrophalen' (vgl. 53) – "Gespenster", jenes Stück, mit dem am 29. September 1889 die "Freie Bühne" eröffnet hatte und das die "Lebenslüge" zum zentralen Gegenstand machte: Während man sich vorbereitet, dem vor zehn Jahren verstorbenen Kammerherrn Alving mit einem Asyl eine bleibende Gedenkstätte seines allseits bekannten Edelmuts zu errichten, wird Alvings Familie von den "Gespenstern" der Vergangenheit eingeholt; die Ausschweifungen des Vaters hat wegen unerbittlicher Erbgesetze sein Sohn Osvald zu 'büßen', dessen fortschreitende Gehirnparalyse ihn dem Tod immer näher bringt und der am Schluß um das erlösende Gift bittet – ob es die Mutter ihm geben wird, bleibt offen.

Ein ähnlicher Erwartungshorizont wurde mit dem Untertitel "Eine Familienkatastrophe" für Hauptmanns "Friedensfest" eröffnet; und ein Übriges zur Bestätigung der erwarteten Ibsen-Nähe tat das vorangestellte Motto aus Lessings "Abhandlungen über die Fabel":

> Sie finden in keinem Trauerspiele Handlung, als wo der Liebhaber zu Füßen fällt... Es hat ihnen nie beifallen wollen, daß auch jeder innere Kampf von Leidenschaften, jede Folge von verschiedenen Gedanken, wo eine die andere aufhebt, eine Handlung sei; vielleicht weil sie viel zu mechanisch denken und fühlen, als daß sie sich irgendeiner Tätigkeit dabei bewußt wären. – Ernsthafter sie zu widerlegen, würde eine unnütze Mühe sein.

Auch dies verwies zurück auf Ibsens "Gespenster", dessen Handlungsarmut in einem konventionellen Verstand vom Drama die Kritik gleich vermerkt hatte (vgl. 37,14) – emphatisch als Neuerung auf der einen Seite, erzürnt als Regelverstoß auf der anderen; Hauptmanns Motto-Wahl war sowohl Reflex auf diese Diskussion wie auch eine Art Rückversicherung bei einem anerkannten Autor, der über jeden Zweifel bloßer Neuerungssucht erhaben war.

Weniger als Rückversicherung denn als Zeichen des Respekts und des Danks ist die Widmung des Stücks zu bewerten, das "Dem Dichter Theodor Fontane ehrfurchtsvoll zugeeignet" ist – 1906 hat Hauptmann im dritten Band der ersten Gesamtausgabe seiner Werke (Fischer, Berlin) die Widmungsgeste gegenüber seinem Förderer wiederholt:

Diese Dichtung war Theodor Fontane, dem Lebenden, ehrfurchtsvoll zugeeignet. Ich widme sie jetzt dem Andenken des Dahingeschiedenen.

Fontane, unter den 'eingesessenen' Theaterkritikern der einzige, der "Vor Sonnenaufgang" einer unvoreingenommenen Würdigung unterzogen hatte, schrieb Hauptmann am 23. April 1890:

> Empfangen Sie meinen herzlichen Dank für Brief, Stück, Widmung. Ich freue mich, wenn die Welt unsere Zusammengehörigkeit daraus ersieht und in dem Glauben sich festigen muß, daß mir die ernsten Bestrebungen der jungen Generation lieber sind als die letzten Nachklänge der Großen, die nicht mehr sind ... (199,63)

Das Stück, mit dem Fontane – der willentlich 'handlungsarme' Epiker (vgl. 27) – durch die Widmung verbunden wurde, erregte bei seiner Uraufführung keinen Eklat wie das im Jahr zuvor inszenierte "Schnaps- und Zangenstück" (199,55; vgl. 57). Hier fehlten die in "Vor Sonnenaufgang" aufdringlichen Reizvokabeln Sozialismus und Alkoholismus; auf den ersten Blick zumindest wurden hier Vorgänge präsentiert, die nur eine ganz bestimmte Familie betrafen – als 'empirische' Grundlage diente Hauptmann übrigens die Jugendgeschichte Frank Wedekinds.

Zeit und Ort des Geschehens der "Familientragödie" sind in einem ausführlichen Vorspann genau fixiert, nachdem die "dramatis personae" mit Altersangaben vorgestellt wurden; eine beigefügte Autorenanweisung

> Soweit möglich, muß in den Masken eine Familienähnlichkeit zum Ausdruck kommen

stellt eine kaum einzulösende Forderung an den Maskenbildner.

> Die Vorgänge dieser Dichtung spielen sich ab an einem Weihnachtsabend der achtziger Jahre in einem einsamen Landhaus auf dem Schützenhügel bei Erkner (Mark Brandenburg).
> Der Schauplatz aller drei Vorgänge ist eine hohe, geräumige Halle, weiß getüncht, mit altertümlichen Bildern, wie auch mit Geweihen und Tierköpfen aller Art behangen. Ein Kronleuchter aus Hirschgeweihen, in der Mitte der Balkendecke angebracht, ist mit frischen Lichtern besteckt. Mitten in der Hinterwand ein nach innen vorspringendes Gehäuse mit Glastür, durch die man das schwere, geschnitzte Eichenportal des Hauses erblicken kann. Oben auf dem Gehäuse befindet sich ausgestopft ein balzender Auerhahn. Seitlich über dem Gehäuse rechts und links je ein Fenster, befroren und zum Teil mit Schnee verweht. Die Wand rechts weist einen offenen, torartigen Bogen auf, der nach der Treppe in die oberen Stockwerke führt. Von zwei niedrigen Türen derselben Wand führt die eine nach dem Keller, die andre zur Küche.

> Die gegenüberliegende Wand hat ebenfalls zwei Türen, welche beide in ein und dasselbe Zimmer führen. Zwischen diesen Türen eine alte Standuhr, auf deren Dach ein ausgestopfter Kauz hockt. Die Möblierung des Raumes besteht aus alten, schweren Eichenholztischen und Stühlen. Parallel mit der Seitenwand, rechts vom Zuschauer, eine weiß gedeckte Tafel. Rechts im Vordergrund ein eisernes Öfchen mit längs der Wand hingehender Rohrleitung. Alle Türen sind bunt, die Türfüllungen mit primitiven Malereien, Papageien usw. darstellend, versehen. (194,I,103)

Die dezidierten Bühnenanweisungen sind nichts weniger als Selbstzweck; vielmehr ermöglichen sie erste Informationen über den pekuniären und sozialen Standard der hier angesiedelten Familie. Wer ein solches 'Haus führen' kann, ist nicht dem im Naturalismus häufigen Kleinbürgertum oder gar dem Proletariat zuzurechnen, sondern gehört dem gehobenen Mittelstand an, jenen Kreisen also, die im allgemeinen Bewußtsein der Zeit ebenso materielle Wohlsituiertheit wie auch familiär 'geordnete Verhältnisse' aufweisen.

Wenn so eine soziale Schicht zum Träger des Geschehens wird, der Hauptmann selbst seiner Herkunft nach nahesteht – Hauptmann, der 'Reiche' unter den meist unbegüterten jungen Autoren des Naturalismus –, dann zeigt auch die Lokalisierung des Stücks in Erkner (auch das nahegelegene Friedrichshagen wird erwähnt: 194,I,154) den engen Bezug zur Erfahrungswelt des Autors: Hauptmann lebte hier 1885–1888 und nach einem halbjährigen Aufenthalt in Zürich wieder bis 1889. Er war also mit den dortigen lokalen Verhältnissen vertraut und konnte sich besondere Explorationen sparen, wie sie etwa zum Studium 'vor Ort' für die "Weber" notwendig wurden. – Ob durch persönliche Erfahrung oder durch eigens anberaumte Erkundung von Schauplatz und Verhältnissen: einem naturalistischen Autor mußte – nach dem Vorbild des genau recherchierenden Zola – an eigenem Augenschein gelegen sein; die Werke, die er schuf, konnten nicht mehr an einem von dichterischer Phantasie ersonnenen Ort spielen, wie es – historisierend oder exotisierend – die angegriffenen Gründerzeitpoeten gepflogen hatten; seine Orte waren streng der zeitgenössischen Realität nachgebaut, rekonstruierten mit landvermesserischer Exaktheit Lokalitäten, die jedermann aufsuchen konnte, um dann ihre 'Echtheit' bis ins Detail bestätigt zu finden.

Sogar die Terminierung der "Familienkatastrophe" mit dem diesem Untertitel so konträren Titel "Das Friedensfest" auf "einen Weihnachtsabend" ist keineswegs zufällig. Denn immer wieder begegnet man in naturalistischer Literatur demselben Zeitpunkt, beispielsweise in Holz/Schlafs "Die Familie Selicke", dem Drama, das knapp zwei Monate vor Hauptmanns "Friedensfest" von der "Freien Bühne" uraufgeführt wurde und das gleichfalls eine "Familienkatastrophe" sich an Weihnachten vollziehen läßt. – Doch geht es Hauptmann ebensowenig wie den Autoren der "Familie Selicke" vordergründig um den Gefühlswert *des* christlichen Familienfestes: für ihn ist der Weihnachtsabend in einem Stück, das die "klassischen" Einheiten des Orts und der Zeit penibel beachtet (im Gegensatz etwa zu "Vor Sonnenaufgang" oder zu den "Webern"), während die Einheit der "Handlung" nach dem vorangestellten Motto als nichtkonventionell zu erwarten ist, lediglich der plausibelste Termin, an welchem sich längst entfremdete Familienmitglieder und deren Besuch am ehesten treffen können, ein Termin also, der einen wirklichkeitsgetreuen 'Mitschnitt' der stattfindenden Vorgänge so weit wie nur möglich von allem Zufälligkeitscharakter befreit.

Wenn der naturalistische Autor – gemäß den Grundsätzen Gustave Flauberts von der "impartialité" und der "impassibilité" (vgl. 262) – sich auch beschränkt auf die Funktion des Re-Produzenten sorgfältig beobachteter Wirklichkeit, so daß die vorgeführten Dramenfiguren nicht seine, sondern jeweils ihre eigene Sprache sprechen; wenn er auch darauf verzichtet, einzelne Spielfiguren zu seinem Sprachrohr zu machen (wie es eine vorschnelle Kritik im Falle Alfred Loths aus "Vor Sonnenaufgang" behauptete; vgl. 194,XI,753 ff.) – "Du sollst deine Gestalten lieben – keine unter ihnen hassen!", formulierte Hauptmann solche Autorenobjektivität (194,VI,1036) –, so tritt er doch neben seinen Bühnen- und Szenenanweisungen auch im zeitlichen (und örtlichen) Arrangement hervor, erstellt er somit die von ihm benötigten "Experimentalbedingungen", wie es Zola im Anschluß an Claude Bernard ausgedrückt hatte. (Vgl. Kap. III.2)

Noch ehe das erste Wort der "Familientragödie" fällt, wird so das beginnende Geschehen im vorhinein sozial, örtlich und zeitlich fixiert: "an einem Weihnachtsabend der achtziger Jahre" – also zu einer Zeit, die den Premierenbesuchern der "Freien Bühne" vertraut war als ihre eigene Zeit; nicht die im historischen Irgendwann angesetzte Epoche gründerzeitlicher Salonschauspiele – finden sich "in einem einsamen Landhaus auf dem Schützenhügel bei Erkner" acht Menschen zusammen: Dr. med. Fritz Scholz (68 Jahre), seine Frau Minna (46 J.), deren Kinder Auguste (29 J.), Robert (28 J.) und Wilhelm (26 J.), weiter Frau Marie Buchner (42 J.) und ihre Tochter Ida (20 J.), schließlich der Hausknecht Friebe (50 J.).

Wenn die beigefügten Altersangaben noch von geringem Aussagewert sind – auffällig ist lediglich der große Altersunterschied beim Ehepaar Scholz –, so sorgen bereits die dem Ersten Akt vorangestellten Bemerkungen für ein sehr viel eingehenderes Kennenlernen zweier Spielpersonen; ich gebe die gesamte Vorbemerkung wieder:

> Die Halle ist mit grünen Reisern ausgeschmückt. Auf den Steinfliesen liegt ein Christbaum ohne Fuß. Friebe zimmert auf der obersten Kellerstufe einen Fuß zurecht. Einander gegenüberstehend zu beiden Sei-

ten der Tafel beschäftigen sich Frau Buchner und Frau Scholz damit, bunte Wachslichte in den dazu gehörigen Tüllen zu befestigen. Frau Buchner ist eine gesund aussehende, gutgenährte, freundlich blikkende Person, einfach, solid und sehr adrett gekleidet. Schlichte Haartracht. Ihre Bewegungen sind bestimmt, aber vollkommen ungezwungen. Ihr ganzes Wesen drückt eine ungewöhnliche Herzlichkeit aus, die durchaus echt ist, auch wenn die Art, mit der sie sich kundgibt, zuweilen den Eindruck der Ziererei macht. Ihre Sprache ist geflissentlich rein, in Momenten des Affekts deklamatorisch. Ein Hauch der Zufriedenheit und des Wohlbehagens scheint von ihr auszugehen. – Anders Frau Scholz. Sie ist eine über ihre Jahre hinaus gealterte Person mit dem beginnenden Gebrechen des Greisenalters. Ihre Körperformen zeigen eine ungesunde Fettansammlung. Ihre Hautfarbe ist weißlichgrau. Ihre Toilette ist weniger als schlicht. Ihr Haar ist grau und nicht zusammengerafft; sie trägt eine Brille. Frau Scholz ist schußrig in ihren Bewegungen, ruhelos, hat eine zumeist weinerliche oder winsliche Sprechweise und erregt den Eindruck andauernder Aufgeregtheit. Während Frau Buchner nur für andere zu existieren scheint, hat Frau Scholz vollauf mit sich selbst zu tun. – Auf der Tafel zwei fünfarmige, mit Lichtern besteckte Girandolen. Weder der Kronleuchter noch die Girandolen sind angesteckt. Brennende Petroleumlampe. (194,I,105)

Ein vor dem Naturalismus undenkbarer Text, sowohl hinsichtlich der Quantität wie der Gattungsspezifik! Zwischen zwei kurze Orts- und Tätigkeitsbeschreibungen werden die Porträts der beiden Frauen eingespannt, Porträts nicht nur optischer Art, sondern charakterisierende Beschreibungen, die nicht nur Äußerliches aussagen: knappe Psychogramme von völliger Gegensätzlichkeit. Das blaß vorangestellte "Anders Frau Scholz" bildet den Auftakt zu einer Merkmalsreihe, die jeweils genauen Bezug zu den Frau Buchner zugedachten Attributen aufweist: Gesundheitszustand, Figur, Kleidung, Frisur, Bewegungsart und Sprechweise werden in deutlichen Gegensatzpaaren skizziert, um schließlich mit der konträr formulierten Summe – Altruismus und Hilfsbereitschaft hier, Egoismus und Hilflosigkeit dort – gebündelt zu werden.

Genauso gegensätzlich nehmen sich die einführenden Beschreibungen von Auguste Scholz und Ida Buchner aus:

Auguste ist lang aufgeschossen und auffallend mager, ihre Toilette ist hochmodern und geschmacklos. Pelzjacke, Pelzbarett, Muff. Gesicht und Füße sind lang; das Gesicht scharf mit schmalen Lippen, die fest aufeinanderpassen, und Zügen der Verbitterung. Sie trägt eine Lorgnette. Mit der Aufgeregtheit der Mutter verbindet sie ein pathologisch offensives Wesen. Diese Gestalt muß gleichsam eine Atmosphäre von Unzufriedenheit, Mißbehagen und Trostlosigkeit um sich verbreiten. (194,I,106 f.)

> Ida [...] ist zwanzig Jahre alt und trägt ein schlichtes schwarzes Wollkleid. Sie hat eine schöne, volle Gestalt, sehr kleinen Kopf und trägt das lange gelbe Haar bei ihrem ersten Auftreten offen. In ihrem Wesen liegt etwas Stillvergnügtes, eine verschleierte Heiterkeit und Glückszuversicht; demgemäß ist der Ausdruck ihres klugen Gesichts meist heiter, geht aber auch mitunter plötzlich in einen milden Ernst über oder zeigt spontan tiefes Versonnensein. (194,I,108)

Auch hier werden Gestalt, Toilette, "Verbitterung" und "Trostlosigkeit" hier – "Heiterkeit" und "Glückszuversicht" dort unter genauen Parallelbezügen vorgeschrieben, wiederum über nur optische Befunde hinausgehend zu charakterologischen Steckbriefen, mit denen über die dramatis personae vom experimentierenden Autor aus bereits 'alles' gesagt ist.

In den paarweise aufeinander zugeordneten Personenbeschreibungen zeigt sich wieder der im Naturalismus sehr häufige Gebrauch schroffer Gegensätze, wie wir ihn mit den Beispielen Stadt – Land, Arm – Reich, Vorderhaus – Hinterhaus, alt und lügnerisch – modern und wahr kennengelernt hatten, also in einer ganzen Reihe 'statischer Antithesen', wie ich es nennen möchte, da jeder Vermittlungs- oder Überwindungsversuch zwischen schroff und unüberbrückbar gezeichneten Positionen als vergeblich und unmöglich angesehen wird; nicht zuletzt wegen der Starrheit solcher Antithesen, die nicht als zukunftsträchtige Antagonismen in den Blick kamen, hatte etwa der marxistische Literaturkritiker Franz Mehring wiederholt Vorwürfe gegen den Naturalismus erhoben, dessen Beschränkung aufs "Vergehende" er erweitert sehen wollte durch die Vorschau aufs "Entstehende" (194,XI,133).

Und in der Tat schufen starre Gegensatzpaare in naturalistischen Werken häufig eine Grundierung von solcher Statik, daß 'Entwicklung' ausgeschlossen bleiben mußte, 'Fortschritt' undenkbar war, alles Geschehen nur zur Demonstration des unverrückbar Konträren diente; daß also von daher schon "Handlung" in einem produktiven Sinn nicht stattfinden konnte, "Handlung" als Medium von entscheidender Änderung.

In Hauptmanns "Friedensfest" drückt sich die ins Extreme gesteigerte Gegensätzlichkeit, die alle Vermittlungshoffnung illusionär macht, nicht allein in den Porträts der beiden Mutter-Tochter-Paare aus, sondern ebenso schroff in der Vorstellung von Dr. Scholz und Wilhelm, von Vater und jüngstem Sohn, die – in einem herkömmlichen Dramen-Verstand – als eigentliche Gegenspieler erscheinen, schon deshalb, da der enorme Altersunterschied von 42 Jahren einen Generationenkonflikt wahrscheinlich macht, wie ihn Hauptmann etwa in seinem Künstlerdrama "Michael Kramer" thematisierte und wie er dann im Expressionismus häufig zum Grundmuster dienen sollte.[81]

---

[81] Vgl. den Romantitel Conrad Albertis "Die Alten und die Jungen" (Leipzig 1889).

Dr. Scholz, ebenso wie sein Sohn Wilhelm zum erstenmal nach sechs Jahren wieder zuhause, tritt völlig unerwartet in den Kreis derer, die nur mit des 'verlorenen Sohns' Wilhelm Rückkehr ins Elternhaus gerechnet hatten:

> Dr. Scholz ist ungewöhnlich groß, breitschultrig, stark aufgeschwemmt. Gesicht fett, Teint grau und unrein, die Augen zeitweilig wie erstorben, zuweilen lackartig glänzend, vagierender Blick. Er hat einen grauen und struppigen Backenbart. Seine Bewegungen sind schwerfällig und zitterig. Er spricht, unterbrochen von keuchenden Atemzügen, als ob er Mehl im Munde hätte, und stolpert über Silben. Er ist ohne Sorgfalt gekleidet: ehemals braune, verschossene Sammetweste, Rock und Beinkleider von indifferenter Färbung. Mütze mit großem Schild, steingrau, absonderlich in der Form. Rohseidenes Halstuch. Wäsche zerknittert. Zum Schnäuzen verwendet der Doktor ein großes türkisches Taschentuch. Er führt bei seinem Eintritt ein spanisches Rohr mit Hirschhornkrücke in der Rechten, hat einen großen Militär-Reisehavelock umgehängt und trägt einen Pelzfußsack über dem linken Arm. (194,I,112 f.)

Wilhelm, als Pianist die erste unter einer stattlichen Reihe Hauptmannscher Künstlergestalten (vgl. 48;125), wird wesentlich knapper vorgestellt; doch genügt schon das Wenige, um die Differenz zum heruntergekommenen Alten anzudeuten:

> Wilhelm: mittelgroß, kräftig, wohlaussehend. Blonder, kurzgeschorner Kopf. Kleidung gutsitzend, nicht geckenhaft. Paletot, Hut, Reisetasche. (194,I,124)

Abgeschlossen wird die Konstellation vielfacher Gegensätzlichkeiten durch die Skizze Roberts, der Wilhelm nicht nur äußerlich unähnlich ist, wie das Stück zeigen soll – auch er ist kein Dauerbewohner des elterlichen Hauses, sondern nur einmal im Jahr dort Gast, eben am Weihnachtsfest:

> Robert aus einer der Türen links. Er ist mittelgroß, schmächtig, im Gesicht hager und blaß. Seine Augen liegen tief und leuchten zuweilen krankhaft. Schnurr- und Kinnbart. Er raucht aus einer Pfeife mit ganz kurzem Rohr türkischen Tabak. (194,I,116)

Das Faktotum Friebe schließlich steht nur seiner sozialen Schicht nach außerhalb des gezeigten Geflechts polarer Konfigurationen: durch seine übergroße Kleidung wird er als Diener seines Herrn mit Dr. Scholz in Beziehung gesetzt:

> Friebe ist klein, bereits ein wenig gebeugt, o-beinig und hat eine Glatze. Sein kleines, bewegliches Affengesichtchen ist unrasiert. Kopf-

haare und Bartstoppeln spielen ins Gelblichgraue. Er ist ein Allerweltsbastler. Der Rock, welchen er trägt, ein Ding, das von Putzpulver, Öl, Stiefelwichse, Staub usw. starrt, ist für einen doppelt so großen Mann berechnet, deshalb die Ärmel aufgekrempt, die Rockflügel weit übereinandergelegt. Er trägt eine braune, verhältnismäßig saubre Hausknechtschürze, unter welcher er von Zeit zu Zeit eine Schnupftabaksdose hervorzieht, um mit Empfindung zu schnupfen. (194,I,106)

Die Verquickung äußerlicher Beschreibungen und gezielter Kurzcharakteristiken des Spielpersonals belegt mehr als nur Episierungstendenzen in naturalistischer Dramatik: hier, in der Setzung des räumlichen, zeitlichen und personellen Arrangements zeigt sich ein Autor am Werk, der sich keineswegs aufs 'Kopieren' von Wirklichkeit beschränkt – wie ein häufiger Vorwurf seitens der etablierten Kritik lautete: ihr erschienen die Naturalisten als bloße Photo- und Phonographen ohne jede künstlerische Eigenleistung –, sondern Bestandteile der Wirklichkeit so aufbereitet, daß ein interessantes, Erkenntnisgewinn versprechendes 'Experiment' möglich wird. Freilich läßt die Ausführlichkeit der Autorenbemerkungen, die neben Art und Zeit auch die Spielpersonen habituell und charakterlich klar fixieren, nicht viel Raum für überraschende Vorgänge: ein Aktionentheater kann unter derart festgeschriebenen Vorbedingungen nicht stattfinden – vielmehr ist ein "Gedanken"-Drama im Sinn des Lessing-Mottos zu erwarten, ein Stück vornehmlich intellektueller Auseinandersetzungen; ein Spiel – um es wenn auch pauschalisierend vorwegzunehmen – über Zeit, Herkunft und Charakter.

Neben anderen naturalistischen Autoren – oft im Anschluß an Jakob Michael Lenzs "Anmerkungen übers Theater" – hat auch Gerhart Hauptmann das Komplementärverhältnis von "Handlung" und "Charakter" immer wieder betont und der herkömmlichen Bevorzugung, oft sogar der alleinigen Ausrichtung auf "Handlung" den Primat der "Charaktere" entgegengehalten:

Was man der Handlung gibt, nimmt man den Charakteren. (194,VI, 1043) Immer mehr "Undramatisches" dramatisch zu begreifen ist der Fortschritt. (194,VI,1040)

Wo du auch immer dem begegnest, was dramaturgische Schädlinge immer vermissen, immer suchen und niemals erkennen, wo es vorhanden ist, eben das, was sie auch mit dem Namen "Handlung" bezeichnen – nimm, was du findest, wenn dir die "Handlung" begegnen sollte, Axt, Knüppel oder den ersten besten Stein, der dir gerade zur Hand ist, und schlage sie tot. (194,VI,1041)

Im 1974 erschienenen Nachlaßband der Centenar-Ausgabe der "Sämtlichen Werke" Hauptmanns finden sich folgende Bemerkungen:

Setzt man gewisse Charaktere, so bedingen sie eine gewisse Handlung, d. h. Bewegung. Charaktere erfinden, Bewegung erfinden, unabhängig eines vom andern, ist Unsinn. (194,XI,757)

"Er ist kein Dramatiker!" Nennt mich, was für ein Instrument ihr wollt. Die Handlung. (194,XI,786)

All diese Aussagen distanzieren sich von einem aktionsbetonten "Handlungsdrama", ohne deshalb mit Etikettierungen wie "Stimmungs- und Empfindungsdrama" einverstanden sein zu können – so hatte ein pseudonymer "J. W." das "Friedensfest" in eine probate Schublade stekken wollen, wogegen sich Hauptmann in ungewohnter Ironie zur Wehr setzte (194,XI,757 ff., hier 759).

Wenn nun weder "Handlung" noch "Stimmung" und "Empfindung" das auf den zutreffenden Nenner bringen, was der Autor im "Friedensfest" wollte, so ist zu klären, was "Charakter" im Spielzusammenhang bedeutet; was "Charaktere" bedeuten, die, einmal gesetzt, "Handlung, d. h. Bewegung" "bedingen".

Aufgrund dieses Bedingungszusammenhangs muß es möglich sein, vom 'Endergebnis' "Handlung" her die zu diesem Ergebnis führenden 'Setzungen' "Charaktere" besser einordnen zu können, als dies die knappen Autorenanmerkungen zu den einzelnen Spielfiguren leisten konnten. Was also, naiv gefragt, 'passiert' in der "Familienkatastrophe"?

In einem einsamen Landhaus, so könnte man die "Handlung" wiedergeben, findet an einem Weihnachtsabend die Versöhnung zwischen Vater und verstoßenem Sohn statt; schnell aber zerstören Familienzwistigkeiten die momentane Harmonie; während der kranke Vater stirbt, eröffnet sich für den Sohn die Hoffnung auf eine glücklichere Zukunft mit seiner Braut.

Nach sechs Jahren Trennung vom Elternhaus – auch so könnte ein Rekonstruktionsversuch der "Handlung" lauten – wird Wilhelm Scholz auf Bitten von Ida und Frau Buchner zu seiner Mutter zurückgebracht; unerwartet findet sich auch der Vater ein, der gleichfalls sechs Jahre nicht mehr zu Hause war. Wiederum bedarf es der Intervention der Buchners, um den bei der Nachricht von der Ankunft seines Vaters sogleich abreisewilligen Wilhelm zurückzuhalten. Wie ein unerhofftes Wunder vollzieht sich – wortlos – die Versöhnung der beiden Heimgekehrten; für die ganze Familie und deren Besuch wird der Weihnachtsabend zum "Friedensfest" im doppelten Sinne. Bald aber ist es, aufgrund scheinbarer Kleinigkeiten, mit dem Frieden wieder vorbei: als rasch vergängliche Illusion erweist sich die Möglichkeit eines friedfertigen Zusammenlebens der Familie Scholz. Zuviel an alten Vorurteilen, an allzuschweren Hypotheken der Vergangenheit hat sich angestaut, als daß ein anderes als nur ein labiles Gleichgewicht möglich würde. Der Tod des Vaters schafft für Wilhelm keineswegs das Problem aus der Welt, ob an Idas Seite für ihn eine Zukunft der Versöhnlichkeit und Friedfertigkeit möglich wird. (Vgl. 117)

Man könnte noch sehr viel ausführlicher das wiederzugeben versuchen, was im "Friedensfest" 'passiert'; man könnte die Rolle einzelner Spielfiguren – etwa Roberts – mehr betonen oder sich genauer an das Nacheinander der vorgeführten Abläufe halten – sehr viel mehr als ein dürftiger Aufriß von minimalem Aussagewert würde dabei genausowenig herauskommen wie in Herbert A. und Elisabeth Frenzels "Daten deutscher Dichtung":

> Eine Familie wird in ihrem gegenseitigen Haß, ihrem Verfall, ihrem Pessimismus geschildert. Auch die Verlobung des einen Sohnes, die scheinbar friedliche Feier des Weihnachtsfestes lassen keine Hoffnung aufkommen. In jedem dieser Menschen wird durch das Zusammensein das Negative ausgelöst, das zur allgemeinen Zerrüttung treibt.
> Einfluß von Ibsens *Gespenstern*. Reine Zustandsschilderung. "Die Familie ist das moderne Schicksal" (H.). Schließt mit einem Fragezeichen. (344a,II,114)

Weder eine mehr oder weniger detaillierte Nacherzählung noch der Verzicht darauf und stattdessen die Betonung "reiner Zustandsschilderung" leisten mehr als Oberflächenbefunde, welche die Spezifik des Stückes nicht erfassen. Näher kommt man dieser Spezifik, wenn man den Blick von der vordergründig präsentierten Dramengegenwart auf die vorerst Zeit und Herkunft benannten Bereiche richtet, also auf die das Schicksal der Familie Scholz prägenden Determinanten der Vergangenheit, die Stationen ihrer gemeinsamen Biographie. Dort, in der Vergangenheit, in der Zeit vor sechs Jahren und in der Zeit davor, liegt begründet, was ihr jetziges Zusammentreffen überschattet, mehr noch, es präformiert mit einer Gewalt, die kein Ausbrechen aus längst vorgegebenen Bahnen zuläßt.

> Jede Familie trägt einen heimlichen Fluch oder Segen. Ihn finde! Ihn lege zugrunde! (194,VI,1042)

– so hatte Hauptmann das formuliert, was sich sowohl aufs "Friedensfest" wie auch auf "Vor Sonnenaufgang" oder auf "Einsame Menschen" beziehen läßt. Den "Fluch" der Familie Scholz gilt es also aufzufinden, einen "Fluch", der nicht allein mit strenger Erbgesetzlichkeit benannt werden kann, wie es wiederholt in den Interpretationen zum "Friedensfest" in unzulässiger Vereinfachung geschehen ist – etwa, wenn der schon genannte Kritiker "J. W." die Formel von der "Erblichkeit des Verfolgungswahnes" gebrauchte (194,XI,758).

Das Aufspüren eines weit zurückliegenden, doch alles Folgende bestimmenden "Fluchs" ordnet das "Friedensfest" der analytischen Dramenform zu, einer Tradition, wie sie, tragisch gewendet, vor allem "König Ödipus" von Sophokles, und, komisch gewendet, Kleists "Zerbrochener Krug" vertreten. Für diese Dramenform gilt, daß die eigentliche "Handlung" (lange) vor dem Beginn der Dramenhandlung liegt und sich innerhalb dieser erst allmählich, Schritt für Schritt enthüllt. Während das sogenannte Zieldrama in streng durchgeführter Entwicklung am Ende Katastrophe oder Lösung bringt, hat im analytischen Drama die Katastrophe längst stattgefunden; was sich nun zeigt, sind lediglich die Aus-wicklungen, die Konsequenzen aus einem folgenreichen Geschehen.

Sechs Jahre vor dem Zusammentreffen am Weihnachtsabend – das führt zu einem Kulminationspunkt, doch noch keineswegs zum Ganzen der Scholz'schen "Familienkatastrophe" – hat Wilhelm seinen Vater im Zustand höchster Erregung ins Gesicht geschlagen, eine Tatsache, die im Verlauf des Stückes immer wieder einmal angedeutet, erwähnt wird, ohne den beiden Buchners (und daneben den Zuschauern bzw. Lesern) gleich klar zu werden: auch hier, wie überhaupt bei der gesamten Rekonstruktion der zurückliegenden "Katastrophe", gilt das Prinzip der schrittweisen Enthüllung.

> Ehre Vater und Mutter: die Hand, die sich gegen den eigenen Vater erhebt ... aus dem Grabe wachsen solche Hände. (194,I,111)

– so äußert sich Frau Scholz gegenüber Frau Buchner, ohne daß diese aufgrund solch allgemeiner Andeutungen über den damaligen Vorgang ins Bild gesetzt wäre. Das geschieht erst später durch Roberts Eröffnungen, welche die sonst so sprechsichere Frau Buchner – auch hier das Gegenteil von Frau Scholz, die oft mitten im Satz abbricht, in Dialekt verfällt oder zu ihrem stereotypen "O Gottogottogott!" Zuflucht nimmt – bestürzen und aus dem seelischen wie verbalen Gleichgewicht bringen:

> O du großer Gott! das also ist es. – Geschlagen, sagten Sie? – ins G-esicht? – seinen e i g n e n Vater? (194,I,122)

Die stufenweise Erhellung desselben Vorgangs wiederholt sich Ida gegenüber, deren vage Vermutungen

> Es muß doch – hier etwas Furchtbares passiert sein, was ...

zunächst ebenso vage Auskunft durch Wilhelm erfahren:

> Hier? Ein Verbrechen! um so furchtbarer, weil es nicht als Verbrechen gilt. (194,I,126)

Konfrontiert mit der inzwischen informierten Frau Buchner, macht Wilhelm einen erneuten, wiederum vergeblichen Anlauf, Ida über das "Verbrechen" aufzuklären:

> Diese Hand, die du ... die dich oft ... diese Hand hat ... (194,I,128)

Erst in einem weiteren Anlauf – der als Genese des Schlags in des Vaters Gesicht die 'Leidensgeschichte' der Familie Scholz resümiert – gelingt es

Wilhelm unter äußerster physischer wie psychischer Anstrengung, Ida über den akuten Anlaß zu unterrichten, der Vater und Sohn aus dem Hause getrieben hatte:

> Ich weiß nicht mehr ... Ich weiß nur ... Es steckt etwas in uns Menschen ... der Wille ist ein Strohhalm ... Man muß so etwas durchmachen ... Es war wie ein Einsturz ... Ein Zustand wie ... und in diesem Zustand befand ich mich plötzlich in Vaters Zimmer. – Ich sah ihn. – Er hatte irgend etwas vor – ich kann mich nicht mehr besinnen, was. – Und da – hab' ich ihn – buchstäblich – mit – diesen – bei-den – Händen – ab-ge-straft. *Er hat Mühe, sich aufrecht zu erhalten.* (194,I,133)

Wenn es nun auch, wider jedes Erwarten, doch nicht ohne die Hilfe Frau Buchners, zu der stummen Versöhnungsszene zwischen Vater und Sohn kommt – wir haben diese Szene bereits kennengelernt (vgl. S. 102 f.) im Zusammenhang mit Phänomenen wie Psycholekt, body language und Übersprungshandlungen –, so bleibt doch jener Schlag ins Gesicht keineswegs "vergeben und vergessen", wie es der Vater im Moment der Aussöhnung begütigend haben will.

> Alte Sachen sind alte Sachen. (194,I,135)

– eine solche Formel, so ehrlich sie auch im Augenblick ihres Aussprechens gemeint sein mag, verliert sogleich wieder ihre Gültigkeit, als ein Familienmitglied die mühsam hergestellte Harmonie stört. Das auslösende Moment zur Wiederbeschwörung der "alten Sachen" ist die Weigerung Roberts, von Ida bei der Bescherung eine neue Pfeife entgegenzunehmen. Während die Buchners im Nebenzimmer "Ihr Kinderlein, kommet" singen, ist die Familie Scholz mit sich und mit all dem "Alten" allein, was ihr Leben bis zur "wunderfremd[en]" (194,I,138) Versöhnungsszene bestimmt hatte und was nun mit ungebrochener Schärfe die einzelnen Familienmitglieder wiederum zu Distanz und gegenseitiger Feindseligkeit treibt – ich gebe die Szene, die zur erneuten Erinnerung an das "Verbrechen" Wilhelms führt, in einem längeren Ausschnitt wieder, der ebenso wie die bereits zitierte Versöhnungsszene belegt, wie in Situationen hochgradiger Erregung außersprachliche Äußerungsformen die verbale Kommunikation ersetzen:

> Dr. Scholz *ist über das Verhalten Roberts immer finsterer geworden. Bei Beginn des Gesanges blickt er scheu – wie jemand, der einen Angriff fürchtet – umher und sucht einen gewissen Abstand zwischen sich und jedem der Anwesenden möglichst unauffällig festzuhalten.*

> Frau Scholz, *bei Beginn des Gesanges.* Ach, wie schön! *Einen Augenblick lauscht sie hingegeben, dann bricht sie in Schluchzen aus.*

Robert *bewegt sich langsam, macht, wie der Gesang anhebt, ein Gesicht wie: na nu hört's auf; schreitet weiter, lächelt ironisch und schüttelt mehrmals den Kopf. Im Vorübergehen sagt er halblaut etwas zu Auguste.*

Auguste, *halb und halb gerührt, platzt nun laut heraus.*

Wilhelm *hat bisher, ein Spiel widersprechender Empfindungen, an die Tafel gelehnt – auf der Platte nervös Klavier spielend – gestanden; nun steigt ihm die Röte der Entrüstung ins Gesicht.*

Robert *scheint gegen Ende des Gesanges unter den Tönen physisch zu leiden. Die Unmöglichkeit, sich dem Eindruck derselben zu entziehen, scheint ihn zu foltern und mehr und mehr zu erbittern. Unmittelbar nach Schluß des Verses entfährt ihm – gleichsam als Trümmerstück eines inneren Monologes – unwillkürlich das Wort:* Kinderkomödie! *in einem beißenden und wegwerfenden Tone.*
Alle, auch der Doktor, haben das Wort gehört und starren Robert entsetzt an.

Frau Scholz und Auguste, *gleichzeitig.* Robert!

Dr. Scholz *unterdrückt eine Aufwallung* von *Jähzorn.*

Wilhelm *macht in bleicher Wut einige Schritte auf Robert zu.*

Frau Scholz *stürzt sich ihm entgegen, umarmt ihn.* Wilhelm! – tu mir die einzige Liebe!

Wilhelm. Gut –! Mutter!
Er geht, sich überwindend, erregt umher. In diesem Augenblick hebt der zweite Vers an. Kaum berühren die ersten Töne sein Ohr, so erzeugt sich in ihm ein Entschluß, infolgedessen er auf die Tür des Seitengemaches zuschreitet. (194,I,145)

Wilhelm, der die Diskrepanz zwischen vorgeblicher Friedensseligkeit einerseits und der aus der momentanen Latenz wieder hervordrängenden Feindseligkeit andrerseits nicht mehr erträgt und deshalb den Gesang der Buchners abbrechen will, packt seine Schwester Auguste *"unsanft an der Schulter"*, als diese über Ida spottet – Roberts und Augustes Reaktionen darauf markieren endgültig die Tatsache, daß die "alten Sachen" ihre Macht unvermindert behalten haben:

Robert *packt Wilhelms Arm, spricht kalt und jedes Wort betonend:* Wilhelm! – hast – du – etwa – wieder – Absichten . . .?

Wilhelm. Teufel!

Auguste. Das sagst du? – pfui, du?! der die Hand gegen seinen eigenen Vater erhoben hat. (194,I,147)

Die Bestätigung, daß die "alten Sachen" ihre nur kurz unterbrochene Macht wiedergewonnen haben, erfährt Robert, der meint, daß sich die Zeiten "doch wahrhaft'gen Gott sehr verändert" haben – ihm entgegnet der Vater:

> Aber ich habe mich nicht verändert. Ich bin der Herr im Hause. Ich werde Euch das beweisen. (194,I,147)

Unverändert ist er, unverändert – das zeigt der Verlauf des Stückes, etwa der neu aufbrechende Konflikt der beiden ungleichen Brüder – sind auch die anderen Familienmitglieder: Frau Scholz "*weinerlich*" und in Pessimismus befangen, Robert "*bitter*" (194,I,152) und zynisch, Auguste "*hastig*" (194,I,153) und verbittert, Wilhelm schließlich hin- und hergeworfen zwischen Verzweiflung und Hoffnung. Die einzige Änderung scheint bei Frau Buchner eingetreten: der Sog von Feindseligkeiten, in den sie – die ursprünglich so Optimistische, Zukunftssichere – geraten ist, bleibt für sie selbst nicht ohne Wirkung:

> Mit einem festen, frohen Glauben kam ich hierher. Ich schäme mich förmlich. Was habe ich mir zugetraut! Solche Naturen wollte ich lenken, ich schwache, einfältige Person! – Nun wankt alles. Ich fühle auf einmal meine furchtbare Verantwortung: für mein Kind, für meine Ida bin ich doch verantwortlich. Jede Mutter ist doch verantwortlich für ihr Kind. Reden Sie mir zu, Wilhelm! Sagen Sie mir, daß alles noch gut werden wird! Sagen Sie mir: wir werden glücklich! –: Sie und Ida. Beweisen Sie mir, daß ich unnütz Furcht und Sorge habe, Wilhelm! . . . (194,I,155)

Ihre selbstgewählte Heilsbringer-Rolle (vgl. 74) erscheint als Anmaßung, das Irreversible einer familiären Biographie doch noch harmonisierend zurechtbiegen zu wollen; "naive, felsenfeste Zuversicht" (194,I,125) reicht nicht aus, wo gemeinsam Erlebtes das gegenseitige Verhältnis der Familienangehörigen "systematisch verdorben" (194,I,126), "richtige, tiefe Klüfte zwischen uns Familienmitgliedern" (194,I,112) aufgerissen hat. – Was Wilhelm zu Ida äußert, als er eben 'nach Hause' gekommen ist, hat am Ende für alle, auch für Frau Buchner, Gültigkeit:

> Die Vergangenheit kommt einem so nah – so aufdringlich nah; – man kann sich . . . förmlich wehrlos ist man. (194,I,125)

Die "Vergangenheit" (vgl. 130): das ist, über jenen Tag vor sechs Jahren hinaus, die Summe von "Kindheitseindrücke[n]" (194,I,120), welche Robert mit drastischer Offenheit zieht:

> Ein Mann von vierzig heiratet ein Mädchen von sechzehn und schleppt sie in diesen weltvergessenen Winkel. Ein Mann, der als Arzt in türkischen Diensten gestanden und Japan bereist hat. Ein gebildeter, un-

> ternehmender Geist. Ein Mann, der noch eben die weittragendsten Projekte schmiedete, tut sich mit einer Frau zusammen, die noch vor wenigen Jahren fest überzeugt war, man könne Amerika als Stern am Himmel sehen. Ja wirklich! ich schneide nicht auf. Na, und darnach ist es denn auch geworden: ein stehender, fauler, gärender Sumpf, dem wir zu entstammen das zweifelhafte Vergnügen haben. Haarsträubend! Liebe – keine Spur. Gegenseitiges Verständnis, Achtung – nicht Rühran; und dies ist das Beet, auf dem wir Kinder gewachsen sind. (194,I,120)

> Wir sind alle von Grund aus verpfuscht. Verpfuscht in der Anlage, vollends verpfuscht in der Erziehung. Da ist nichts mehr zu machen. (194,I,121)

Das Motiv der 'unpassenden' Ehepartner, das hier den Ausgangspunkt von Roberts Erklärungsversuch der jahrzehntelangen "Familienkatastrophe" – der Scholz'schen "Lebenslüge" – bildet, weist bereits auf Hauptmanns nächstes Drama "Einsame Menschen" voraus; was dort aber den ständigen Bezugsrahmen für Johannes Vockerats Verhältnis zur emanzipierten Studentin Anna Mahr abgibt, ist im "Friedensfest" lediglich als Begründungszusammenhang einer Ehe von Belang, in welcher der Mann "der reine Einsiedler" (194,I,109) bleibt, in einem eigenen Stockwerk wohnt, nicht zu den gemeinsamen Mahlzeiten erscheint und mit seiner Familie nur über den ihm völlig ergebenen Friebe verkehrt – in der Tat: "Ein zu merkwürdiger Mann!" (194,I,106)

"Wir sind uns gegenseitig zeitlebens im besten Falle Luft gewesen." (194,I,122) – so beschreibt Robert seine Beziehung zu Wilhelm, und er bringt mit diesem Satz das Familienleben aller Scholzens auf einen zutreffenden Nenner.

Wilhelms Schilderung der familiären Vergangenheit ergänzt Roberts Resümee:

> hier oben wohnte Vater. Bis er Mutter nahm, hatte er einsam gelebt, und so wurde es bald wieder; er führte sein einsames Sonderlingsleben weiter ... Mit einemmal verfiel er dann auf uns – Robert und mich, um Auguste hat er sich gar nicht bekümmert. – Volle zehn Stunden täglich hockten wir über Büchern ...
> Es kam so weit: Friebe mußte uns hinauftragen. Wir wehrten uns, wir bissen ihm in die Hände; natürlich half das nichts, unser Dasein wurde nur noch unerträglicher ... Aber widerspenstig blieben wir, und nun, weiß ich, fing Vater an uns zu hassen. Wir trieben es so lange, bis er uns eines Tages die Treppe hinunterjagte. Er konnte uns nicht mehr ertragen – unser Anblick war ihm ekelhaft. (194,I,131)

Als der Erziehungsdrill an den Neun- und Zehnjährigen versagt, kümmert sich der Vater überhaupt nicht mehr um seine Söhne, die schließlich "in einer Anstalt untergebracht" (194,I,132) werden. Während dieser Zeit wird die an Jahren und Intellekt deutlich unterlegene Mutter zur Gefangenen des Vaters. Wilhelm versucht, sie zur Trennung zu überreden, doch vergebens. Als er ihr – vor sechs Jahren – zur "Auffrischung" einen Musiker-Bekannten nach Hause bringt, mit dem sie eine Woche lang vierhändig Klavier spielt, wird Wilhelm zum Zeugen, daß ihr sein Vater dem Pferdeburschen gegenüber "ein schlechtes – Verhältnis" (194,I,133) nachsagt. Wilhelm gerät wie unbewußt in des Vaters Zimmer und schlägt ihn ins Gesicht. Von Frau Scholz erfährt der Leser oder Zuschauer schließlich – auch hier also wieder: im stufenweisen Enthüllungsverfahren des analytischen Dramas –, daß die Heirat einst auch 'handfeste' Motive hatte, die reiche Mitgift nämlich einer Tochter aus ursprünglich armem Hause:

> Ich bin eben 'ne einfache Seele – der Vater war eben zu vornehm für mich. – Seine Mutter hatte ooch so was Vornehmes. Aber mei' Vater war früher bluttarm – in mir steckt eben das Armutsblutt! Ich kann mich nich anders machen. (194,I,152)

Die Unmöglichkeit, sich "anders machen" zu können – in Roberts Formulierung: "so bin ich nun mal" (194,I,116) –, reflektiert die unausweichliche Lage aller Familienmitglieder, Gefangene von Zeit und Herkunft zu sein, Gefangene von Faktoren also, welche den 'Charakter' jedes einzelnen für alle Zukunft geprägt haben. Immer deutlicher wird im Verlauf des Stückes, daß die allen fehlende "Herzensgüte" (194,I,138) im emotionsbestimmten Ausnahmezustand der Versöhnungsszene[82] – als im Tableau der kurzfristig 'geheiligten' Familie sogar Robert seinen Sarkasmus ablegt und die Hände faltet (194,I,136) – nur allzu vergänglich "in uns lebendig geworden", "hervorgebrochen" (194,I,138) ist, um sogleich wieder durch die Hypotheken der Vergangenheit zugeschüttet zu werden.

Über die Versöhnungsszene hinaus – deren Ausnahmecharakter unterstrichen wird durch die formale Anordnung in der Mitte des zweiten Akts und somit in der Mitte des gesamten Dramas – geht es immer wieder von neuem um die Variation eines Satzes, den Hauptmann aphoristisch formuliert hatte:

> Es gibt nichts so Grauenvolles wie die Fremdheit derer, die sich kennen. (194,VI,1014)

---

[82] Guthke bewertet die Versöhnungsszene anders: hier sei unter der "Oberflächenschicht" der Scholz'schen Familienhölle "ein tieferes Stratum" hervorgetreten (196,47), welches als "der plötzlich entdeckte Kern der Persönlichkeit" (196,49) das ganze Stück über von Belang bleibe.

Ein anderes Notat aus den "Einsichten und Ausblicken" zu "Leben und Menschheit" lautet:

> Der Begriff des Richters ist die höchste menschliche Anmaßung. (194,VI,1010)

Und auch dieser Satz läßt sich auf "Das Friedensfest" beziehen, in welchem die letzte Frage Augustes

> Wer – trägt nun – die Schuld? – wer? – wer? (194,I,165)

ohne Antwort bleibt. Auch wenn Dr. Scholz' *"halbwegs geheimnisvoll"* ausgesprochener Satz eines mechanistischen Kausalnexus menschlicher Verfehlungen

> Auf Schuld folgt Sühne, auf Sünde folgt Strafe. (194,I,104)

im Verlauf des Stückes drastische Bestätigung erfährt, bleibt es doch unmöglich, mit der Anmaßung des Richters Wilhelm, dem Vater oder einem anderen Familienmitglied die Primärschuld der "Katastrophe" zuzuschreiben. *Den* Bösen gibt es nicht mehr in dieser modernen Tragödie, in welcher das Schicksal nicht länger ein 'von oben' verhängtes, an metaphysische Instanzen gebundenes ist; vielmehr ist ein Schicksal 'von unten' am Werk. – Die Mitglieder der Familie Scholz werden sich gegenseitig zum Schicksal; ihre durch Zeit und Herkunft fixierten Charaktere prallen mit einer Eigengesetzlichkeit aufeinander, die sich unterhalb bewußter Aktionen vollzieht und die deshalb durch einzelne Akte bewußter Art nicht aufzuhalten ist – mit einem "festen, ehrlichen Willen", wie ihn Frau Buchner als 'Botschaft aus der Fremde' anpreist, läßt sich solch festgefahrene Eigengesetzlichkeit allenfalls momentan korrigieren; Frau Scholz entgegnet ihr:

> Der Wille, der Wille! Geh mer nur da mit! Das kenn ich besser. Da mag man wollen und wollen und hundertmal wollen, und alles bleibt doch beim alten. Nee, nee! das ist'n ganz andrer Schlag, deine Tochter: die is so, und Wilhelm is so, und beide bleiben, wie sie sind. Viel zu gutte Sorte für einen von uns, viel, viel zu gutt. – Gott ja, der Wille, der Wille! – ja, ja, alles gutter Wille – dein Wille ist sehr gutt, aber ob du damit was erreichen wirst –? Ich glaube nicht. (194,I,112)

Daß der Wille lediglich "ein Strohhalm" (194,I,133) sei, stellt auch Wilhelm fest; und die Bestätigung resignativen Ausgeliefertseins an einen undurchschaubaren "Sumpf" (194,I,120) wechselweiser Distanz und "Fremdheit" erbringen die Minuten und Stunden nach der Versöhnungsszene. Immer unwiderleglicher erweist sich die Friedensseligkeit jener

Episode als bloße Zäsur, als ein einziger Moment des Aufatmens in einem schnell wieder übermächtigen Kontinuum gegenseitiger Entfremdung.

Das Entfremdungs-Thema bildet bis zum Schluß des Stückes das Kardinalthema des "Friedensfests", eine Frage ohne Antwort, von verschiedenen Familienmitgliedern immer neu, in immer gleichem Pessimismus gestellt, damit Hauptmanns Notat entsprechend:

> Ein Drama, das nicht vom ersten bis zum letzten Wort Exposition ist, besitzt nicht die letzte Lebendigkeit. (194,VI,1037)

Ähnlich hatte Alfred Kerr im Blick auf die veränderte Rolle der Exposition im naturalistischen Drama bemerkt:

> Man vermeidet die bequeme Methode, sie in einer großen Erzählung darzulegen: man wählt den schwierigeren, aber lebenstreueren Weg, sie im Verlaufe der Handlung allmählich durchsickern zu lassen. (12,8)

Was im "Friedensfest" "bis zum letzten Wort Exposition" bedeutet, was hier bis zum 'offenen Schluß' – der ans Publikum gerichteten Aufforderung also, sich bereits ganz in Brechts Sinn einen eigenen Reim auf das Gelesene oder Gesehene zu machen – "allmählich durchsickert", die permanente Krisensituation einer bürgerlichen Familie, stellt sich gleichzeitig als vorweggenommene Exposition einer möglichen Ehe zwischen Wilhelm und Ida dar. Robert, der kalte 'Darwinist' im Scholz'schen Ensemble, betont:

> man muß nicht Dinge leisten wollen, die man seiner ganzen Naturanlage nach nun mal nicht leisten kann. (194,I,160)

– und er erläutert derlei Naturgesetzlichkeit Wilhelm gegenüber zwar mit verkürzender Pauschalität, ohne daß aber der Bruder ihm entscheidend widersprechen könnte:

> Robert. Antworte mir doch gefälligst erst mal darauf: wenn ihr euch heiratet, was wird dann aus Ida?
>
> Wilhelm. Das kann kein Mensch wissen.
>
> Robert. O doch, du! Das weiß man –: Mutter. (194,I,160)

Den Widerspruch muß an Wilhelms Statt Ida leisten, die einzige Spielfigur im "Friedensfest", die nicht in den Sog von Resignation, Verzweiflung und Pessimismus gerät und damit die Möglichkeit andeutet, daß es auf der den Scholzens fehlenden Grundlage von "Liebe", "Achtung" und "Verständnis" (194,I,151) eine glückliche, harmonische Ehe und Familie geben könne. Ihre ungebrochene Zuversicht stellt sie Wilhelms Familienbekenntnis entgegen, "daß wir unheilbar kranken" (194,I,155) – eine Zuversicht freilich, die im Stück selbst verbal bleibt: auch hier hat sich das Publikum die offene Frage vorzulegen, ob die Realisierung eintreten kann. Überhaupt bekommt das Publikum des "Friedensfests" die Rolle des idealen Beobachters bei einem 'Experiment' zugewiesen, bei welchem der Autor lediglich die Ingredienzien beisteuert und die 'Experimentalbedingungen' fixiert: um die Formulierung von 'Ergebnissen' ist es ihm keineswegs zu tun.

Doch fließt auch bei noch so betonter Zurückhaltung des prinzipiell unparteiischen Autors ohne jeden Zweifel Kritik mit ein, Kritik an den Institutionen Ehe und Familie. Und daß derlei Kritik exemplifiziert wird an einer sozialen Schicht, die jener entspricht, aus der sich das Bühnenpublikum rekrutiert – daß also Institutionenkritik im bürgerlichen Milieu geübt wird, sollte noch einmal vor der vorschnellen Identifikation von Naturalismus und "Armeleutekunst" (194,VI,1041) warnen: gerade Hauptmanns Dramen – doch nicht nur sie – siedeln die auf "Wahrheit" bedachten Demonstrationen institutioneller Brüchigkeit oder zwischenmenschlicher Verlogenheit mit Vorliebe im nicht-proletarischen Milieu an, was sowohl der Maxime eigener Empirie entspricht als auch *ad spectatores* gemünzt ist. – Wenn Konfrontation der Zeitgenossen mit Zeitgenössischem eine der obersten Forderungen der Naturalisten ist, so ist es nur konsequent, das "tua res agitur" auch vom Anschauungsmaterial schichtengleich zu bestätigen.

Fontane, dem das Stück gewidmet war, schrieb in seiner Kritik:

> Es sieht in Tausenden von Familien nicht viel anders aus. Was da gegeben ist, ist typisch, und es ist wahr wiedergegeben und ohne Übertreibung. (353,8)

Die meisten seiner Kritikerkollegen freilich versuchten "Das Friedensfest" zu reduzieren auf "Fragen der Vererbung, der geistigen und sittlichen Dekadenz", auf "den Gegensatz einer älteren und einer jüngeren Generation." (353,8) Doch derlei Einordnung in einen Schubladen-Naturalismus entzieht sich bei näherem Zusehen die "Familienkatastrophe", in der es mehr um Fragen geht als um Thesen, in der die Form des analytischen Dramas ein gleichfalls analytisches Verfahren beim Publikum initiieren will, in der eine Fülle gegebener Daten Diskussion verlangt: ein Appell an die Leute im Parkett, zum Nachdenken auffordernd und zum Vergleich mit der eigenen Situation, ein pathologisches Exempel, das nicht nachgeahmt sein will, ein Aufweis von Prämissen und Folgen, die es allesamt zu vermeiden gilt.

Was zunächst als höchst private, ganz zufällige "Familienkatastrophe" erscheint, als krasses Schicksal von Außenseitern, will vom extremen

Rand her klären helfen, ob das anscheinend so 'wohlgeordnete' Zusammenleben in bürgerlichen 'Kreisen' tatsächlich funktioniert – ob es dann funktionieren kann, wenn sich weiterhin patriachalische Vorrangstellung, pekuniäre 'Vernunft' und rigide Erziehungsmodelle behaupten, wenn Ehe und Familie zum bloßen Zweckverband denaturieren, der auf "Herzensgüte" verzichten zu können meint.

Hinter dem zur Familienhölle gewordenen "Friedensfest" meldet sich der in der Kritik am Naturalismus oft übersehene ethische Anspruch, die Aufforderung, es anders, es besser zu machen; eine Ethik 'grober Geschütze', gewiß, doch die Ethik einer 'verzweifelt' ehrlichen Literatur, die Schluß gemacht hat mit den harmonisierenden Vertröstungs- und Rekreations-Funktionen einer nur "schönen" Literatur".

LITERATURVERZEICHNIS

Das Literaturverzeichnis gibt eine Auswahl des Schrifttums zum Naturalismus wieder, ebenso eine Auswahl der Werkausgaben. Vollständigkeit wurde dabei keineswegs angestrebt. Doch sind über die im Text zitierten Titel hinaus weitere angeführt, die ein Studium der Epoche auch in spezielleren Fragen erlauben.

Innerhalb der sechs Hauptgruppen ist die Auswahl alphabetisch angeordnet; eine Ausnahme von dieser Regel tritt ein, wenn zu einem Einzelautor (z. B. Zola, Darwin oder Holz) Titel der Forschungsliteratur verzeichnet werden. Bei mehrbändigen Werkausgaben wird der benützte Band in römischen Zahlen genannt; bei Zeitschriften der Jahrgang.

1. Anthologien, Manifeste, Zeitschriften usw.

1 Arent, Wilhelm (Hrsg.): Moderne Dichter-Charaktere. Berlin 1885.

2 Freie Bühne für modernes Leben. 1890 ff. (vgl. 19,26 ff.)

3 Die Gesellschaft. 1885–1902 (vgl. 19,19 ff.)

4 Hart, Heinrich und Julius: Kritische Waffengänge. (= Reprint) Mit einer Einführung von Mark Boulby. New York and London 1969.

5 Hart, Heinrich (Hrsg.): Berliner Monatshefte für Litteratur, Kunst und Theater. 1885. (Vgl. 19,18)

6 Hausmann, Marianne: Münchener Zeitschriften von 1870 bis 1890. Diss. München 1939.

7 Henckell, Karl (Hrsg.): Buch der Freiheit. Berlin 1893, 2 Bde.

8 Liepe, Wolfgang (Hrsg.): Verein Durch. Facsimile der Protokolle 1887. Aus der Werdezeit des deutschen Naturalismus. Kiel 1932.

9 Linden, Walther (Hrsg.): Deutsche Literatur in Entwicklungsreihen. Vom Naturalismus zur neuen Volksdichtung. Leipzig 1936.

10 Das Magazin für die Literatur des In- und Auslandes. 1832–1915 (vgl. 19,22 ff.)

11 Meyer, Theo (Hrsg.): Theorie des Naturalismus. (= Universal-Bibliothek Nr. 9475–78) Stuttgart 1973.

12 Müller, Artur/Schlien, Hellmut (Hrsg.): Dramen des Naturalismus. Emsdetten 1962.

13 Münchow, Ursula (Hrsg.): Naturalismus 1885–1899. Dramen, Lyrik, Prosa, 2 Bde. Berlin und Weimar 1970.

14 Rothe, Wolfgang/Hoefert, Sigfrid (Hrsg.): Deutsches Theater des Naturalismus. München, Wien 1972.

15 Rothe, Wolfgang (Hrsg.): Einakter des Naturalismus. (= Universal-Bibliothek Nr. 9468–70) Stuttgart 1973.
16 Rothe, Wolfgang (Hrsg.): Deutsche Großstadtlyrik vom Naturalismus bis zur Gegenwart. (= Universal-Bibliothek Nr. 9448–52/52a/b) Stuttgart 1973.
17 Röhl, Hans (Hrsg.): Aus Bekenntnis und Dichtung des Naturalismus. Leipzig 1926.
18 Ruprecht, Erich (Hrsg.): Literarische Manifeste des Naturalismus 1880–1892. Stuttgart 1962.
19 Schlawe, Fritz: Literarische Zeitschriften 1885–1910. (= Realienbücher für Germanisten 6) Stuttgart ²1965.
20 Schulz, Gerhard (Hrsg.): Prosa des Naturalismus. (= Universal-Bibliothek Nr. 9471–74) Stuttgart 1973.
21 Tillmann, Kurt: Die Zeitschriften der Gebrüder Hart. Diss. Bern 1922.
22 Wunberg, Gotthart (Hrsg.): Die literarische Moderne. Dokumente zum Selbstverständnis der Literatur um die Jahrhundertwende. Frankfurt am Main 1971.

2. Gesamtdarstellungen und Einzelaspekte der Epoche

23 Alker, Ernst: Die deutsche Literatur im 19. Jahrhundert (1832–1914). (= Kröners Taschenausgabe Band 339) Stuttgart ²1962.
24 Alst, Theo van: Gestaltungsprinzipien des szenischen Naturalismus. Diss. Köln 1959.
25 Arnold, Robert F.: Das moderne Drama. Straßburg 1908.
26 Bab, Julius: Der Naturalismus. In: Das deutsche Drama. Hrsg. von R. F. Arnold. München 1925, S. 635–708.
27 Bachmann, R.: Problematik von Mensch und Wirklichkeit bei Fontane und dem deutschen Naturalismus. Diss. München 1968.
28 Bänsch, Dieter: Naturalismus und Frauenbewegung. In: 137,122–149.
29 Baxandall, Lee: The Naturalist Innovation on the German Stage: The Freie Bühne and Its Influence. In: Modern Drama 5, 1962/63, S. 454–476.
30 Becher, H.: Die Verarmung der Sprache im Naturalismus. In: Stimmen der Zeit 158, 1955/56, S. 321–332.
31 Benoist-Hanappier, L.: Le Drame naturaliste en Allemagne. Paris 1905.
32 Berg, Leo: Der Naturalismus. Zur Psychologie der modernen Kunst. München 1892.

33 Binder-Krieglstein, Karl von: Realismus und Naturalismus in der Dichtung. Ihre Ursachen und ihr Werth. Leipzig 1892.
34 Bithell, Jethro: Modern German Literature 1880–1938. London [2]1946.
35 Bleich, Erich Herbert: Der Bote aus der Fremde als formbedingender Kompositionsfaktor im Drama des deutschen Naturalismus. Diss. Greifswald 1936.
36 Boulby, Mark: Optimism and Pessimism in German Naturalist Writers. Diss. University of Leeds 1951.
37 Brandt, P. A.: Das deutsche Drama am Ende des 19. Jahrhunderts im Spiegel der Kritik. Diss. Leipzig 1932.
38 Brendle, E.: Die Tragik im deutschen Drama vom Naturalismus bis zur Gegenwart. Diss. Tübingen 1940.
39 Brodbeck, Albert: Handbuch der deutschen Volksbühnenbewegung. Berlin 1930.
40 Bürkle, Albrecht: Die Zeitschrift "Freie Bühne" und ihr Verhältnis zur literarischen Bewegung des deutschen Naturalismus. Diss. Heidelberg 1941/45.
41 Cantwell, William Richard: Der Friedrichshagener Dichterkreis. Diss. University of Wisconsin, Madison 1967.
42 Carlson, Harold G.: The Heredity Motif in the German Drama. In: GR 11, 1936, S. 184 f.
43 Ders.: The Heredity Motif in German Prose Fiction. In: GR 12, 1937, S. 185–195.
44 Ders.: Criticismus of Heredity as a Literary Motif, with Special Reference to the Newspapers and Periodicals from 1880–1900. In: GR 14, 1939, S. 165–182.
45 Cast, Gottlob C.: Das Motiv der Vererbung im deutschen Drama des 19. Jahrhunderts. Madison 1932, urspr. Diss. Univ. of Wisconsin 1915.
46 Claus, Horst: Studien zur Geschichte des deutschen Frühnaturalismus. Die deutsche Literatur von 1880–1890. Diss. Greifswald 1933.
47 Cogny, Pierre: Le Naturalisme. (= "Que sais-je?" N° 604) Paris 1968.
48 Collins, Ralph S.: The Artist in Modern German Drama (1885–1930). Diss. Baltimore 1938.
49 Cowen, Roy C.: Der Naturalismus. Kommentar zu einer Epoche. München 1973.
50 Dehmel, Richard: Die neue deutsche Alltagstragödie. In: 3, 1892, 475–512.
51 Döblin, Alfred: Der Geist des naturalistischen Zeitalters. In: Ders.: Aufsätze zur Literatur. Freiburg 1963, S. 62–83.
52 Doell, Otto: Die Entwicklung der naturalistischen Form im jüngstdeutschen Drama (1880–1890). Halle a. S. 1910.

53 Dünhofen, Ingrid: Die Familie im Drama vom Beginn des Naturalismus bis zum Expressionismus um die Zeit des 1. Weltkrieges. Diss. Wien 1958.

54 Duwe, Wilhelm: Ausdrucksformen deutscher Dichtung vom Naturalismus bis zur Gegenwart. Eine Stilgeschichte der Moderne. Berlin 1965.

55 Engel, Eduard: Das jüngste Deutschland. In: Ders.: Geschichte der deutschen Literatur. Wien, Leipzig 1907 Bd. II, S. 298–330.

56 Fischer, Lore: Der Kampf um den Naturalismus (1889–1899). Diss. Rostock 1930.

57 Fischer, Siegfried: Die Aufnahme des naturalistischen Theaters in der deutschen Zeitschriftenpresse (1887-1893). Diss. Berlin 1953.

58 Fried, Albert: Der Naturalismus, seine Entstehung und Berechtigung. Leipzig, Wien 1890.

59 Fülberth, Georg: Proletarische Partei und bürgerliche Literatur. Auseinandersetzungen in der deutschen Sozialdemokratie der II. Internationale über Möglichkeiten und Grenzen einer sozialistischen Literaturpolitik. (= collection alternative 4) Neuwied und Berlin 1972.

60 Ders.: Sozialdemokratische Literaturkritik vor 1914. Die Beziehungen von Sozialdemokratie und bürgerlicher ästhetischer Kultur in den literaturtheoretischen und -kritischen Beiträgen der 'Neuen Zeit' 1883–1914, der 'Sozialistischen Monatshefte' 1895–1914 und bei Franz Mehring 1888–1914. Diss. Marburg 1970.

61 Furst, Lilian R./Skrine, Peter N.: Naturalism. (= The Critical Idiom 18) London 1971.

62 Gaede, W. R.: Zur geistesgeschichtlichen Deutung des Frühnaturalismus. In: GR 11, 1936, S. 196–206.

62a Gafert, Karin: Die soziale Frage in Literatur und Kunst des 19. Jahrhunderts. 2 Bde. Kronberg/Ts. 1973.

63 Garten, Hugo F.: Modern German Drama. London 1959.

64 Geffcken, Hanna: Ästhetische Probleme bei Theodor Fontane und im Naturalismus. In: GRM 8, 1920, S. 345–353.

65 Grimm, Reinhold: Naturalismus und episches Drama. In: Ders. (Hrsg.): Episches Theater. Köln, Berlin 1966, S. 13–35.

65a Grothe, W.: Die Neue Rundschau des Verlages S. Fischer. Diss. Berlin 1960.

66 Günther, Katharina: Literarische Gruppenbildung innerhalb des Berliner Naturalismus. Bonn 1972.

67 Günther, M.: Die soziologischen Grundlagen des naturalistischen Dramas der jüngsten deutschen Vergangenheit. Diss. Leipzig 1912.

68 Guntrum, Hedi: Die Emanzipierte in der Dichtung des Naturalismus. Diss. Gießen 1928.
69 Gwigger, Gerda: Die Probleme der Frauenbewegungen im weiblichen Schrifttum der Zeit von 1880–1930. Diss. Wien 1948.
70 Hamann, Richard/Hermand, Jost: Naturalismus. (= Deutsche Kunst und Kultur von der Gründerzeit bis zum Expressionismus Bd. 2) Berlin (Ost) [2]1968.
71 Hanstein, Adalbert von: Die soziale Frage in der Poesie. Leipzig 1897.
72 Ders.: Das jüngste Deutschland. Zwei Jahrzehnte miterlebter Litteraturgeschichte. Leipzig 1900, [3]1905.
73 Hartogs, René: Die Theorie des Dramas im deutschen Naturalismus. Dillingen a. D. 1931.
74 Hedler, F.: Die Heilsbringer- und Erlöseridee im Roman und Drama des Naturalismus. Diss. Köln 1922.
75 Henze, Herbert: Otto Brahm und das Deutsche Theater in Berlin. Diss. Erlangen 1929.
76 Hermann, Jost: Der verdrängte Naturalismus. In: Ders.: Der Schein des schönen Lebens. Studien zur Jahrhundertwende. Frankfurt a. M. 1972, S. 26–38.
77 Hlauschek, Helmut: Der Entwicklungsbegriff in den theoretischen Programmschriften des Frühnaturalismus. Diss. München 1941.
78 Hoefert, Sigfrid: Das Drama des Naturalismus. (= Sammlung Metzler 75) Stuttgart 1968, [2]1973.
79 Ders.: Realism and Naturalism. In: Daemmrich, Horst S./Haenicke, Diether H. (Hrsg.): The Challenge of German Literature. Detroit 1971, S. 232–270.
80 Ders.: 'Gerhart Hauptmann und andere' – zu den deutsch-russischen Literaturbeziehungen in der Epoche des Naturalismus. In: 137, 235–264.
81 Huber, Irene M.: The Social Position of Women in the German Naturalistic Novel. Diss. Stanford University 1944.
82 Hundt, Josef: Das Proletariat und die soziale Frage im Spiegel der naturalistischen Dichtung (1884–1890). Diss. Rostock 1939.
83 Jacobsohn, Siegfried: Das Theater der Reichshauptstadt. München 1904.
84 Johann, Ernst: Die deutschen Buchverlage des Naturalismus und der Neuromantik. (= Literatur und Leben 7) Weimar 1935.
85 Kalisch, Erich: Der Gegensatz der Generationen in der Streitschriftenliteratur des deutschen Naturalismus. Diss. Berlin 1947.
86 Kasten, Helmut: Die Idee der Dichtung und des Dichters in den literarischen Theorien des sogenannten "Deutschen Naturalismus". Diss. Königsberg 1935, Würzburg 1938.

87 Kauermann, W.: Das Vererbungsproblem im Drama des Naturalismus. Diss. Kiel 1933.

88 Kayser, Wolfgang: Zur Dramaturgie des naturalistischen Dramas. In: Ders.: Die Vortragsreise. Bern 1958, S. 214–231.

89 Kirchner, Friedrich: Gründeutschland. Ein Streifzug durch die jüngste deutsche Dichtung. Wien, Leipzig 1893.

90 Kniffler, C.: Die "sozialen" Dramen der achtziger und neunziger Jahre des 19. Jahrhunderts und der Sozialismus. Diss. Frankfurt/M. 1929.

91 Kreer, Norbert: Der Aufstieg des Proletariats in der Prosa der Zeitschrift *Die Gesellschaft*. Diss. University of Michigan 1971.

92 Kreuzer, Helmut: Die Boheme. Analyse und Dokumentation der intellektuellen Subkultur vom 19. Jahrhundert bis zur Gegenwart. Stuttgart 1971.

93 Kupfer-Kahn, L. M.: Versuch einer Sozialcharakterologie der dichterischen Gestalten des Naturalismus. Diss. Heidelberg 1953.

94 Leppla, Rupprecht: Naturalismus. In: RL ²1958 ff., Bd. II, S. 602–611.

95 Leixner, Otto von: Geschichte der Deutschen Litteratur. Sechste, vermehrte und verbesserte Auflage. 2 Bde. Leipzig 1903.

96 Lessing, Otto Eduard: Die neue Form. Ein Beitrag zum Verständnis des deutschen Naturalismus. Dresden 1910.

97 Lindemann, M.: Studien und Interpretationen zur Prosa des deutschen Naturalismus. Diss. Münster 1956.

98 Lublinski, Samuel: Die Bilanz der Moderne. Berlin ³1904.

99 Lukács, Georg: Deutsche Literatur im Zeitalter des Imperialismus. Eine Übersicht ihrer Hauptströmungen. Berlin 1945.

100 Ders.: Erzählen oder beschreiben? Zur Diskussion über Naturalismus und Formalismus. In: Brinkmann, Richard (Hrsg.): Begriffsbestimmung des literarischen Realismus. (= Wege der Forschung 212) Darmstadt 1969, S. 33–85.

101 Mahal, Günther: 'Echter' und 'konsequenter' Realismus. Fontane und der Naturalismus. In: Grimm, Dieter u. a. (Hrsg.): Prismata. Dank an Bernhard Hanssler. Pullach bei München 1974, S. 194–204.

102 Ders.: Wirklich eine Revolution der Lyrik? Überlegungen zur literaturgeschichtlichen Einordnung der Anthologie 'Moderne Dichter-Charaktere'. In: 137,11–47.

103 Maleczek, O.: Die Dramaturgie des naturalistischen Trauerspiels. Diss. Wien 1928.

104 Manns, Benno: Das Proletariat und die Arbeiterfrage im deutschen Drama. Diss. Rostock 1913.

105 Markwardt, Bruno: Geschichte der deutschen Poetik. Bd. 5: Das 20. Jahrhundert. Berlin 1967.

106 Mattenklott, Gert/Scherpe, Klaus R. (Hrsg.): Positionen der literarischen Intelligenz zwischen bürgerlicher Reaktion und Imperialismus. (= Literatur im historischen Prozeß 2) Kronberg/Ts. 1973.
107 Maurer, Warren R.: The Naturalist Appraisal of German Literature. Diss. University of California (Berkeley) 1966.
108 Mehle, Karl: Die soziale Frage im deutschen Roman während der 2. Hälfte des 19. Jahrhunderts. Diss. Halle 1924.
109 Mehring, Franz: Aufsätze zur deutschen Literatur von Hebbel bis Schweichel. (= F. M., Gesammelte Schriften Bd. 11) Berlin (Ost) 1961.
110 Meixner, Horst: Naturalistische Natur: Bild und Begriff der Natur im naturalistischen deutschen Drama. Diss. Freiburg 1961.
111 Miehle, H.: Der Münchener Pseudonaturalismus der achtziger Jahre. Diss. München 1947.
112 Motekat, Helmut: Absicht und Irrtum des deutschen Naturalismus. In: Ders.: Experiment und Tradition. Vom Wesen der Dichtung im 20. Jahrhundert. Frankfurt 1962, S. 20–31.
113 Münchow, Ursula: Naturalismus und Proletariat. Betrachtungen zur ersten großen Literaturdiskussion der deutschen Arbeiterklasse vor der Jahrhundertwende. In: WB 10, 1964, S. 599–617.
114 Dies.: Deutscher Naturalismus. Berlin (Ost) 1968.
115 Munro, Thomas: Meanings of "Naturalism" in Philosophy and Aesthetics. In: Journal of Aesthetics and Art Criticism 19, 1960/61, S. 133–137.
116 Niemann, Ludwig: Soziologie des naturalistischen Romans. (= Germanische Studien 148) Berlin 1934.
117 Osborne, John: Naturalism and the Dramaturgy of the Open Drama. In: GLL 23, 1969/70, S. 119–128.
118 Ders.: The Naturalist Drama in Germany. Manchester 1971.
119 Pforte, Dietger: Die deutsche Sozialdemokratie und die Naturalisten. Aufriß eines fruchtbaren Mißverständnisses. In: 137,175–205.
120 Philipp, Peter: Der Naturalismus in kritischer Beleuchtung. Leipzig 1892.
121 Pick, Fritz: Die Jüngstdeutschen. Kampfstellung und Geschichtsbild. Diss. Köln 1935.
122 Poláček, Josef: Zum "hyperbolischen" Roman bei Conradi, Conrad und Hollaender. Drei Deutungsversuche. In: 137,68–92.
123 Praschek, Helmut: Das Verhältnis von Kunsttheorie und Kunstschaffen im Bereich der deutschen naturalistischen Dramatik. Diss. Greifswald 1957.
124 Ders.: Zum Zerfall des naturalistischen Stils. In: Worte und Werte. Festschrift Bruno Markwardt. Berlin 1961, S. 315–321.

125 Rausch, Lotte: Die Gestalt des Künstlers in der Dichtung des Naturalismus. Diss. Gießen 1931.
126 Der Realismus vor Gericht. In: 3,1890,1141–1232.
127 Remmers, Käthe: Die Proletarierin in der Dichtung des Frühnaturalismus. Diss. Bonn 1931.
128 Röhl, Hans: Der deutsche Naturalismus. Leipzig 1927.
129 Röhr, Julius: Das Milieu in Kunst und Wissenschaft. In: 2,1891, 341–345.
130 Root, Winthrop H.: The Past as an Element in Naturalist Tragedy. In: GR 12, 1937, S. 177–184.
131 Ders.: The Naturalist Attitude toward Aesthetics. In: GR 13, 1938, S. 56–64.
132 Ders.: Optimism in the Naturalist Weltanschauung. In: GR 14, 1939, S. 54–63.
133 Ders.: German Naturalism and the "Aesthetic Attitude". In: GR 16, 1941, S. 203 bis 215.
134 Roth, Günther: Die kulturellen Bestrebungen der Sozialdemokratie im kaiserlichen Deutschland. In: Wehler, Hans-Ulrich (Hrsg.): Moderne deutsche Sozialgeschichte. Köln, Berlin 1966, S. 342–365.
135 Schatzky, B. E.: Stage Setting in Naturalist Drama. In: GLL, N.S. 8, 1954/55, S. 161–170.
136 Scherer, Herbert: Bürgerlich-oppositionelle Literaten und sozialdemokratische Arbeiterbewegung nach 1890. Die 'Friedrichshagener' und ihr Einfluß auf die sozialdemokratische Kulturpolitik. Stuttgart 1974.
137 Scheuer, Helmut (Hrsg.): Naturalismus. Bürgerliche Dichtung und soziales Engagement. (= Sprache und Literatur 91) Stuttgart, Berlin, Köln, Mainz 1974.
138 Ders.: Zwischen Sozialismus und Individualismus – Zwischen Marx und Nietzsche. In: 137,150–174.
139 Schlenther, Paul: Wozu der Lärm? Genesis der Freien Bühne. Berlin 1889.
140 Schley, Gernot: Die Theaterleistung der FREIEN BÜHNE. Diss. FU Berlin 1966.
141 Ders.: Die Freie Bühne in Berlin. Der Vorläufer der Volksbühnenbewegung. Ein Beitrag zur Theatergeschichte in Deutschland. Berlin 1967.
142 Schlismann, A. R.: Beiträge zur Geschichte und Kritik des Naturalismus. Diss. Zürich 1903.
143 Schwerte, Hans: Der Weg ins zwanzigste Jahrhundert. In: Burger, Heinz Otto: Annalen der deutschen Literatur. Stuttgart 1952, S. 719 ff.

144 Ders.: Deutsche Literatur im Wilhelminischen Zeitalter. In: WW 14, 1964, S. 254 bis 270.

145 Schulz, Gerhard: Naturalism. In: Ritchie, James M. (Hrsg.): Periods in German Literature. London 1966, S. 199–225.

146 Ders.: Zur Theorie des Dramas im deutschen Naturalismus. In: Grimm, Reinhold (Hrsg.): Deutsche Dramentheorien. Frankfurt/M. 1971, S. 394–428.

147 Ders.: Naturalismus und Zensur. In: 137,93–121.

148 Selo, Heinz: Die "Freie Volksbühne" in Berlin. Diss. Erlangen 1930.

149 Soergel, Albert: Dichtung und Dichter der Zeit. Eine Schilderung der deutschen Literatur der letzten Jahrzehnte. Leipzig 1911.

150 Spohr, Wilhelm: O, ihr Tage von Friedrichshagen! Erinnerungen aus der Werdezeit des deutschen literarischen Realismus. Berlin 1949.

151 Stammler, Wolfgang: Deutsche Literatur vom Naturalismus bis zur Gegenwart. Breslau 1924, ²1927.

152 Steiger, Edgar: Der Kampf um die neue Dichtung. Kritische Beiträge zur Geschichte der zeitgenössischen Literatur. Leipzig 1889.

153 Stockum, Theodor C. van: Die Anfänge des Naturalismus. In: Neophilologus 36, 1952, S. 215–224.

154 Striedick, Werner F.: Paul Heyse in der Kritik der "Gesellschaft". Diss. University of Michigan 1939.

155 Thal, Wilhelm: Berlins Theater und die "Freien Bühnen". Hagen 1890.

156 Thielmann, H.: Stil und Technik des Dialogs im neueren Drama (vom Naturalismus bis zum Expressionismus). Diss. Heidelberg 1937.

157 Turszinsky, Walter: Berliner Theater. Berlin 1906.

158 Urban, Richard: Die literarische Gegenwart 1888–1908. Leipzig 1908.

159 Utitz, Emil: Naturalistische Kunsttheorie. In: Zeitschrift für Ästhetik 5, 1910, S. 87–91.

160 Valentin, Veit: Der Naturalismus und seine Stellung in der Kunstentwicklung. Kiel, Leipzig 1891.

161 Vollmoeller, Carl Gustav: Die Sturm- und Drangperiode und der moderne deutsche Realismus. Berlin 1897.

162 Weno, Joachim: Der Theaterstil des Naturalismus. Diss. Berlin 1951.

163 Wettley, Annemarie: Entartung und Erbsünde. Der Einfluß des medizinischen Entartungsbegriffs auf den literarischen Naturalismus. In: Hochland 51, 1958/59, S. 348–358.

164 Wolf, Leo Hans: Die ästhetische Grundlage der Literaturrevolution der 80er Jahre. Diss. Bern 1921.

165 Wolff, Eugen: Geschichte der deutschen Literatur in der Gegenwart. Leipzig 1896.

166 Wolzogen, Ernst von: Humor und Naturalismus. In: 2,1890,1244–1250.

167 Wunberg, Gotthart: Utopie und fin de siècle. In: DVjs 43, 1969, S. 685–706.

168 Ders.: Samuel Lublinskis literatursoziologischer Ansatz. In: 137, 206–234.

169 Ziegler, Klaus: Das deutsche Drama der Neuzeit. In: Deutsche Philologie im Aufriß. Berlin ²1960, Bd. 2, Sp. 1997–2350.

170 Ziel, Ernst: Das Prinzip des Modernen in der heutigen Dichtung. München 1895.

171 Zitta, Rainer: Bühnenkostüm und Mode vom Naturalismus zum Expressionismus. Diss. Wien 1961.

3. Einzelne Autoren

172 Bahr, Hermann: Zur Überwindung des Naturalismus. Theoretische Schriften 1887 bis 1904. Ausgewählt, eingeleitet und erläutert von Gotthart Wunberg. (= Sprache und Literatur 46) Stuttgart, Berlin, Köln, Mainz 1968.

173 Berg, Leo: Zwischen zwei Jahrhunderten. Frankfurt/M. 1896.

174 Bleibtreu, Carl: Revolution der Literatur. Mit erläuternden Anmerkungen und einem Nachwort neu herausgegeben von Johannes J. Braakenburg. (= Deutsche Texte 23) Tübingen 1973.

175 Ders.: Größenwahn. Pathologischer Roman. 3 Teile in 2 Bänden. Leipzig 1888.

176 Ders.: Dramatische Werke. 3 Bände. Leipzig 1889.

177 Böhlau, Helene: Gesammelte Werke. 9 Bände. Weimar 1929.

178 Bölsche, Wilhelm: Die naturwissenschaftlichen Grundlagen der Poesie. Prolegomena einer realistischen Aesthetik. Leipzig 1887.

179 Ders.: Ausgewählte Werke. Neubearbeitete und illustrierte Ausgabe. 6 Bände. Leipzig 1930.

180 Ders.: Hinter der Weltstadt. Friedrichshagener Gedanken zur ästhetischen Kultur. 6.–7. Tausend Jena, Leipzig 1912.

180a Ders.: Auf dem Menschenstern. Dresden 1909, S. 245–259: Friedrichshagen in der Literatur.

181 Brahm, Otto: Kritiken und Essays. Hrsg. von Fritz Martini. Zürich 1964.

182 Conrad, Michael Georg: Von Emile Zola bis Gerhart Hauptmann. Erinnerungen zur Geschichte der Moderne. Leipzig 1902.

183 Conradi, Hermann: Adam Mensch. Leipzig 1889.

184 Ders.: Gesammelte Schriften. Hrsg. von Paul Szymank und Gustav Werner Peters. 3 Bände. München, Leipzig 1911.

185 Ernst, Paul: Gesammelte Werke. 21 Bände. München 1928–1942.

186 Ders.: Jünglingsjahre. München 1931.

187 Ders.: Mein dichterisches Erlebnis. Berlin 1933.

188 Halbe, Max: Sämtliche Werke. 14 Bände. Salzburg 1943.

189 Ders.: Scholle und Schicksal. Die Geschichte meiner Jugend. Salzburg 1933.

190 Hart, Heinrich: Gesammelte Werke. Hrsg. von Julius Hart unter Mitwirkung von W. Bölsche, H. Beerli, W. Holzamer, F. H. Meißner. 4 Bände. Berlin 1907.

191 Hartleben, Otto Erich: Ausgewählte Werke in drei Bänden. Auswahl und Einleitung von F. F. Heitmüller. Berlin 1909.

192 Ders.: Tagebuch. Fragment eines Lebens. München 1906.

193 Hauptmann, Gerhart: Das Gesammelte Werk. Ausgabe letzter Hand zum 80. Geburtstag des Dichters am 15. November 1942. Abt. 1, Bd. 1–17. Berlin 1942.

194 Ders.: Sämtliche Werke. Centar-Ausgabe zum hundertsten Geburtstag des Dichters am 15. November 1962. Hrsg. von Hans-Egon Hass, fortgeführt von Martin Machatzke und Wolfgang Bungies. Bis 1974 11 Bände. Frankfurt/M. 1962 ff.

195 Reichart, Walter A.: Gerhart-Hauptmann-Bibliographie. (= Bibliographien zum Studium der deutschen Sprache und Literatur 5) Bad Homburg, Berlin, Zürich 1969.

196 Guthke, Karl S.: Gerhart Hauptmanns Menschenbild in der "Familienkatastrophe" 'Das Friedensfest'. In: GRM 43, 1962, S. 39–50.

197 Hauptmann Century Lectures. Hrsg. von K. G. Knight und F. Norman. London 1964.

198 Hoefert, Sigfrid: Gerhart Hauptmann. (= Sammlung Metzler 107) Stuttgart 1974.

199 [Katalog zu:] Gerhart Hauptmann. Leben und Werk. Eine Gedächtnisausstellung zum 100. Geburtstag des Dichters im Schiller-Nationalmuseum Marbach a. N. 1962.

200 Müller-Salget, Klaus: Dramaturgie der Parteilosigkeit. Zum Naturalismus Gerhart Hauptmanns. In: 137,48–67.

201 Schlenther, Paul: Gerhart Hauptmann. Leben und Werke. Neue Ausgabe, umgearbeitet und erweitert von Arthur Eloesser. Berlin 1922.

202 Schwab-Felisch, Hans: Gerhart Hauptmann: Die Weber. Vollständiger Text des Schauspiels. Dokumentation. (= Dichtung und Wirklichkeit 1) Frankfurt/M., Berlin 1969.

203 Henckell, Karl: Gesammelte Werke. Erste kritische Ausgabe eigener Hand. 4 Bände. München, Berlin 1921.

203a Ders.: Poetisches Skizzenbuch. Mit einem Vorwort von Heinrich Hart. Minden 1885.

204 Ders.: Aus Werkstatt und Leben. Persönliche Momente. In: Ders.: Lyrik und Kultur. Neue Vorträge zu Leben und Dichtung. München, Leipzig 1914, S. 91–117.

205 Hille, Peter: Gesammelte Werke. Hrsg. von seinen Freunden. 4 Bände. Berlin 1904–05.

206 Holz, Arno: Das Werk. Erste Ausgabe mit Einführungen von Dr. Hans W. Fischer. 10 Bände. Berlin 1924–25.

207 Ders.: Werke. Hrsg. von Wilhelm Emrich und Anita Holz. 7 Bände. Neuwied und Berlin-Spandau 1961–64.

208 Ders.: Briefe. Eine Auswahl, hrsg. von Anita Holz und Max Wagner. Mit einer Einführung von Hans Heinrich Borcherdt. München 1948.

208a Emrich, Wilhelm: Arno Holz und die moderne Kunst. In: Ders.: Protest und Verheißung. Studien zur klassischen und modernen Dichtung. Frankfurt a. M., Bonn ³1968, S. 155–168.

209 Heißenbüttel, Helmut: Vater Arno Holz. In: Ders.: Über Literatur. Aufsätze. (= sonderreihe dtv 84) München 1970, S. 32–35.

210 Scheuer, Helmut: Arno Holz im literarischen Leben des ausgehenden 19. Jahrhunderts (1883–1896). Eine biographische Studie. München 1971.

211 Schulz, Gerhard: Arno Holz. Dilemma eines bürgerlichen Dichterlebens. München 1974.

212 Servaes, Franz: Holz. In: Ders.: Praeludien. Berlin und Leipzig 1899, S. 84 ff.

213 Holz, Arno/Schlaf, Johannes: Papa Hamlet. Ein Tod. Im Anhang: "Ein Dachstubenidyll" von Johannes Schlaf. Mit einem Nachwort von Fritz Martini. (= Universal-Bibliothek 8853/54) Stuttgart 1963.

214 Holz, Arno/Schlaf, Johannes: Die Familie Selicke. Mit einem Nachwort von Fritz Martini. (= Universal-Bibliothek 8987) Stuttgart 1966.

215 Mackay, John Henry: Gesammelte Werke. 8 Bände. Berlin 1911.

215a Mackay, John Henry: Arma parato fero! Ein soziales Gedicht. Zürich 1887.

216 Polenz, Wilhelm von: Gesammelte Werke. Einleitung von Adolf Bartels. 10 Bände. Berlin 1909.

217 Przybyszewski, Stanislaw: Erinnerungen an das literarische Berlin. Mit einem Geleitwort von Willy Haas. Aus dem Polnischen von Klaus Staemmler. München 1965.

218 Rosenow, Emil: Gesammelte Dramen. Hrsg. von seiner Frau. Biographische Einleitung von Christian Gaehde. Berlin 1912.

219 Schlaf, Johannes: Meister Oelze. Mit einem Nachwort von Gerhard Schulz. (= Universal-Bibliothek 8527) Stuttgart 1967.

220 Ders.: Aus meinem Leben. Erinnerungen. Halle 1941.

221 Bohla, Karl: Paul Schlenther als Theaterkritiker. Diss. Leipzig 1935.

222 Stehr, Hermann: Gesammelte Werke. 12 Bände. Leipzig 1927–36.

223 Sudermann, Hermann: Dramatische Werke. Gesamtausgabe in 6 Bänden. Stuttgart 1923.

224 Ders.: Romane und Novellen. Gesamtausgabe. 2 Reihen. 6 und 4 Bände. Stuttgart 1930.

225 Viebig, Clara: Ausgewählte Werke. 6 Bände. Berlin 1911.

226 Weigand, Wilhelm: Moderne Dramen. 2 Bände. München 1900.

227 Wille, Bruno: Aus Traum und Kampf. Mein 60jähriges Leben. Berlin 1920.

228 Wolzogen, Ernst von: Wie ich mich ums Leben brachte. Erinnerungen und Erfahrungen. Braunschweig, Hamburg 1922.

4. Zur Geistes-, Wirtschafts- und Sozialgeschichte

229 Abel, Wilhelm: Agrarkrisen und Agrarkonjunktur. Hamburg u. Berlin [2]1966.

230 Armytage, W. H.: A Sozial History of Engineering. London 1961.

231 Bebel, August: Die Frau und der Sozialismus. Mit einem Geleitwort von Walter Ulbricht. Berlin (Ost) 1964.

232 Ley, Conrad A.: August Bebel und sein Evangelium. Düsseldorf 1885.

233 Bernard, Claude: Einführung in das Studium der experimentellen Medizin (Paris 1865). Übertragen von Paul Szendrö und biographisch eingeführt von Karl E. Rothschuh. Anhang: Zur Bibliographie des Schrifttums von und über Claude Bernard, von Rudolph Janneck. (= Sudhoffs Klassiker der Medizin 35) Leipzig 1961.

234 Bernhardt, Rüdiger: Goethe und der deutsche Naturalismus. In: Wissenschaftliche Zeitschrift der Universität Halle 18, 1969, S. 213–221.

235 Blankenagel, J. G.: Naturalistic Tendencies in Anzengruber's *Das vierte Gebot*. In: GR 10, 1935, S. 26–34.

236 Borchardt, Knut: The Industrial Revolution in Germany, 1700–1914. London 1972.

237 Born, K. E.: Der soziale und wirtschaftliche Strukturwandel Deutschlands am Ende des 19. Jahrhunderts. In: 315,271–284.

238 Braun, Lily: Memoiren einer Sozialistin. Bd. I. München 1910.

239 Buchheim, Karl: Das deutsche Kaiserreich, 1871–1918. München 1969.

240 Buckle, Henry Thomas: History of Civilization in England. In three volumes. London, New York, Bombay 1902.

241 Büchner, Ludwig: Kraft und Stoff oder Grundzüge der natürlichen Weltordnung. Nebst einer darauf gebauten Moral oder Sittenlehre. In allgemein verständlicher Darstellung. Einundzwanzigste durchgesehene Auflage. Leipzig 1904.

242 Moritzen, J.: Georg Brandes in Life and Letters. Newark 1922.

243 Seidlin, Oskar: Georg Brandes, 1842–1927. In: Journal of the History of Ideas 3, 1942, S. 415–442.

244 Comte, Isidore-Auguste-Marie-Xavier: Cours de philosophie positive. Paris 1830 bis 1842.

245 Gruber, Hermann S. J.: Der Positivismus vom Tode Comtes bis auf unsere Tage. (= Stimmen aus Maria-Laach) Freiburg 1891.

246 Cysarz, Herbert: Von Schiller bis Nietzsche. Hauptfragen der Dichtungs- und Bildungsgeschichte des jüngsten Jahrhunderts. Halle an der Saale 1928.

247 Darwin, Charles: On the Origin of Species by means of Natural Selection, or the Preservation of Favoured Races in the Struggle for Life. London 1859.

248 Ders.: The Descent of Man, and Selection in Relation to Sex. 2 Vols. London 1871.

249 Bölsche, Wilhelm: Charles Darwin und die moderne Ästhetik. In: Der Kunstwart 1, 1887/88, S. 125 f.

250 Ders.: Charles Darwin. Leipzig 1898.

251 Hemleben, Johannes: Charles Darwin in Selbstzeugnissen und Bilddokumenten. (= rowohlts monographien 137) Reinbek bei Hamburg 1968.

252 Starkenburg, H.: Darwinismus und Sozialismus. In: 3, 1885, 289–297.

253 Kampmann, Theoderich: Dostojewski in Deutschland. Münster 1931.

254 Engelberg, Ernst: Deutschland von 1871 bis 1897. (= Lehrbuch der deutschen Geschichte 8) Berlin (Ost) 1965.

255 Finckenstein, H. W. Finck von: Die Entwicklung der Landwirtschaft 1800–1930. Würzburg 1960.

256 Fischer, Wolfram (Hrsg.): Wirtschaft und Gesellschaft im Zeitalter der Industrialisierung. Göttingen 1972.

257 Glatz, Ruth (Hrsg.): Berliner Leben 1870–1900. Berlin (Ost) 1963.

258 Grube, Max: Geschichte der Meininger. Berlin, Leipzig 1926.

259 Hamann, Richard/Herman, Jost: Gründerzeit. (= Deutsche Kunst und Kultur von der Gründerzeit bis zum Expressionismus Bd. 1) Berlin (Ost) 1965.

260 Hauser, Arnold: Sozialgeschichte der Kunst und Literatur. Ungekürzte Sonderausgabe in einem Band. München 1967.

261 Heilborn, Ernst: Zwischen zwei Revolutionen. Bd. 2: Der Geist der Bismarckzeit 1848–1918. Berlin 1929.

262 Helms, E. E. Freienmuth von: German Criticism of Gustave Flaubert 1857–1930. (= Columbia University Germanic Studies N. S. 7) New York 1939.

263 Hemleben, Johannes: Ernst Haeckel in Selbstzeugnissen und Bilddokumenten. (= rowohlts monographien 99) Reinbek bei Hamburg 1964.

264 Hermand, Jost: Zur Literatur der Gründerzeit. In: DVjs 41, 1967, S. 202–232.

265 Ders.: Hauke Haien. Kritik oder Ideal des gründerzeitlichen Übermenschen? In: WW 15, 1965, S. 40–50.

266 Houben, Heinrich Hubertus: Verbotene Literatur von der klassischen Zeit bis zur Gegenwart. Berlin 1924–28.

267 Ibsen, Henrik: Dichter über ihre Dichtungen Bd. 10/II. Übertragen und hrsg. von Verner Arpe. München 1972.

268 Bahr, Hermann: Henrik Ibsen. Wien 1887.

269 Bernhardt, Rüdiger: Die Herausbildung des naturalistischen deutschen Dramas bis 1890 und der Einfluß Henrik Ibsens. Diss. Halle 1968.

270 Brandes, Georg: Ibsen. In: Nord und Süd 27, 1883, S. 247–281.

271 George, David E. R.: Henrik Ibsen in Deutschland. Rezeption und Revision. (= Palaestra 251) Göttingen 1968.

272 Schoolfield, George C.: Scandinavian-German Literary Relations. In: Yearbook of Comparative and General Literature 15, 1966, S. 19–35.

273 Kohn-Bramstedt, Ernest: Aristocracy and the Middle Classes in Germany. Social Types in German Literature. Chicago ²1965.

273a Krafft-Ebing, Richard von: Psychopathia sexualis. Mit besonderer Berücksichtigung der conträren Sexualempfindung. Eine medicinisch-gerichtliche Studie für Ärzte und Juristen. Elfte, verbesserte und stark vermehrte Auflage. Stuttgart 1901.

274 Lange-Eichbaum, Wilhelm, und Wolfram Kurth: Genie, Irrsinn und Ruhm. Genie-Mythos und Pathographie des Genies. 6., völlig umgearbeitete Auflage. München, Basel 1967.

275 Lombroso, Cesare: Der Verbrecher in anthropologischer ärztlicher und juristischer Beziehung. In deutscher Bearbeitung von Dr. Moritz O. Fraenkel. Mit Vorwort von Prof. Dr. jur. Arthur von Kirchenheim. Hamburg 1887.

277 Mann, Golo: Deutsche Geschichte des 19. und 20. Jahrhunderts. Frankfurt/M. 1958.

278 Maurer, Warren R.: The Naturalist Image of Lessing. In: GR 44, 1969, S. 31–44.

279 Mensing, E.: Jüngstdeutsche Dichter in ihren Beziehungen zu J. M. R. Lenz. Diss. München 1926.

280 Methodendiskussion. Arbeitsbuch zur Literaturwissenschaft. Hrsg. von Jürgen Hauff u. a. Bd. I. Frankfurt/M. 1971.

281 Mill, John Stuart: A System of Logic, Ratiocinative and Inductive, Being a Connected View of the Principles and the Methods of Sctientific Investigation. 2 Vols. London 1843.

282 Miller, Anna Irene: The Independent Theatre in Europe, 1887 to the Present. New York 1931.

283 Moleschott, Jacob: Der Kreislauf des Lebens. Physiologische Antworten auf Liebig's Chemische Briefe. Mainz 1852.

284 Berg, Leo: F. Nietzsche. In: 3,1890,1415–1428.

285 Deesz, Gisela: Die Entwicklung des Nietzsche-Bildes in Deutschland. Diss. Bonn 1933.

286 Diner, J.: Friedrich Nietzsche: Ein Dichterphilosoph. In: 2,1890, 368–371.

287 Dorner, August: Pessimismus, Nietzsche und Naturalismus mit besonderer Beziehung auf die Religion. Leipzig 1911.

288 Eisner, Kurt: Friedrich Nietzsche und die Apostel der Zukunft. In: 3,1891,1505 bis 1536,1600–1664.

289 Ernst, Paul: Friedrich Nietzsche. In: 2,1890,489–491,516–520.

290 Ders.: Friedrich Nietzsche. Berlin 1900, ²1904.

291 Hansson, Ola: Friedrich Nietzsche und der Naturalismus. In: Gegenwart 39,1891, S. 275–278, 296–299.

292 Nicholls, Roger A.: Beginnings of the Nietzsche Vogue in Germany. In: Modern Philology 56, 1958/59, S. 24–37.

293 Pütz, Peter: Friedrich Nietzsche. (= Sammlung Metzler 62) Stuttgart 1967.

294 Plessner, Helmut: Die verspätete Nation. Stuttgart 1967.

295 Remak, Henry H.: The German Reception of French Realism. In: PMLA 69, 1954, S. 410–431.

296 Root, Winthrop H.: German Naturalism and its Literary Predecessors. In: GR 23, 1948, S. 115–123.

297 Rosenberg, Hans: Große Depression und Bismarckzeit. Berlin 1967.

298 Rothacker, Erich: Einleitung in die Geisteswissenschaften. Tübingen [2]1930.

299 Root, Winthrop H.: Naturalism's Debt to Scherer. In: GR 11, 1936, S. 20–29.

300 Schumacher, Kurt: Der Kampf um den Staatsgedanken in der deutschen Sozialdemokratie. Hrsg. von Friedrich Holtmeier. Mit einem Geleitwort von Herbert Wehner. (= Urban-Taschenbücher 839) Stuttgart, Berlin, Köln, Mainz 1973.

301 Sell, Friedrich C.: Die Tragödie des deutschen Liberalismus. Stuttgart 1953.

302 Simon, Walter Michael: Germany in the Age of Bismarck. London 1968.

303 Spencer, Herbert: A System of Synthetic Philosophy. London 1855 ff.

304 Ders.: First Principles of Synthetic Philosophy. Auswahl mit Anmerkungen von Dr. Julius Ruska. (= Englische Schriftsteller aus dem Gebiet der Philosophie, Kulturgeschichte und Naturwissenschaft 5) Heidelberg 1905.

305 Strindberg, August: Fräulein Julie. (Essay) In: Ders.: Elf Einakter. Verdeutscht von Emil Schering. München und Leipzig [7]1917, S. 307–322.

306 Ders.: Der Einakter. In: 305,322–342.

307 Strudthoff, Ingeborg: Die Rezeption Georg Büchners durch das deutsche Theater. Berlin 1957.

308 Stürmer, Michael (Hrsg.): Das kaiserliche Deutschland. Politik und Gesellschaft 1870 bis 1918. Düsseldorf 1970.

309 Taine, Hippolyte: Histoire de la Littérature Anglaise. Tome premier. Paris 1863.

310 Bleibtreu, Karl: Taine. In: 3,1893,899–913.

311 Halm, H.: Wechselbeziehungen zwischen L. N. Tolstoi und der deutschen Literatur. In: Archiv für slawische Philologie 35, 1911, S. 452–476.

312 Hammer, William: The German Tolstoy Translations. In: GR 12, 1937, S. 49–61.

313 Karl Vogt/Jakob Moleschott/Ludwig Büchner: Schriften zum kleinbürgerlichen Materialismus in Deutschland. Hrsg. und eingeleitet von Dieter Wittich. 2 Bde. Berlin (Ost) 1971.

313a Die Vorträge der allgemeinen Sitzungen auf der 1.–85. Versammlung 1822–1913. Zusammengestellt von Hermann Lampe und Hans Querner. Mit einer Bibliographie der Berichte über die Versammlungen von Ilse Gärtner. (= Schriftenreihe zur Geschichte der Versammlungen deutsche Naturforscher und Ärzte. Dokumentation und Analyse. Bd. I) Hildesheim 1972.

314 Walzel, Oskar: Die Geistesströmungen des 19. Jahrhunderts. Leipzig 1924.

315 Wehler, Hans-Ulrich (Hrsg.): Moderne deutsche Sozialgeschichte. Köln [4]1973.

316 Ders.: Probleme der modernen deutschen Wirtschaftsgeschichte. In: Ders.: Krisenherde des Kaiserreichs 1871–1918. Studien zur deutschen Sozial- und Verfassungsgeschichte. Göttingen 1970, S. 408–430.

317 Ders.: Sozialdemokratie und Nationalstaat. Nationalitätenfragen in Deutschland 1840–1914. Göttingen [2]1971.

317a Ders. (Hrsg.): Imperialismus. Köln [2]1972.

318 Zola, Emile: Le roman expérimental. In: Ders.: Oeuvres complètes. Sér. Oeuvres Critiques. Tome premier. Paris 1906, S. 109–126.

319 Bleibtreu, Karl: Zola und die Berliner Kritik. In: 3,1885,463–471.

320 Brandes, Georg: Emile Zola. In: Deutsche Rundschau 54, 1888, S. 27–44.

321 Brausewetter, Ernst: E. Zola als Dramatiker. In: 3,1891,249–255,386–397.

322 Conrad, Michael Georg: Zola und Daudet. In: 3,1885,746–750,800–805.

323 Hart, Julius: Der Zolaismus in Deutschland. In: Gegenwart 30, 1886, S. 214–216.

324 Osborne, John: Zola, Ibsen and the Development of the Naturalist Movement in Germany. In: Arcadia 2, 1967, S. 196–203.

325 Root, Winthrop H.: German Criticism of Zola 1875–1893. New York 1931.

326 Wais, Kurt: Zur Auswirkung des französischen naturalistischen Romans in Deutschland. In: Ders.: An den Grenzen der Nationalliteratur. Berlin 1958, S. 215–236.

5. Nicht-naturalistische Autoren

327 Benn, Gottfried: Ausdruckswelt. Essays und Aphorismen. Wiesbaden [2]1954.

328 Böll, Heinrich: Dr. Murkus gesammeltes Schweigen. Köln 1958.

329 Brecht, Bert: Gesammelte Werke. (= werkausgabe edition suhrkamp) Frankfurt/M. 1967.

330 Dehmel, Richard: Ausgewählte Briefe aus den Jahren 1883 bis 1902. Zwei Bände. Bd. 1. Berlin 1923.

331 Fontane, Theodor: Werke in drei Bänden. Hrsg. von Kurt Schreinert. München 1968.

332 Ders.: Sämtliche Werke. Bd. XXII/2. Causerien über Theater. Hg. v. Edgar Groß. München 1964.

333 Ders.: Briefe in zwei Bänden. Ausgewählt und erläutert von Gotthard Erler. (= Bibliothek deutscher Klassiker) Berlin und Weimar 1968.

334 Das Junge Deutschland. Texte und Dokumente. Hrsg. von Jost Hermand. (= Universal-Bibliothek 8703–07) Stuttgart 1967.

335 Lyrik der Gründerzeit. Ausgewählt, eingeleitet und hrsg. von Günther Mahal. (= Deutsche Texte 26) Tübingen 1973.

336 Sternheim, Carl: Aus dem bürgerlichen Heldenleben. Hrsg. von Wilhelm Emrich. Sonderausgabe Neuwied und Berlin 1969.

337 Wildenbruch, Ernst von: Gesammelte Werke. Hrsg. von B. Litzmann. 3 Reihen. 16 Bände. Berlin 1919–24.

6. Weitere zitierte Literatur

338 Adorno, Theodor W.: Ästhetische Theorie. (= suhrkamp taschenbuch wissenschaft 2) Frankfurt/M. 1973.

339 Auerbach, Erich: Mimesis. Dargestellte Wirklichkeit in der abendländischen Literatur. (= Sammlung Dalp Bd. 90) Bern und München [5]1971.

340 Bausinger, Hermann: Verbürgerlichung – Folgen eines Interpretaments. In: Wiegelmann, Günter (Hrsg.): Kultureller Wandel im 19. Jahrhundert. Verhandlungen des 18. Deutschen Volkskunde-Kongresses in Trier vom 13. bis 18. September 1971. Göttingen 1973, S. 24–49.

342 Beutler, Ernst: Der Kampf um die Faustdichtung. In: Ders.: Essays um Goethe. Zweite, erweiterte Auflage Leipzig 1941, S. 350–368.

343 Brinkmann, Richard: Theodor Fontane. Über die Verbindlichkeit des Unverbindlichen. München 1967.

344 Frenzel, Herbert A. und Elisabeth: Daten deutscher Dichtung. Chronologischer Abriß der deutschen Literaturgeschichte. Bd. II: Vom Biedermeier bis zur Gegenwart. (= dtv 54) München 1962.

345 Hellmann, Winfried: Objektivität, Subjektivität und Erzählkunst. Zur Romantheorie Friedrich Spielhagens. In: Grimm, Reinhold

(Hrsg.): Deutsche Romantheorien. Beiträge zu einer historischen Poetik des Romans in Deutschland. Frankfurt/M., Bonn 1968, S. 165–217.

346 Hermand, Jost: Stänker und Weismacher. Zur Dialektik eines Affekts. (= Texte Metzler 18) Stuttgart 1971.

347 Jens, Walter: Statt einer Literaturgeschichte. Pfullingen ³1968.

348 Just, Klaus Günther: Von der Gründerzeit bis zur Gegenwart. Geschichte der deutschen Literatur seit 1871. (= Handbuch der deutschen Literaturgeschichte. Erste Abt.: Darstellungen, Bd. 4) Bern und München 1973.

349 Kindlers Literatur Lexikon. 12 Bde. Darmstadt o. J.

350 Kreuzer, Helmut: Zur Periodisierung der 'modernen' deutschen Literatur. In: Basis. Jahrbuch für deutsche Gegenwartsliteratur 2, 1971, S. 7–32.

351 Mahal, Günther: Der tausendjährige Faust. Rezeption als Anmaßung. In: Grimm, Gunter (Hrsg.): Literatur und Leser. (im Erscheinen)

352 Marx, Karl/Engels, Friedrich: Manifest der Kommunistischen Partei. Grundsätze des Kommunismus. Mit einem Nachwort von Iring Fetscher. (= Universal-Bibliothek 8323) Stuttgart 1968.

353 Mayer, Hans (Hrsg.): Deutsche Literaturkritik im zwanzigsten Jahrhundert. Kaiserreich, Erster Weltkrieg und erste Nachkriegszeit (1889–1933). Stuttgart 1965.

354 Mendelssohn, Peter de: S. Fischer und sein Verlag. Frankfurt/M. 1970.

355 Mirbt, Carl: Quellen zur Geschichte des Papsttums und des römischen Katholizismus. Tübingen ⁵1934.

356 Möbius, Paul Julius: Über den physiologischen Schwachsinn des Weibes. Halle ¹²1922.

357 Schlieben-Lange, Brigitte: Soziolinguistik. Eine Einführung. (= Urban-Taschenbücher 176) Stuttgart, Berlin, Köln, Mainz ⁷1973.

358 Schwerte, Hans: Faust und das Faustische. Ein Kapitel deutscher Ideologie. Stuttgart 1962.

359 Storck, Karl: Deutsche Literaturgeschichte. Stuttgart ³1906.

360 Tomberg, Friedrich: Mimesis der Praxis und abstrakte Kunst. Ein Versuch über die Mimesistheorie. (= Soziologische Essays) Neuwied und Berlin 1968.

361 Wulf, Joseph: Literatur und Dichtung im Dritten Reich. Eine Dokumentation. Reinbek bei Hamburg 1966.

PERSONENVERZEICHNIS

Dieses Verzeichnis umfaßt *nicht* die Namen der auf S. 37 bis 39 abgedruckten Titellisten der *Freien Bühne*, der *Freien Volksbühne* und der *Neuen Freien Volksbühne*. – Die dort genannten Namen hätten zum einen das Personenverzeichnis nur unnötig aufgeschwellt, zum andern das in den Titellisten sichtbare Neben- und Gegeneinander verwischt.

UTB

Uni-Taschenbücher GmbH
Stuttgart

205. Dietrich Harth, Hrsg.: Propädeutik der Literaturwissenschaft

Mit Beiträgen von U. Frieß, D. Harth, W. Kamlah, R. Lahme, K.-H. Stahl, G. Ter-Nedden, Ch. Thiel
283 Seiten, DM 12,80
ISBN 3-7705-0933-1 (Fink)

Eine „Vorschule" der Literaturwissenschaft über die grundlegenden Probleme des wissenschaftlichen Diskurses und der Interpretation, die zugleich den Blick für die Verflechtung der wissenschaftlichen Ausbildung mit gesellschaftspolitischen Interessen schärfen will. Zu diesem Zweck werden auch einige allgemeine Grundfragen der Geisteswissenschaften (z. B. Entstehung der Humanwissenschaften, Sozialgeschichte der literarischen Intelligenz) abgehandelt. Die systematische Erörterung des literaturwissenschaftlichen Teils hat vor allem die Begriffsbildung, das Verfahren der Textexplikation sowie wissenschaftspolitische und studienpraktische Fragen zum Gegenstand. Referate über aktuelle Trends der Theorie und der literarischen Produktion runden den Band ab.

305. Jürgen Link: Literaturwissenschaftliche Grundbegriffe

Eine programmierte Einführung auf strukturalistischer Basis
369 Seiten, DM 19,80
ISBN 3-7705-1045-3 (Fink)

Das Buch bringt erstmalig in dieser Form eine systematische, Schritt für Schritt vorgehende Einführung in die Grundbegriffe der strukturalen Literaturwissenschaft – von den kleinsten Begriffseinheiten (Zeichen, Phonem, Morphem, Konfiguration, Isotopie ... usw.) bis zum narrativen Text. Durch die Einstreuung pädagogisch geschickt und gezielt angelegter Übungen und Kontrollfragen eignet es sich nicht nur als Begleitbuch für Anfängerübungen und -vorlesungen, sondern vor allem auch für das Selbststudium.